検証捜査

堂場瞬一

集英社文庫

目次

検証捜査

第一部　一時帰還

1

伊豆大島《いずおおしま》・元町《もとまち》港の突堤の先端には、「元町港突堤灯台」という工夫のない名前の小さな灯台があり、周辺は手軽な釣りのポイントになっている。

神谷悟郎《かみやごろう》は釣り糸を垂れ、熱い風が髪の間をすり抜ける感覚に身を任せていた。ここへ来る時間は決まっているわけではないが、よく顔を合わせる同好の士が何人かいる。言葉を交わすわけでもなく、せいぜい軽く会釈する程度の顔見知りなのだが、それでも近くに人がいると心強い。今は穏やかに凪《な》いでいるとはいえ、海は海だ。

狙いはマダイ。ここで釣りをするようになって二年以上が経《た》つが、未《いま》だに釣り上げたことがない。一度ぐらい、「三段引き」と言われるマダイの引きを経験してみたいものだが……ヘボな釣り師の自分には無理だろう。テクニックを学ぶ手段はいくらでもあるのだが——それこそ周りの釣り人に聞けばいい——今さらそんなことに熱中するのは馬鹿馬鹿しい。これはあくまで暇潰し。海風に吹かれて、静かに時間が過ぎていけばいいのだ。

終わる予定のない休暇。

釣り以外にも、狭い大島の中で楽しめることはあるだろう。ジョギングを始めてもいいし、三原山《みはらやま》登山もいいかもしれない。読書もありだ。ただ、そういうこと全てが面倒臭い。特に欲張らずに釣り糸を垂れているのが、今の自分には似合っている。

向かいに見えるのは伊豆半島だ。正面はちょうど、伊豆稲取《いなとり》辺りだろうか……地図を見ると非常に近いし——直線距離で三十キロほど——実際、よほど天気が悪くない限り、対岸の景色はよく見える。海岸に張りつくような建物、さらにははるか彼方《かなた》の富士山さえも。九月、少し空気がもやっているせいか、今日はぼんやりと霞《かす》んで見えた。はっきり見えない方が、いいかもしれない。見えれば、嫌でも本土の生活を思い出すから。

神谷が暮らし、仕事をしていたのは東京であり、今見えている静岡や神奈川ではないのだが、それでも対岸の景色を見れば、どうしても本土の記憶が蘇《よみがえ》る。だからこそ、空気が澄んで見通しがよくなる冬には、別の場所——太平洋に向いた島の南側へ行く。

小さな折り畳み椅子に腰を下ろしたまま、視線を下げる。浮きは先ほどからぴくりとも動かない。波もない穏やかな日だから仕方がないが、見ているだけで眠くなってくる。

それでも居眠りできないのは、暑いからだ。風が吹く時だけは少し涼しいが、それ以外は、座っているだけで体力を消耗するような暑さである。白いシャツにジーンズ。頭にかけたタオルも役に立たず、帽子を被《かぶ》ってこなかったことを後悔し始めた。まあ、暑くなり過ぎたら、やめて帰ればいい。真面目にやっているわけではないのだから。

竿《さお》を置き、弁当を広げた。泊まり勤務明けの非番。遅くまでだらだらと寝ていたので、これが朝昼兼用の食事だ——署の近くのスーパーで買ってきた、出来合いの弁当。島内では数少ないスーパーなのでよく利用するのだが、弁当コーナーはひどく寂しい。カレー四百円、炊き込みご飯三百九十八円……と値段を覚えてしまったのが悲しかった。一人暮らし故、どうしてもこのスーパーを利用する機会が多くなるのだが——島には飲食店が極端に少ない——自分が「常連」であることに、未だに違和感を覚える。

そんなことは、決して口には出さなかった。出してどうなるわけではないから。

今日は幕の内弁当だった。炊き込みご飯に白身魚のフライ、鳥の唐揚げ、きんぴらごぼう……添えられたオレンジが、何故《なぜ》か侘《わび》しさを増幅させる。

機械的に料理を口に運びながら、東京——大島も東京都だが——のことを考えてしまう。あの街はどれだけ便利なことか。どこへ行ってもコンビニエンスストアやファストフード店、ファミレスがあり、食事には困らない。向こうにいた頃の自分は結婚していたので、そういう店の世話になる機会はそれほど多くなかったのだが……ここへ来る前に神谷が住んでいた街には、駅から自宅まで五百メートルほどの間に、四軒ものコンビニがあった。潰し合いにならず、どの店にも客が入って繁盛していた光景は、東京ならではだろう。

それが大島では……文句を言ってはいけないが、四十男の一人暮らしには厳しい環境だ。自炊は面倒臭いし、かといって台所代わりに使える飲食店が多いわけではない。特に、美味《うま》い蕎麦屋《そばや》がないのが致命的だ。格好つけているわけではないが、ふとした拍子に、名店の蕎麦の味が口中に蘇ってくるのが辛《つら》い。

そそくさと弁当を食べ終え、再び釣り竿を手に取る。静かだ……釣り人同士は、あまり近づかずに自分の場所を確保するのがルールなので、会話もない。だから、誰かが近づいて来るとすぐに分かる。

突堤は、先端ぎりぎりまで車で入れるようになっている。車の騒音は魚を驚かせるのかどうか……無意識のうちに神谷は振り返り、ドライバーに非難の視線を浴びせようとしたが、その瞬間、走ってきたのが署の覆面パトカーだと気づく。いったい何事だ？ 運転席に座っているのは、大島署刑事課の巡査長で神谷の部下、谷本《たにもと》だった。

こんな所へ覆面パトで……周りの人が驚いてるじゃないか。非常識にもほどがある。サイレンを鳴らさなければいいというものではない。

ドアが開き、谷本が転がるように外へ出て来た。神谷はちらりとそれを見て、また海に視線を戻した。事件かもしれないが、どうせ大したことはあるまい。所詮は伊豆大島、同じ警視庁の所轄署でも、新宿署や麻布署とは忙しさが百対一ぐらい違う。

「係長！」

あの馬鹿……あろうことか、大声で呼びかけてくるとは。神谷は首だけ巡らして谷本を睨《にら》みつけ、唇の前で人差し指を立てた。静かにしろ。俺はともかく、他の釣り客に迷惑だ——谷本が引《ひ》き攣《つ》った表情を浮かべ、立ち止まる。だがすぐに思い直したように、また走り出した。まったく、何を慌てているんだか……。

谷本は神谷の横に立つと、膝に両手を当てて荒い息を整えた。だらしない奴《やつ》だ。まだ三十歳にもならないのに、少し走ったぐらいで息切れしてどうする。大島署にいると、事件が少ないから体が鈍《なま》る一方だな、と皮肉に考えた。ここへ赴任させるのは、全員四十歳以上のくたびれた人間でいいのではないか——俺のように。

「係長……」

「水でも飲むか？」神谷は、地面に直《じか》に置いたペットボトルを掲げた。中の水は既に生《なま》温《ぬる》くなってしまっているだろうが、こういう慌て者に冷たい水を飲ませると、ショックで心臓マヒを起こしかねないから、これでちょうどいいだろう。

「いや、それはいいです……それどころじゃないです」

「あー」神谷はわざと間延びした声を出した。「こんな天気のいい日に、何を慌ててるんだよ。お前も釣りでもしたらどうだ？」

「自分、非番じゃないっす……って、それどころじゃないんですよ」谷本は結局、神谷の手からペットボトルをひったくって、生温い水を一気に飲み干した。額から垂れた汗が頬に伝わり、細い筋を作る。

「だから、どうしたんだって？」

「電話です」

「あ、そう」電話ぐらいかかってくるだろう。何がそんなに大変なのか。

「それが、刑事部長からなんです」

「へえ。刑事部長も、大島署に電話してくるぐらい暇なんだ」軽く言いながら、嫌な予感が膨れ上がっていた。こんなことは、普通あり得ない。

「係長、いい加減にして下さい。刑事部長ですよ、本庁の刑事部長」谷本が大袈裟《おおげさ》にペットボトルを振った。「刑事部長が直接大島署の刑事課に電話してくるなんて、異例じゃないですか」

「仰《おつしや》る通りだな」神谷は谷本から視線を外して、浮きに目をやった。相変わらず動きはない。海面は、青いビニールシートを広げたようだった。

「とにかく、電話して下さい」谷本が、ワイシャツのポケットから携帯電話を取り出した。「使って下さい」

「人の電話を使うのは嫌だなあ」

「そんなこと言ってる場合じゃないでしょう」谷本がじれて言った。今にも足踏みでも始めそうだった。「だいたい神谷さん、何で携帯を持ってないんですか？　そういう主義なんですか？」

ここでは携帯なんかいらないんだよ、と神谷は心の中で毒づいた。伊豆大島が圏外というわけではないのだが、こんな辺鄙《へんぴ》で暇な署で携帯電話が必要だとは思えない――という名目で縁を切った。実際、なくて困ったことは一度もない。

少なくとも今日までは。

谷本が、どこかへ電話をかける。手渡された携帯電話を耳に押し当てると、すぐに相手の声が聞こえてきた。ただし、それが本当に刑事部長かどうかは分からない。直接話したことなど一度もないのだ。

「神谷警部補か？」

「そうです。刑事部長ですか？」

虚を突かれたように、相手が一瞬黙りこむ。

「そうだ」咳払《せきばら》いを一つした後、相手が認めた。まさか、自分の身元の確認から会話が始まるとは思ってもいなかったのだろう。

「私をお呼びだったようで」

「君は、携帯電話も持たないのか?」

「大島では必要ありませんからね」神谷は竿を置いた。面倒な話になりそうなのは予想できる。立ち上がり、慎重に腰を伸ばした。

「そこでも緊急出動がないわけではないだろう」

「私はここに二年以上いますけど、夜中に呼び出されたことは一度もないですよ」

「それは警察官として——まあ、いい」

「はあ」

「すぐにこっちへ戻ってくれ」

「異動には時期外れだと思いますが」

一瞬期待してしまった自分を、神谷は戒めた。警視庁の定期の人事異動は毎年春。その他に異動がある場合は、ほぼ「例外的措置」になる。だいたい、異動の話が刑事部長からくることはあり得ない。

「異動ではない。仕事だ」

「ああ、そうですか」

電話の向こうで刑事部長が舌打ちするのが聞こえた。舌打ちしたいのはこっちだよ、と神谷は苦笑した。この刑事部長のことは、個人的にはまったく知らないが、回りくどいタイプだという評判は聞いている。

「これは特命だ」

「特命」神谷は阿呆《あほう》のように繰り返した。特命——便利な言葉である。面倒な仕事を押しつける時には特に。

「そう、特命だ。直ちにこちらへ戻って、神奈川県警へ出頭してくれ」

「神奈川……本庁じゃないんですか」

呑気《のんき》に構えていた神谷は、急に混乱の中に突き落とされた。自分は警視庁の人間である。「神奈川県へ」捜査に行けなら分かるが、「県警に出頭」とはどういう意味だ。まさか、新しい人事制度が発足して、県警間の人事交流が始まったとでもいうのだろうか。

「神奈川県警だ」刑事部長が繰り返す。

「あー、そう仰られましても、ここは離島なんですよ。五分に一本電車がくるわけじゃない」

「君は今日、非番だろう。すぐに出発しろ。今からだと、熱海《あたみ》行きの高速ジェット船に間に合うはずだ」

「それはそうかもしれませんが……」

「何か問題でもあるのか？　熱海からは新幹線で新横浜まで出て、そこから市営地下鉄のブルーラインで関内《かんない》まで行けばいい。調べておいた」

「それはどうも」

何なんだ、この手回しのよさは。神谷は一気に警戒を強めた。刑事部長が俺のために時刻表をネット検索したのかと思うと、緩い笑みがこぼれてしまったが。

「とにかく、今日中に神奈川県警に出頭しろ」

「間に合わなかったらどうします？」

「航空隊のヘリを出す」

啞然《あぜん》として、神谷は電話を耳から離した。本気で言っているのか？　俺を本土へ運ぶだけでヘリを出動させる？　あり得ない。いったい向こうで、何が起きているというのか。

「……分かりました」ここまで言われたら、そう答えざるを得ない。刑事部長の沸点がどこにあるか知るために、少しからかってみたのだが、それが通じる相手でも状況でもなさそうだった。

「現地では警察庁の永井《ながい》理事官が指揮を執る」

「理事官の所属は？」

「刑事企画課だ……一つ、いい知らせがある」

「はあ」

「この件で上手《うま》くいったら、こちらへ引き上げる。異動先の希望も、できる限り受け入れよう。とにかく、遅れないように」

刑事部長はそれ以上話すのを嫌がるように、慌てて電話を切ってしまった。疑問だけが残る会話であり、神谷は、手の中の携帯電話に毒づきたい気分になった。それより、いっそこいつを海に投げこんでしまおうか。神谷は高校時代にハンドボールをやっていたので、肩の強さには未だに自信がある。だが、これは人の電話なのだと思い直し、一つ溜息《ためいき》をついて谷本に返した。谷本は、何かを期待するように神谷を見ている。

「何かあったんですか?」

「何かあったんですか?　それはこっちが訊《き》きたいよ。それより今日は、何か大きな事件はなかったか?」

「いや、いつも通りですけど」谷本が両手を軽く広げた。「昨夜から、交通事故一件起きてませんよ」

「馬鹿、大島の話じゃないよ。世間的に、だ。日本国内全体で」

「何もないはずですけど……で、刑事部長、何だったんですか?」

「俺にも分からん。今、何時だ?」

谷本が携帯電話に視線を落として「十時半です」と告げた。

「悪いけど、岡田港まで送ってくれないか。今日の高速船は向こうから出るはずだ」本数が少ないので、ダイヤは頭に入っている――時間がない。

「自分、仕事中なんですけど……」谷本が渋い表情を浮かべた。

「これも仕事だよ。俺は本土に呼び出されたんだ」神奈川に、とは言わなかった。自分でも状況が分かっていない状態で、迂闊《うかつ》に噂《うわさ》が広がってしまうのは怖い。「船着き場まで送るのは、立派な公務だろうが」

「……分かりました。家に寄りますか？」

「いや、いい。時間がないから。釣り道具だけ預かっておいてくれ」

「何も持ってないでしょう？　そのまま行っていいんですか」

「バッジだけあれば十分だ」神谷は尻ポケットからバッジを出してみせた。「連中が、俺の財布や背広を期待していると思うか？　連中が欲しいのは俺の頭なんだよ」

「連中って誰ですか？」車の方へ向かって歩き出しながら、谷本が訊《たず》ねる。どうしても興味を抑え切れない様子だった。

「本庁だ」この場合の「本庁」は、普段神谷たちが指す「警視庁」ではなく、「警察庁」のことだが、詳しい事情が分からない以上、谷本相手にぺらぺら喋《しゃべ》るわけにはいかない。

「大島署の人間に応援要請が出るぐらいだから、よほど大きな事件なんですかね」

「今日は、大きな事件なんか、ないんだろう？」

神谷がやり返すと、谷本は黙ってしまった。やりこめられて黙ったのではなく、ニュースを見逃してしまったのではないかと真面目に考え、不安になっている様子だった。この男は、若い割に融通が利かない。

谷本が元町港の埠頭《ふとう》で車をターンさせ、走り出す。それにしても、妙だ。考えれば考えるほど妙だ。刑事部長から直接電話がかかってくるのも異例だし、神奈川県警に出頭する理由も想像がつかない。だが今、これ以上考えたり話したりするのはやめにした。谷本がうずうずしている。俺が何か言葉にしたら食いついてきて、煩わしい。鬱陶しい奴だと思ったが、次の瞬間には、こいつも暇を持て余しているのだと思い直した。

こんなに平和な島にいたら、警察官はボケてしまう。

俺もとうにボケたと思っていたのだが……人に必要とされるような日が再びくるとは、思ってもいなかった。

2

岡田港の待合所は、元町のそれより一回り小さく、古びてもいる。二階部分に畳敷きの部屋があって、船を待つ人が居眠りしている様を見ると、神谷はいつも鬱々たる気分になった。離島を馬鹿にしているわけではないが、ここが東京都だとはとても信じられない。

実際、この島で過ごした二年半は、カルチャーショックの連続だった。買い物や食事に使える店がほとんどないこともそうだったし、車の扱いにも驚いた。この島には、

「車を駐車場に停《と》める」という概念がないようで、路上駐車が普通なのだ。岡田港の待合所も例外ではなく、車でここへ来た人は、埠頭の空いたスペースに適当に車を停めるのが暗黙の了解になっている。整然と並んでいるトヨタの小型車は、全てレンタカーだ。空港でレンタカーを借りて港で乗り捨てる——本土から来る時は飛行機、帰りは熱海へ向かう高速船を使う人は多い。

　車を降りると、神谷は振り返りもせずに待合所に向かった。時間がない……熱海へ渡る船は、既に埠頭で待機している。緑や黄色、青と多色でカラーリングされた船は、どこか子どもっぽい印象だった。

「係長！」

　また谷本が大声で呼びかける。こいつはガキみたいというか、常識を知らないというか……神谷は舌打ちしてから振り返った。

「何だ」

「いつ戻るんですか？」

「さあな」

「上に何か言っておきますか？　何も言わないでいきなり出張したら……」

「あー、いい。後で自分で電話しておく」神谷は顔の前で手を振った。刑事課長に報告するのは面倒だったが……そもそもどうして呼び出されたのか自分でも分からないのだから、説明しようもない。こんなことだったら、刑事部長からもっと詳しく話を聞き出しておけばよかった。

「じゃあな」

「係長……」谷本が情けない声を出した。

「何だよ、お前。ガキじゃないんだから」

「そうですけど、これって異常事態じゃないですか」

「俺たちの仕事なんて、異常事態ばかりじゃないか」そう、警察は異常に取り組む。平穏な日常に、警察など必要ないのだ。

岡田港の待合所の一階は、発券窓口を除けばがらんとしたスペースだ。隅の一角には椅子が並んだ場所があるが、座れる人数は少ない。自動販売機のジュースの値段が本土と変わらないと知った時、神谷は軽く驚いた。いくら近いとはいっても離島なのだから、多少は値段を上乗せしているのではないか――観光地でよくあるパターンだ――と思っていたのだが。

出発時刻を確かめ、慌ててチケットを購入する。署に電話している時間はなさそうだ。それもこちらにとっては都合がいい。

長い埠頭を歩いて船に乗りこむ。さほど大きくはないが、スピードは出る。港を出ると、あっという間に時速七十キロほどに達し、熱海までは一時間もかからない。

船内はがらがらだった。窓際の席に陣取り、頰杖《ほおづえ》をついて外を見やる。元町港で釣りをしていたつい数十分前から今までのことが、何から何まで信じられなかった。

振動が体に伝わってきて、すぐに船が動き出すのが分かった。短い船旅の間に少し寝ておこうかとも思ったが、気になることが多過ぎ、目が冴《さ》えてしまった。仕方なく手帳を取り出し、疑問点を書きつける。

①何故警視庁の人間が神奈川県警に呼ばれるのか
②指揮を執るのが警察庁の人間なのは何故か
③その警察庁の人間が刑事企画課の理事官なのは何故か
④自分の左遷処分は本当に解除されるのか

細かい疑問は他に幾つもあったが、取《と》り敢《あ》えず現段階では、これぐらいに集約できるだろう。

まず、①だ。日本の警察は、基本的に都道府県単位で仕事をするようになっている。もちろん、見えない県境が絶対的な壁になるというわけではなく、管轄権も絶対的な原則にはなっていない。手がかりを追って他の県へ出張、あるいは現地の県警に知らせず勝手に家宅捜索したりするのもよくある話だ。だが今回は違う。何故なら、②の問題が絡んでくるからだ。

実は、②の問題が一番奇妙である。世間の人は実情を知らないのだが、「警察庁」というのはあくまで行政庁である。各県警の上部組織であり、監察・指導は行うが、警察庁の人間が自ら捜査に乗り出すことは、よほどの特殊事案でない限りない。要するに普通の役所で、刑事はいないのだ。しかし刑事部長の言い方からすると、今回の案件では、警察庁の理事官が直接捜査を指揮することになる。もちろん、警察庁のキャリアも、単なる行政官ではない。地方の赴任先では、当然自分で現場に赴き、指揮を執ることもあるのだが、今回はそういう事情ではなさそうだ。

仮に②について合理的な説明が与えられたとしても、③の説明はつかない。警察庁刑事企画課の仕事は、情報の分析や刑事の指導が主だ。警視庁でいえば、刑事総務課のようなものである。特殊事件を扱う捜査一課、詐欺対策を行う捜査二課の人間が指揮を執るなら、まだ分からないでもないのだが……まあ、この件は②の問題が解けてから考えよう。

さて、最後の④だ。

神谷は、大島へ赴任してほぼ二年半になる。いつ異動になってもおかしくないだけの時間を過ごしてきたが、この春の異動時期には声がかかる気配もなかった。それも当たり前だ、という諦めもある。露骨に「左遷だ」と言う人間はいなかったが、誰がどう見ても、自分がここにいるのは左遷なのだから。そして神谷本人も、この現状を受け入れなければならないと分かっている。困るのは、これがいつまで続くか分からないことだ。犯罪者でも、判決で自分がどれだけの期間、社会から隔絶されるかが分かるのに、自分はいつまで大島にいるのか予想もつかない。

そもそも、大島にいることを「左遷」と考えるのは俺だけかもしれないが……仮にもここは東京都だし、大島署にも、普通の異動で赴任してくる警察官がたくさんいる。もちろんそういう連中は、俺のように致命的なミスなど犯していない。あくまで通常の人事異動であり、先が——次の赴任地がある。

俺は？

ま、どうでもいいことだな。

神谷はシートベルトを少し緩め、窓の外に目をやった。目が届く範囲に陸地はない。窓に、ぼんやりと自分の顔が映った。この島に来た時には、もう少し顔つきが若かったと思う。病気をしたわけでもないし、普段の生活で老化を感じることも一切ないが、歳月はまず、俺の顔に影響を与えたようだ。四十二歳。警察官人生の折り返し地点を過ぎてはいるが、先はまったく見えない。自分が何をしたいのかも分からなくなっていた。

だが、今はどうだ？

これ以上ないチャンスが舞い降りてきたのではないだろうか。向こうで何が自分を待っているか分からないが、そんなことは警察の仕事では当たり前である。チャンスは摑《つか》め。

まだやる気はある、沈没したわけではないと、見せつけなければならない。

熱海から新横浜までは、新幹線で三十分ちょうど。その時間を利用して、神谷は大島署の刑事課に電話を入れた。揺れるデッキで踏ん張りながら、公衆電話を使う。課長の遠藤《えんどう》は、神谷が突然大島を離れたことを叱責もせず、単に戸惑っている様子だった。

「どういうことなんだ？」

「それが、全然分からないんです。とにかく刑事部長がいきなり呼びつけてきたんですから……詳しい事情を聞く暇もなかった」

「妙だな」

「ええ……申し訳ないんですが、ちょっと空けますんで」

「いつまでだ？」

「それも含めて分かりません。状況がはっきりしたら、また連絡しますよ」

「分かった」ほんのわずかな間を置いて「気をつけろよ」の忠告。

神谷は一瞬、言葉に詰まった。この課長は、数年後に定年を迎える。大島署の刑事課長を勤め上げた後には、本土に戻ってどこか大きな所轄の刑事課で現役生活を終えるだろう。既にそういうルートが読めてしまっているせいか、普段からどこか達観した様子もあった。神谷が大島署にいる事情は知っているはずなのに、余計なことは何も言わない──今もそうだ。それがありがたい。

「とにかく、また連絡します」

少しだけ遠藤に感謝しながら電話を切る。受話器を置いて一つ息を吐《つ》き、席に戻る。中途半端な時間の上りの新幹線は、自由席もがらがらだった。通路側の席に腰を下ろし、腹の上に手を組んで置く。何が起きているのか分からないまま、またもやもやとした思いが頭の中に入りこんできたが、考えている間もなく、新幹線は新横浜のホームに滑りこんだ。

かつてこの駅で降りた記憶はない。神谷は迷いそうになりながら、何とか市営地下鉄ブルーラインのホームに辿《たど》り着いた。滑りこんできた車両に乗りこみ、立ったまま路線図を眺める。県警本部の最寄駅の一つである関内までは、ここから八駅……二十分ぐらいだろう。わずかだが緊張が高まってくるのを意識しながら、神谷はずっと立ったままでいた。座ると、気持ちが緩んでしまう気がする。

地下鉄の関内駅は、ＪＲのそれと少し離れた場所にあり、こちらの方がわずかに県警本部に近い。四番の出口から地上に出た瞬間、神谷は軽い目眩《めまい》を感じた。人、車、高い建物……二年半大島にいる間に、都会の光景がすっかり記憶から抜け落ちていた、と気づく。

駅前から真《ま》っ直《す》ぐ続く広い道路を、ひたすら歩いて行く。県警本部は、確か海……というか運河沿いにあるはずだ。しかし、暑い。体感気温は大島よりもずっと高いようだ。横浜でもヒートアイランド現象があるということか、「残暑」の一言で片づけるにはあまりにも暑い。時折、エアコンの室外機から吐き出される熱風が襲いかかってきて、一気に汗が噴き出した。

いつの間にか、早足で歩いているのに気づく。焦っても仕方ない……東京に比べると、人の動きはそれほど早いわけではないようだ。それに気づいて歩くスピードを落とすと、少しは周りを見る余裕も出てくる。この辺りは、基本的には近代的なビルが建ち並ぶ官庁街・ビジネス街なのだが、所々に古いレンガ造りの建物が残っているのが、横浜ならではの特徴と言えそうだ。例えば県立歴史博物館。そういえば横浜では、大正時代の洋風建築が比較的多く残っている、と聞いたことがある。東京が、基本的に壊しては造り直す街なら、横浜は地層のように歴史が積み重なる街なのかもしれない。そして大島は……ただ時が止まってしまっているような気がした。おそらく、昭和四十年代頃のまま。

その歴史博物館を通り過ぎると、すぐに本町四丁目の交差点に出る。交差点の向こうが県庁だ。こちらもレンガを多用した、歴史的な趣溢《あふ》れる建物である。交差点を渡って、建物を左側に見ながら歩き、次の交差点を右折する。日本郵船歴史博物館という、これまたクラシカルな建物の前を通り過ぎると、ようやく県警本部に辿り着いた。こちらは歴史的な顔を持つ横浜とは正反対の、近代的な建物である。最近の新しい警察庁舎の例に漏れず、素っ気無いオフィスビルという感じだった。

庁舎前には歩道が広がって、小さな広場のようになっている。出入り口の正面には、警官の詰め所があった。そこに背広姿の男が一人、立っている。あんな場所に突っ立っていたら、警戒している制服警官に誰何《すいか》されそうなものだが……。

気になって立ち止まり、神谷は男を観察した。年齢、三十代後半から四十歳になるところ……自分より少しだけ年下だろう。ほっそりとした長身で、クソ暑いのに律儀にネクタイを締めている。背広はビジネス街の風景に自然に溶けこむ、濃いグレーだった。髪は少し長めで耳にかかる程度。

全体に柔和というか、穏やかな感じである。だからこそ、制服警官も声をかけないのかもしれない。県警本部の前に突っ立っていれば、いかにも怪しい感じがするのだが、この男の場合は害がなさそうなのだ。

関係ないか。神谷は男の脇を通り過ぎようとした。その瞬間、男がこちらを見て、一歩を踏み出す。もしかしたら……。

男が「神谷警部補」と名前を出すのと、神谷が「永井理事官ですか」と訊ねたのは同時だった。

なるほど……警察庁刑事局の理事官というと、これぐらいの年齢になるわけか。神谷は納得してうなずき、永井の次の言葉を待った。永井は無言で神谷に近づき、うなずきかけると、そのまま歩き出した。一瞬だけ振り返って庁舎を見たが……ここではないのかと思いながら、神谷は彼の後に続いた。永井は右に折れて、海岸通二丁目の交差点まで歩いた。律儀に信号待ちをするつもりらしい。ちょうど信号が赤だったので、神谷は永井の横に並んだ。

「県警本部へ行くんじゃないんですか」

「いや」

永井の声は、どこか自信なさげだった。おいおい、こんな奴に任せて大丈夫なのかね、と神谷は本気で心配になった。普段は、キャリアの人間を馬鹿にしているわけではないのだが……自分たち現場の刑事にすれば、キャリアの連中は「お客さん」である。現場に出て、一緒に泥まみれになって欲しいわけではない。怪我《けが》なく、失敗なく、次の任地へ向かってもらえばそれでいいのだ。よく「キャリアとノンキャリアの確執」のようなことが言われるが、それは実情を知らない作家が書いた小説や、話を面白くするためにシナリオを作るテレビドラマの中だけの世界である。実際には、警察組織の中には二つのレイヤーが存在しているだけなのだ。時に触れ合うこともあるが、基本的には別の次元にある。現場の人間はキャリアの上司のことなどほとんど気にしないし――直属の部下はまた別だが――キャリアの人間はノンキャリアの人間にそれなりの敬意を払いながらも、深く踏みこんでつき合おうとはしない。

「いったい何があったんですか？　うちの刑事部長から、本部へ出頭するように言われたんですが」

永井がちらりと神谷の顔を見た。その目に少しだけ不安の色が宿っているのを、神谷は素早く見抜いた。何か手違いでもあったのか？　だとしても、根本的な間違いというわけではないだろう。少なくとも、ここで永井に会えたのだから。

「本当は県警本部ではなかったんですが……話が間違って伝わったんですね。あなたには連絡が取りにくいので、待っていました」永井の声には戸惑いがあった。戸惑いというより、自信のなさかもしれないが。

「すみませんねえ」神谷は耳を掻《か》いた。「何しろこっちは、大島にいるもので。時差があるかもしれないですね」

永井はまったく笑う気配がなかった。島にいる間に俺の冗談のレベルも落ちたのか、と神谷はがっかりした。

「あなたが最後です」

「それは失礼しました。船で来たものですから、ご容赦いただきたいですね」

「とにかく急ぎましょう」

「ちょっと、どういうことか説明を――」

信号が変わった。質問を無視して、永井はさっさと横断歩道を渡ってしまう。いったい何なんだ……さすがに少し頭にきた。何かが起きているのは分かるが、さっぱり読めないので苛立《いらだ》ちは募る一方である。

こうなったら、向こうがきちんと説明するまで待ってやろう。呼び出したのは彼らの方なのだから、何も俺の方から擦り寄る必要はない。神谷は、永井から数歩遅れて歩くよう、意識した。永井は何を焦っているのかやけに早足なので、わざわざ歩調を緩める必要はなかったが。

永井は広い通りを渡って、ビルがごちゃごちゃと建ち並ぶ一角に出た。この辺りが横浜の中心の中心であるはずで、神谷は何故か、神保町《じんぼうちょう》を思い出していた。ほどなく永井が、古びたビルの前で足を止める。見たところ、何の変哲もない雑居ビルだった。問題があるとすれば耐震性か。明らかに、耐震基準が強化される前に建てられたマンションで、震度5以上の地震を乗り切れるかどうかは分からない。

「ここです」

「ここが？」

「特命班の捜査本部」

「は？」

意味が分からず、神谷は永井の顔を凝視した。捜査本部……やはり何かの捜査をやる、ということか。しかしここは、神奈川県である。何か事件があれば、神奈川県警が捜査するのが筋だろう。自分が捜査本部に組み入れられ、永井が指揮を執る——それも異例というか、意味が分からない状況だ。

「どこの事件なんですか」

「神奈川県ですよ」

「だったら県警が——」

「そうもいかない事情があるんです」

「どういう事情ですか」

「それは今から説明します」

「理事官……」

ビルに入りかけた永井に、神谷は溜息混じりに声をかけた。永井が、不安そうな表情を浮かべて振り返る。こちらからは聞くまいと決めてはいたが、我慢にも限度がある。

「説明する気があるなら、今ここでお願いできませんか。こっちは一応、わざわざ船に乗って横浜まで来たんですよ。久しぶりに都会の空気を吸えたのはありがたいですけど、何も分からないでいきなり仕事に巻きこまれるわけにはいきません」

永井の頰が引き攣り、顔に赤みが差す。唇を一文字に引き結ぶと、踵《きびす》を返してビルに入って行った。

後に続いた神谷は、ここが相当古いビルだということを改めて意識した。狭いホールの右手に階段、左手にエレベーター。階段の手すりは角が取れて丸くなっていたが、そういうデザインではなく、何十年という歳月を経てきたせいであるように思えた。照明も薄暗く、全体的にどんよりと黴臭《かびくさ》い空気が漂っている。経費削減がうるさく言われる折とはいえ、もう少しいい場所を選べなかったのか、と皮肉に思う。ここで仕事をしていると、体が痒《かゆ》くなりそうだ。

永井はエレベーターではなく階段を使った。ということは、部屋は二階か……が、永井は二階をスルーし、そのまま三階まで上がって行った。クソ、自分の方が若いことを見せつけるつもりか？　確かに体重も俺より軽そうだが……三階まで上がり切ると、永井は階段のすぐ隣にあるドアに手をかけた。

「ここです」

「まるで昭和の会社ですね、これは」すりガラスの入ったドア……ガラスの部分には、何度も社名の札を貼《は》りつけては剝がしたらしい跡が残っている。普通の捜査本部の部屋なら、ドアの横に「〇〇事件捜査本部」と大書された看板が掲げてあるところだ。

永井がドアを開け放ち、先に入るよう、神谷を促した。まさかキャリアの理事官にドアを開けてもらうことになるとはね……と思ったが、これは永井のキャラクターなのだろう。自信がないというか遠慮しているというか、おおよそキャリアの一般的な特徴——ある種超然としているか傲慢——が見られない。おどおどした態度は、ろくに実績も上げられないまま、勤務年数だけが重なった能無しサラリーマンのように見える。仮にもこの年齢で理事官になっているのだから、それなりに将来は嘱望されているはずだが。

部屋に入ると、神谷は既視感を覚えた。小さな所轄の刑事部屋そのままのイメージが再現されている。薄いグレーの、素っ気ない事務用デスクが六つ。壁際に並んだファイルキャビネットと、デスクの脇のソファも、どこの刑事部屋でも見られるものだ。入口に近い方には、打ち合わせ用のテーブル。ないのは神棚ぐらいのものだ。

中には三人がいた。全員が刑事だとすれば——神谷は想像を巡らした。若い奴は、IT系犯罪の専門家といった感じだろうか。細面で銀縁の眼鏡をかけ、髪は長く伸ばしている。昔だったら、鋏《はさみ》を持った上司に追いかけ回されるタイプだな、と思う。自分と同年輩の男は、暴力団対策のエキスパートか。がっしりした体格は、太っているわけではなく、筋肉の鎧《よろい》で武装しているようだった。ワイシャツ一枚で、しかも袖をめくっているために、腕の太さが際立つ。最後の一人は女性。三十歳になったぐらい、と見て取ったが、最近の女性は全般的に若く見えるから、自信はない。すっとした顔立ちで、髪を後ろで一本にまとめているために、綺麗《きれい》な顎の線がはっきりと見えていた。少年課……違う。交通部……それでもない。目つきが鋭く、修羅場をくぐってきた過去を感じさせる。光沢のある黒いブラウスのボタンを一つ余計に外し、胸元を少しだけ見せている。

「遅くなってすみません」

後から入って来た永井が頭を下げる。神谷は何も言わなかった。目の前にいる三人が何者か分からない以上、最初から頭を下げる必要もない。それにそもそも、刑事部長には、細かい時間の指定はされなかったのだ。「今日中」には間に合ったではないか。

「これで揃《そろ》いましたね」永井が、打ち合わせ用のテーブルについた。三人が立ち上がり、そちらに移動する。

くだんの女性が、立ったまま最初神谷に、続いて永井に視線を向けた。

「どうして予定の時間から遅れたのか、説明してもらえますか」低く落ち着いて耳に心地好いが、「脅しが効く」声とも言える。

「あー、申し訳ない」神谷はわざとゆっくりした口調で言った。反省などしていない、取り敢えず謝っておけばいい、という口調。それで様子を見るつもりだったが、女性は依然として厳しい視線をぶつけてくる。神谷は視線を外すと、声の調子を変えずに続けた。「島にいると、どうしても情報伝達が遅くなりましてね」

「私は北海道からですが」女が冷たく言い放った。

「交通の便は、北海道の方がはるかにいいでしょう」

「だいたい、携帯を持っていないそうじゃないですか。今時、携帯を持たないで仕事ができますか？　意識が低過ぎます」

「伊豆大島は圏外なんでね」

「下らない嘘《うそ》で言い訳しないで下さい」女が音を立てて椅子を引き、乱暴に腰を下ろした。足を組み、視線を窓の方へ向ける。

えらく嫌われたものだ、と神谷は苦笑した。男二人の方は大丈夫かもしれないが、この女の扱いには難儀するだろう。そもそも何の仕事をするか分からないので、対策のたてようもないが。

「理事官、申し訳ないですが、そろそろどういうことなのか説明してもらえませんか」

神谷は遠慮がちに訊ねながら、椅子を引いて座った。空いていたのが女性の正面だったので一瞬戸惑ったが、立ったままでは話はできない。向こうがそっぽを向いているので、目を合わせずに済んだが。

「いろいろと連絡ミスがあったようです。それはこちらの責任だ。申し訳ない」永井が立ったまま頭を下げる。どうやら座る気がないようだ。「神谷警部補のところにだけ、ちゃんと情報が伝わっていなかったようです……時間がなかったもので」

刑事部長の嫌がらせか、とも思う。だがあの部長は、俺がヘマをした時には、どこかの県警の本部長だった。個人的にどうこうしてやろうなどとは考えないはずである。

「戸塚事件を覚えてますか」

「……ええ」神谷は、喉の奥がきゅっと締まるような不快感を覚えた。女性三人が連続して乱暴され、殺された事件。それも、被害者は横浜市戸塚区の狭い範囲に集中していた。都会の真ん中と言っていい戸塚で、このような事件が起きたので、衝撃も大きかったのを覚えている。あれが確か……三年前か。裁判員裁判となった一審では、死刑判決が出ている。確か被告は控訴中のはずだ。

「明日が高裁の判決です」

「あれは、とっくに終わった事件じゃないですか」

「いや……」永井が唇を舐《な》めた。「高裁では無罪判決が出る見通しです。つまり、事件は振り出しに戻るわけです」

3

一審判決が控訴審でひっくり返る——珍しいことではない。だが、事件が事件だけに、その予想を聞いた神谷は大きな衝撃を受けた。そもそも裁判員裁判で、上級審で判決がひっくり返るケースは珍しいのだ。

この事件の一審も、裁判員裁判だった。それがまずかったのか……裁判員裁判にはいろいろと問題点もあるが、これまで大きなトラブルがなかったのは、裁判所側の訴訟指揮が上手く機能していたからと言える。ただし、裁判はあくまで検察と弁護側の戦いである。裁判員が「有罪」を決めたからといって、控訴審で配慮されるものでもない。

それにしても、まだ判決前なのに「無罪の見通し」とはどういうことだ？ 神谷は不審に思い、質問をせずに永井の説明を待った。永井がすぐに、神谷の疑問を解いてくれた。

「今回の裁判に関しては、いろいろ問題もあったので、警察サイドも常時情報を収集してきました。とにかく高裁では、弁護側が証拠の不備を突いて、徹底して攻撃してきたんです。実際は、一審でもかなり危うい感じがあったんですけどね」

「検察は素人の裁判員を騙《だま》して、感情に訴えかけて、有罪を引き出したんですか」

永井は、神谷の皮肉にまったく動じなかった。相変わらず立ったまま、険しい表情で説明を続ける。しかし生来の気弱な性格らしく、角度によっては泣きそうにも見えた。

「警察庁では、この件を非常に重視しています。仮に控訴審で無罪判決が出れば、大きな批判が集まるのは目に見えている」

「よくあることじゃないですか。無視すればいい」

「今までは、それでよかった。しかし今は、世間の目が厳しくなっている時代なんです。お上の言うことを黙ってきいておけ、というのは通じないんですよ」

　誰でも、自分のこと以外は批判したくなる。そのためのツールも揃っている時代だ。警察のヘマを揶揄《やゆ》する文章をネット上などで見ると、神谷はつい、議論で絶対に言ってはいけない台詞《せりふ》を思い浮かべてしまう。「だったらお前がやってみろ」

「分かりますけど、放っておけばいいんじゃないですか」

「そうはいかないんです」

「よく分からないですね」神谷は肩をすくめた。どうしてこんなに神経質になっているのか……。

「警察庁は、この件を検証することにしたんです」

「無罪判決が出たからって、いちいち粗捜しをされたんじゃ、刑事なんかやってられませんけどねえ」神谷は耳を掻いた。人間にミスはつき物だ、などとは言わないが、素人に騒がれたからといってあたふたするのは馬鹿げている。文句を言われたら、黙って頭を下げておけばいいではないか。

「今回は、警察庁は本気なんです」

「意味が分からない」

「それは……」永井が唇を舐めた。「私が決めたことではないですからね」

ああ、そうか……この男と喧嘩《けんか》したり、厳しく追及したりしても仕方がない、と悟った。本庁の理事官といっても、所詮は巨大な官僚組織の階段の途中にいる男である。上から降ってきた命令は、黙って受け止めるしかない、ということだろう。

「とにかく警察庁では、この件について検証捜査をすることを決めたんです」

「そういうことは、監察官室がやるのが筋では？　神奈川県警にも、監察官室はあるでしょう。きちんと仕事をしているかどうかは分からないけど」

神谷の皮肉に対して、誰も反応しなかった。この部屋に渦巻く戸惑いを、神谷は確実に感じ取っていた。命令だから仕方なく集まったのだろう、誰も納得していない様子である。女性警官——彼女は北海道から来たと言っていたが、残る二人も地方から召し上げられたのだろうか。少なくとも警視庁の人間ではないはずだ。それだったら、少なくとも向こうは自分のことを知っているはずだから。神谷という名字はそれほど多くないし、挽回《ばんかい》不能なヘマをしでかした男だということは、四万人の職員全員が知っているだろう。

「あなたの言う通りなんですよ、神谷警部補」戸惑いながら永井が言った。「監察官室はあくまで身内ですから、往々にして調べも甘くなります。もちろん、存在意義がなくなるわけではないですが、そのあり方に批判がないわけではない。最近、企業でも官公庁でも、問題が起きると外部に調査委員会を置いて調べるでしょう？　それと同じ発想です」

「ああいうのは、弁護士なんかに任せるものじゃないんですか？」それもヤメ検の弁護士に。検事を経験した弁護士なら、取り調べのやり方もよく知っている。

「さすがにそこまでは……」永井が苦笑した。「とにかく今回は、神奈川県警以外の警察官でチームを作って事情を調べる、ということになりました。ここに集められた皆さんは、各県警からの推薦を受けています。もちろん、これまでの実績、キャリアなども考慮されてのことです」

ほう……俺の手腕に期待するとは、警察庁も焼きが回ったか。一度キャリア的に挫折した俺を選んだ本当の理由は、何なのだろう。

「とにかく皆さんには、これから検証捜査のための特命班として仕事をしていただきます。期限はひとまず、一か月。その間は、一時的に警察庁へ出向という人事的措置がとられます」

「あー、一つ確認していいですか」神谷は敢えてのんびり手を挙げた。

「どうぞ」

「もしも明日の裁判で、有罪判決が出たらどうなります？」

永井の顔が引き攣った。そんなことはあり得ないと確信しているようだったが、それを口にすることはできないのだろう。あるいは、間違いない筋で、「無罪」の情報を手に入れているのか。

「その時はその時で判断します」

「理事官が？」

「私ではない」永井がわずかに憤慨したような口調で言った。自分が単なる中間管理職に過ぎないことは、はっきり理解しているようだ。いや、おそらく神谷が考えているよりもずっと強く。

「ま、命令ならしょうがないですね」神谷は肩をすくめた。警察庁の判断は極めて異例のことであるし、あまりにも一般受けを狙い過ぎている感じはあるが、命令は命令である。面倒臭い捜査になる——同じ警察の仲間を調べなければならないのだ——のは簡単に予想できたが、自分には拒否する権利などない。それに、この捜査の究極の行く末も気になった。どうして警察がミスしたかを調べる過程で、「真犯人は誰なのか」という問題がクローズアップされるだろう。犯人が逮捕されたものの無罪判決が出た事件は、往々にしてそのまま迷宮入りしてしまうことが多いのだが……。

もしも警察庁の読み通りに、明日無罪判決が出れば、この事件の真犯人も闇の中に隠れてしまう可能性が高い。だが、三人もの女性を殺した犯人が野放しになっているのは、防犯的に考えて危険だ。神谷は、犯人の心理を考える。犯人——と目された人間が逮捕され、裁判を受けている間は、真犯人は息をひそめているのではないだろうか。裁判が進行している間に、自分の欲望に従って新たな事件を起こせば、「真犯人は別にいる」と疑われてしまう。その結果、せっかく別の人間が背負ってくれようとしている罪が、自分に向いてくるかもしれないのだ。だが、無罪判決が出たらどうなる？　気分的には「解禁」ではないだろうか。これまでと同じ犯行を再開する恐れもある。もしかしたら警察はまた、同じように別の人間に目をつけるかもしれないし。

そんなことが起こらないようにするためには、どこかにいる真犯人を捕まえるのが一番手っ取り早い。大島で、二年半弛緩《しかん》した生活を送ってきた神谷にとっては、眠っていた本能が刺激される課題だった。

問題は、神奈川県警の協力が得られないであろうことだ——表面上はともかく、本音では。おそらく連中は、息を殺して重大な局面が過ぎ去るのを待つだろう。嵐は勝手に過ぎ去る、と考えているはずだ。

警察は、ミスでダメージを受けることは少ない。得意の知らん振り——そういう体質は、責任が常に分散される仕組みから生まれる。例えば身柄を拘束した容疑者が留置場で自殺するケース。世間は大変なミスだと見るだろうが、警察内——特に担当している刑事の間ではさほど問題にならない。もちろん、留置場を統括する留置管理課内での責任追及は必須だが、取り調べていた刑事は案外平然としているものだ。要するに、留置管理課が悪い——取り調べが終わったら、容疑者に対する責任は別の人間に移る、と考えている。

この事件に関しても、県警は致命的なダメージは受けないはずだ。しかし、他県警から集められたスタッフが検証を進めれば、途端に居心地が悪くなるだろう。どう考えても、素直に協力するとは考えられない。

妨害もあり得るのでは、と神谷は考えた。それがどんな形でやってくるかは、予想もできなかったが。


久しぶりに持った携帯が、ワイシャツの胸ポケットの中で存在感を主張している。モデルチェンジする度に携帯は薄く、軽くなり、持っているのを忘れてしまうほどなのだが、実際には胸ポケット、さらにはワイシャツの左側全体が下がってしまうように感じる。何度か掌《てのひら》で叩《たた》いて存在を確かめ、その度に鬱陶しく感じて、最後にはズボンのポケットに落としこむことにした。心臓からなるべく遠い位置にある方が、何となく健康にいいような気もする。

それにしてもこの格好はまずいな、と神谷はさすがに心配になった。家に寄って着替える暇もなかったから仕方ないが、ジーンズに白いシャツ一枚では、あまりにもカジュアル過ぎる。仕事をするなら、今夜にでもまともな服を手に入れるべきだ。余計な出費だが、経費で請求できるのだろうか。

地下鉄の中で、何となく居心地の悪さを感じていた。誰かから見られているような気がしてならない。神奈川県警が監視をつけてきたとしたら……まさかそこまではやるまいと自分に言い聞かせても、一度生まれた不安は容易には消えない。

同行している若い刑事、皆川慶一朗《みながわけいいちろう》は、神谷が感じているような不安とは無縁のようだった。空《す》いた車内でシートに腰かけ、背筋をぴんと伸ばしている。これから剣道の試合に臨むような態度だった。

不安を紛らすために、神谷は皆川にあれこれ話しかけた。すぐに、彼が福岡県警捜査一課の刑事で、三十二歳だということが分かった。それ以上詳しいことは、他人の目がある地下鉄の中では話せない。

捜査一課か……サイバー犯罪の担当者ではないか、という予想は外れた。まあ、考えてみればこの検証捜査に、サイバー犯罪捜査の知識は必要ない。それにしても、少々頼りない感じがした。福岡県警は今、暴力団対策で大変なはずで、そういう捜査に借り出されたら、流れ弾に当たってあっさり死んでしまいそうなタイプに見える。刑事にとって最も必要なのは、危機回避能力だ。事前に危険を察知し、自分の身を守る。死んでしまっては仕事ができないのだから、これは必須だ。そうでなくても、危険なところへ飛びこんでいくことが多いのだし……消防士や自衛官も同じである。

ということは、俺も刑事失格だったか、と考える。致命的な危機を回避できなかったのだから。ま、そんなことは、今になってはどうでもいいことだが。考えようが後悔しようが、失敗は取り戻せない。

最初に永井は、まず資料の精査から始めたい、と提案した。捜査資料は、県警からで、きる限りでの提供を受けている。それを見直して穴を見つけ、さらに担当者に事情を聴く方向で検証を進めたい、と。それはもっともな方針で、一番無難なやり方だったが、書類の見直しなら何も自分がやる必要はない、と神谷は判断した。「一度現場を見ておきたい」と申し出て、永井も渋々了承した。その時点で、永井はそもそも仕切る気持ちや能力のない男なのだ、と神谷は見切りをつけた。権力志向を持つ人間なら、スタート地点で部下の提案など即座に却下するだろう。たとえそれが、どれほど有意義なものであっても。

神谷としては、現場を見たからどうなると思っていたわけではない。三年前の事件の真犯人を見つけ出せればベストだが、「無理だろう」という諦めもある。この犯人は、絶対に用心して姿を隠しているはずだ。意図的に見つからないよう努力している人間を捜し出すのは、想像する以上に難しい。

取り敢えず書類から逃げたかっただけであり、皆川を連れ出したのも、遊びではないというアリバイを作るためだった。若く気の弱そうな皆川なら、言うことを聞かせられるだろう、という計算もある。

戸塚は広々とした風景の広がる街で、ＪＲと地下鉄ブルーラインの駅を中心にして、郊外らしい表情が広がっている。戸塚駅前は、最近の例に漏れず、上階がデッキ、下にバスターミナルという構造。駅の近くにはショッピングセンターやファストフード店、コンビニエンスストアなどが多数あり、暮らすには――特に若い夫婦などが新しい生活を始めるには、いかにも相応《ふさわ》しい感じの街だった。

だが神谷は、ここへ来たのは失敗だったとすぐに悟った。公共交通機関の発展している横浜だから、車を使うよりは早いだろうと思ったのだが――それは事実だった――駅から犯行現場へ向かう道路が、緩く長い上り坂だったのである。九月、まだ日が高いうちに、長後《ちょうご》街道をだらだら歩いて行くのはきつかった。皆川は平然とした様子で、それが恨めしい。やはり大島にいる間にだらけ過ぎて、体力が落ちてしまったのか。

地図を見た限り、駅から歩いて十五分はかかるようだ。暑さと坂のきつさから気を紛らすため、神谷は皆川に話しかけた。

「君は何でこの特命班に呼ばれたんだ？」

「分かりません。体力要員じゃないですか」自虐的な台詞を吐いたが、口調はそれほど自分を卑下したものではなかった。実際、細身だが体力には自信がありそうなのだ。

「何かスポーツでもやってたのか？」

「ずっと陸上を。長距離です。大学はこっちで、駅伝をやってました」

「箱根とか」

「箱根です」

さらりと言ったので、神谷は内心仰天すると同時に呆《あき》れた。長距離ね……何十キロも一人で走り続けるランナーの心理は理解できない。あんなことをして、何が楽しいのだろう。

「だったら、この辺はよく知ってるんじゃないか？」ちょうど国道一号線の高架下をくぐるところだった。「この辺は、箱根駅伝のコースだろう」

「そうですけど、自分が走ったのは四区ですので」

湘南《しょうなん》か……確か、小田原まで走るコースだ。十年も前のことだろうが、彼が今でも体力に自信を持っているのは分かった。

「今でも走ってるのか？」

「何もなければ、毎日十キロぐらいは」

こいつは本物の体力馬鹿だ、と神谷は呆れた。人間は簡単に嘘をつくものだが、こんなことで嘘は言わないだろう。ほっそりして頼りないと見えたのは、究極の有酸素運動で脂肪をこそげ落としているからに違いない。

ただ歩いているだけの時間に任せて、神谷は皆川から事情を聞き出した。彼が横浜出張を言い渡されたのは、昨日。神谷ほど急ではなかったが、まったく突然の指令というのは同じだった。何が何だか分からぬまま、荷物をまとめて今朝一番の飛行機でこちらに飛んで来た、ということだった。他の二人とも話したが、ごつい中年男――埼玉県警捜査一課の桜内省吾《さくらうちしょうご》と道警刑事企画課の女性刑事、保井凜《やすいりん》も同じような事情だったという。三人は今日正午に、指定されたあのビルに出頭して、初めて顔を合わせた。

うちの刑事部長は何をやっているのかね、と神谷は呆れた。裁判で被告が無罪になりそうだというのは、とっくに読めていたはずである。検証捜査を行う計画も、かなり前から立てられていたはずだ。それを突然、今日になって呼び出すとは……連絡が行き違ったのか、あるいは突然方針が変わったのか。例えば、急遽《きゆうきよ》神谷を招集することが決まったのかもしれない。

「もう一人、来るみたいですけどね」

「誰だ？」

「大阪府警の監察室から。名前は聞いていません」

「ああ、ちゃんとプロも来るわけか」神谷はまた毒づいた。自分は、同僚を取り調べた経験がない。しかし監察官なら、慣れたものだろう。もちろん、「警官の取り調べのプロ」が育つほど不祥事が頻発していたら、それはそれで問題なのだが。まあ、大阪府警には、いろいろ問題がありそうではある……と、これも不謹慎な考えだ。

五人のうち二人が捜査一課か。事件そのものが、女性を暴行して殺したものだから、担当である捜査一課の刑事が出てくるのはおかしくはない。だが、保井凜の役割は何だ？　刑事企画課といえば、警視庁の刑事総務課と同じようなものではないだろうか。課と課の間の調整、研修や金の始末などが主な仕事だろう。警察の現場というより、行政官的な仕事がほとんどのはずだ。

　その疑問を口にしてみた。

「ああ、あの人は性犯罪専門……というより、被害者の女性担当みたいですね」

「一番難しい仕事じゃないか」

「ええ……やっぱり、そういうのは同じ女性じゃないと分からないんですかね」

「そうかもしれない」神谷は顎を撫《な》で、そこが汗に濡《ぬ》れているのに気づいた。汗が顔を垂れているぐらいだから、相当な暑さである。背広を着ている皆川は、平然としていたが……神谷は、暑さを顔だけでなく下半身でも感じている。動き回るには楽なジーンズだが、生地が厚い分、暑い時には穿《は》いているのが辛い。

「あの」皆川がいきなり立ち止まった。坂の途中。彼が前の方にいたので、神谷は少しだけ見下ろされる格好になった。

「何だ？」神谷は両手をジーンズのポケットに突っこみ、一息ついた。ちょうど長い上り坂の途中で、脹脛《ふくらはぎ》の緊張が高まってきたところだったので助かる。

「こんな仕事、上手くいくと思いますか？」

「うん？」

「他の県警の仕事に首を突っこんで……協力してもらえるわけがないじゃないですか。何でこんなこと、するんでしょうね」

「あー、それは……上の考えてることは分からないな」

「神谷さんでも？」

「俺はむしろ、何も期待されていない人間なんだ。何しろ今日まで、呼ぶのを忘れられていたみたいだから」

「そんな……」

お前は何も知らない。ヘマをして離島に飛ばされたような人間には、誰も期待していないんだ——そうやって自虐的に考えると、どうして自分が呼ばれたのか、またもや分からなくなってしまうのだった。


そもそもおかしな話だ。

現場に着いた瞬間、神谷は首を捻《ひね》った。婦女暴行事件の捜査経験はそれほど豊富ではないが、この現場は明らかにおかしい。

被告の柳原《やなぎはら》は、車で女性を拉致して犯し、後に殺して遺棄した、ということになっていたのだが、拉致現場がいかにも不自然なのだ。第一の現場——長後街道から少し外れた住宅街は、明らかに人をさらうのに適した場所ではない。家が建ち並び、ちょっと悲鳴でも上げたら、一斉に住人が飛び出してきそうな場所である。最近の人たちは、他人がどうなろうと興味がない、自分に害が及ぶのを恐れて無視するとも言われているが、住宅街の真ん中で悲鳴が響き渡れば、さすがに放っておけないだろう。

それ故、女性を襲う人間は、その場で押し倒すにしろ、どこかへ拉致するにしろ、まずは人気《ひとけ》の少ない場所を選ぶ。住宅街の中で女性が襲われるようなケースは、実際にはあまりない。

その辺の事情を、神奈川県警はしっかり調べたのだろうか。三件の犯行、そして五件の未遂事件は、いずれも戸塚区の狭い範囲に集中しているという。それに対して柳原の自宅は、少し離れた磯子《いそご》区だ。犯行には車を使ったとされているのだが——実際にはその車は「処分した」ということで発見されていない——何故戸塚なのか、神谷は不思議に思った。その疑問をそのまま皆川にぶつけてみる。

「つまり、中途半端な場所、ということですか?」

「ああ。こういう犯行では、自宅のすぐ近くか、できるだけ遠く離れた場所を選ぶのが普通だと思う。欲望を抑え切れなくて手近なところで済ませるか、ばれないように遠くへ行くか……そんなことは、自分が犯罪者でなくても、考えればすぐに分かる」

「そうですね」皆川が素直に認めた。「でも、自白があったんですよ」

「あー、それもどうかねえ」神谷は顎を撫でた。強引な取り調べ、自白の誘導は、今でも跡を絶たない。暴力に頼らずとも、それに伍する効果を上げられる方法はいくらでもあるのだ。こういうやり方は、取り調べの完全な可視化が実現しない限り、なくならないだろう。いい悪いで言えば、「悪い」と意識していない警察官はいない。しかし分かってはいても、自白、そして一刻も早い事件の解決を目指して無理をする。

「裁判で自白を否定したっていうことは、やっぱり無理な取り調べだったんでしょうか」

「でかい声でしゃべるなよ」神谷は唇の前で人差し指を立てた。そんなことはないはずだが、誰かに見られているような気がする。住宅街の中というのは意外に監視の目が厳しく、窓から外の出来事を窺《うかが》っている人は少なくないのだ。「次の現場に行こう」

「もういいんですか?」

「別に、捜査しているわけじゃない。ひとまず、全部の現場を見ておきたいだけだからさ。日が暮れる前に回り終えよう」

日が暮れるまで……そういえば、夜はどうするのだろう。神谷には、都内に家がない。大島署への異動、そして離婚のどたばたの中で、借りていた家は手放してしまった。

「今日の宿のことは何か聞いてるか?」

「ウィークリーマンションを手配したって聞いてますけど」

「ウィークリーマンション、ねえ」うんざりだ。狭い部屋に押しこめられ、仕事漬けの毎日になるのだろうか。

「まだそっちには行ってませんから、よく分かりません。一度、捜査本部に戻らないといけないでしょうね」

「そうだな」

神谷は左腕を突き出して時計を見た。そういえば昔——都内にいた頃は、時刻を確かめるのに腕時計ではなく携帯を見ていた、と思い出す。そういう習慣は、島にいるうちに消えた——今、五時半。九月でまだ日が高いから、あと一時間半ぐらいは現場を回れるだろう。明るいうちに現場を見て、さらに夜になってから確かめれば、見えてくる物もあるはずだ。夜——犯行時刻を狙おう。柳原の犯行は、夜十時から十二時の間に集中しているのだ。

「ま、九十分一本勝負って感じかな。明るいうちに見ておこう」

「車を借りてくればよかったですね」

「車があるのか?」

「警視庁から借り出してきたそうです」

神奈川県警の車両を使わないのは……変な仕込みを心配しているのかもしれない。GPSを利用した追尾装置を隠しておけば、こちらの行動パターンは筒抜けになる。いや、まさかいくら何でも、神奈川県警もそこまではしないだろう。そんなことをすれば、警察庁に反旗を翻《ひるがえ》すことになる。

「次からは車を使おうか」何だか疲れた。今日はあまりにも多くのことが一気に起きたせいで、体はともかく、気持ちがへばっている。

「そうですね……横浜も広いですよね」

「何しろ、人口三百六十万人だからな」うろ覚えの記憶で神谷は言った。

「でかい街ですよね」

自分はそれよりも大きい街にいて、神経を研ぎ澄ませながら動き回っていたのだが。二年半の空白は、あの感覚を蘇らせるためにはあまりにも長い。

4

七時半に特命班の部屋に戻ると、まだ全員が居残っていた。大阪府警の監察室から来るという応援の姿はまだ見当たらない。人の遅刻のことは言えないじゃないか……まだ捜査がとば口にも入っていないせいか、神谷は先が読めない苛立ちを感じていた。

部屋の中の空気も、どこかぎくしゃくしている。皆川とはかなり話して、彼が戸惑っているだけ——自分がどうしてここにいるのか分かっていない——だと分かったが、残る三人がこの仕事についてどう思っているかはさっぱり分からない。神谷は余計な詮索をしないことに決めた。だいたい俺は、ここに友だちを作りにきたわけじゃないから。これまでも他県警の刑事と仕事をすることはあったが、常にその場限りの関係だった。危機的状況に面して刑事同士の絆《きずな》のようなものを感じることはあったが、危機が去れば、それはあっという間に消散する。

「飯でもどうかな?」神谷はぽつりとつぶやいてみた。途端に、桜内と保井凜がこちらを睨みつけてくる。桜内は「何を言ってるんだ」とでも言いたそうな表情だったが、凜は本気で怒っているようだった。まるで、自分たちは命をかけて仕事をしているのに、神谷はそれを邪魔する闖入者《ちんにゅうしゃ》だとでもいうように。

実際に腹が減っただけなのだが……仕方ない。どうもここにいる人間は、食事には無関心なようだ。神谷は永井に視線を送った。永井は肩をすくめ、「どうぞご自由に」のサインを返してきた。この人も……現場を仕切るなら、飯の世話ぐらいしてくれ。

まあ、どうでもいいか。自分が苛々するのも、腹が減っているからだ。朝昼兼用の弁当を食べてから、かなり時間が経つ。神谷はさっさと部屋を出た。誰かの視線が背中に突き刺さるのを感じたが、無視する。

さて、食事と一緒に服の心配をしなくてはいけない。久しぶりに持った携帯で、近くに洋品店——できれば安売りの量販店がないか、検索する。この辺は官庁街のせいか、その手の店とは無縁のようで、横浜駅まで出なければいけないようだった。横浜のことはほとんど知らないから、どこが中心部なのかも分からないが、横浜駅の近くなら、食事も何とかなるだろう。

本当は蕎麦が食べたかった。できれば本格的な蕎麦を食べさせる名店で、しかも気取っていない店……腹が減っているから、きりっと締まったせいろで舌を喜ばせた後に、親子丼で腹を膨らませたい。だが、そういう店が横浜にあるかどうかが分からないし、あったとしてもこの時間では閉まっているだろう。

捜査本部の最寄駅であるみなとみらい線の日本大通り駅から、わずか四駅。地下鉄に乗っている時間よりも、降りてから駅の西口に辿り着くまでの方が時間がかかった。新宿駅や東京駅と同じように、横浜駅はまるでそれ自体が一つの街のような大きさを誇っており、思い切り迷った。

西口はごちゃごちゃしていて、新宿駅西口辺りと似た臭いがした。ロータリー周辺には巨大なホテルやデパート、家電量販店などもあるのだが、権勢を誇っているのは、むしろ小さな路面店のようである。神谷の好きな雰囲気だった。

洋品店はすぐに見つかった。本土にいる頃もよく利用していた量販店なので――刑事の服は何故か傷みやすいので安いものに限る――勝手は分かっている。確か、ズボンの裾上げは十分か二十分で済むはずだ。

適当なスーツを探しているうちに、突然、誰かに見られているような感覚に襲われた。ちょっと待て、神谷さんよ、と自分を戒める。お前、少しばかり自意識過剰になっているんじゃないか？　それとも久しぶりに都会に出てきて興奮している？　そうかもしれない。だいたい、自分を尾行する人間がいるとは思えなかった。

しかし、一度気になり始めると、どうしようもない。

神谷は試着室に入って、すぐにカーテンを閉めた——五センチの隙間を残して。振り返らず、鏡を使って隙間から店内を観察する。おいおい、本当に尾行している人間がいるぜ、と仰天した。明らかに客ではない、目つきの鋭い男がいる。自分より少し若いぐらい、三十代後半だろうと見当をつけた。目つきが鋭いだけではなく、態度も悪い。右手をポケットに突っこんだまま、左手で陳列された服を撫でているが、意識は服にはない。買う気もないのに、汗をかいた汚い手で服に触るんじゃないよ、と心の中で突っこんだ。服を選ぶ振りをしながらも、五秒に一回はこちらをちらちら見ている。まさか、男が好きな男ではないだろうな、と考えると背筋が寒くなった。こっちにその気はないんだから、勘弁してくれ。

さっさと試着を済ませる。すぐに買わなければ……ここのスーツは、値段から考えるよりもずっと丈夫で、特に暑い季節にはタフに活躍してくれる。すぐに裾上げしてもらうように頼み、シャツを二枚、ネクタイも二本買い足した。

「裾上げに、二十分ほどいただきます」若い、生気の感じられない女性店員が無愛想に答える。

「だったら、余裕で食事できそうだね」

返事はなかった。客との過剰なコミュニケーションは禁止、という規則でもあるのかもしれない。むっとして、神谷は「裾はダブルで、折り返しは四センチ」と事務的に言い残して店を出た。

さて、どうするか……食事はともかく、先ほどの男のことが気になる。普通に考えれば、神奈川県警の連中が自分たちの動向を調べようとしているのだろうが、それが分かったからといって、どうすればいいのか。その場で釘を刺すか、それとも永井を通じて上に報告してもらうか。あるいは今回の捜査本部で資料として積み上げておいて、最終報告に書き入れるべきか。「神奈川県警側は、捜査の進捗状況を把握するために、警視庁の神谷警部補を尾行」。いや、それはやめよう。何となく、後出しじゃんけんをするようで情けない。

せっかく本土に戻ってきたのだから、何を食べてもよかったのだが、結局神谷は牛丼屋を選んだ。大島にはないので、久しぶりに食べたくなったせいもあるし、この店は外から監視がしにくい、と一目で分かったからだ。牛丼のチェーン店は大抵、外に向かって全面が窓になっており、中の様子がよく窺えるのだが、この店は一部が死角になっている。カウンター席は外から丸見えでも、テーブル席は店内に入らないと様子が分からないのだ。

たまたま客が少なかったので、神谷は空いたテーブル席に陣取った。これで、相手がどう出るか……大胆に中に入って来る可能性もあるし、外で待機するかもしれない。後者ではないだろうか、と神谷は想像した。相手がそれなりに鋭い人間なら、先ほど紳士服量販店で神谷に気づかれたことを察しているだろう。再び姿を現せば、明らかに尾行しているとこちらに教えてしまうことになる。

店内を見回すと、自分につきがあることが分かった。もう一か所、裏の出入り口がある。よし、そこを使おう。ただしそのためには、さっさと食事を済ませてしまわなければならない。普通の牛丼を頼んだ。卵つき。味噌汁《みそしる》は無視して、卵を牛丼に回しかけ、大量の紅生姜《べにしょうが》と七味唐辛子も加えて一気にかきこむ。卵を加えると、少しだけ冷めて早く食べられるのだ。

ちらりと壁の時計を見ると、わずか二分で食べ終えていた。まだ口を動かしているうちに席を立ち、もう一つの出入り口から外へ出る。すっかり暗くなり、ビルの裏通りは闇に沈んでいたが、大島の闇夜に比べれば、何ということはない。信号さえもほとんどないあの島では、闇は闇のまま存在している。

裏道を急いで歩き、牛丼屋の表の出入り口があった通りに出る。いた。こちらを尾行していた男は、道路の向かい側でまだ牛丼屋を監視している。刑事だとしたら甘いねえ、と神谷は笑いを嚙《か》み殺した。牛丼屋で、ゆっくり味わいながら夕飯を食べる刑事などいるわけがない。それともお前は、いつもそんなに夕食に時間をかけているのか？　だとしたら、呑気なものだ。そんなことだから、無実の人間を逮捕するような羽目になるのではないか。

神谷は男を置き去りにして、先ほどの紳士服量販店に入った。まだ約束の二十分は経っていなかったが、幸い、裾上げは終わっていた。試着室を借りてその場で着替え、脱いだジーンズは店の袋に突っこむ。ネクタイは締めなかったが、見た目はすっかり変わっているだろう。

男はまだ牛丼屋を監視している。そろそろ、変だと思わない方がおかしい。神谷は店を出てそっと男に近づき、軽く肩を叩いた。大した衝撃はないはずなのに、男が飛び上がる。一瞬、神谷の姿を凝視する。服が変わっているせいか、混乱しているようだった。神谷は一歩下がって、気取って背広の襟に親指を引っかけてみせた——笑みさえ浮かべて。だが次の瞬間には、笑顔を引っこめる。

「何かご用ですか？」

男は何も言わない。ただ、顎がかすかに痙攣《けいれん》して緊張感を漂わせたので、やはり自分を尾行していたのだと確信した。

「人の跡をつけ回すのは、あまりいい趣味じゃないな」

「いや……」ようやく聞いた声は、情けなくかすれていた。

「警察を呼ぼうか。何の容疑になるかは分からないけど、そこは話をしながらゆっくり相談しよう」

「警察は必要ない」

「どうして」

「それは……」

「あんたが警官だから、な」

神谷は男の鼻先に人差し指をつきつけた。男が海老反《えびぞ》りするようにして、顔を遠ざける。そのまま一歩踏みこんでさらに指を顔に近づけると、バランスを崩してよろけ、後ろに倒れそうになった。いつまでもからかっているわけにもいかず、神谷は手を下ろした。

「神奈川県警の人かな？　だったらもう少しきちんと尾行の練習をした方がいい。ばればれだよ」

「それは――」

「あー、いいから」神谷は、いかにも面倒臭そうに見える表情を作って手を振った。

「どうせ認めるつもりはないんだろう？　訊くだけ無駄だから、やめておくよ。これ以上俺につきまとわないでくれれば、特に問題にはしない。でも、こっちの捜査本部では、記録に残しておくからね。上司にもその旨しっかり伝えてくれたまえ。いいね？」

　男が二、三歩後ずさった。そのまま踵を返し、一気にダッシュする。それはまったくもって見事なダッシュであり、この男には尾行ではなく、犯人を追う役割に専念させた方がいいのでは、と神谷は思った。

　追い払うことには成功したが、面倒なことになったのは間違いない。最初、自分で考えていたよりも、ややこしい状況のようだ。

　だからといって、まだ気合いを入れたくなるような感じではなかったが。


「尾行されたよ」

　捜査本部に戻るなり、神谷は告げた。先ほどは完全に無視されたのに、今度は刑事たちの視線が一斉に突き刺さってくる。この連中はどこまで仕事熱心なんだ、と神谷は半ば呆れた。もう午後九時を過ぎているのに食事をした様子もないし、まだ必死で、積み上げた書類の山に挑んでいる。

「どういうことですか」

　永井がのろのろと立ち上がった。目が赤い。デスクに目薬が置いてあるのに、神谷は素早く気づいた。

「今言った通りです。神奈川県警の人間が俺の跡をつけていた」

「まさか……」

「理事官、ちょっとはっきりさせておきたいことがあるんですがね」神谷は椅子を引いて座った。「今回の件、警察庁はどこまで本気なんですか？　ちょっとおかしいと思うんですよね。仮に我々が県警の捜査を検証して、どこで何が間違ったかが分かったとします。それは公表するんですか？　それとも単に内部資料にしてしまいこむ？」

公表するつもりがないことは予想できていた。公表する前提なら、今回のミスに関して特別に検証捜査班を組織した、と大々的に発表するだろう。警察というのはとかく秘密主義が好きなのだが、そういう体質も徐々に崩れてきている。

「それは、私が関与することではありません」

出た、官僚答弁。神谷は笑いが零《こぼ》れそうになるのを堪《こら》えながら、状況を説明した。メンバーは全員、真顔で聞いている。特に皆川は、極めて真剣な表情だった。自分の仕事——ここに集められたこと——に疑問を持っているようだったから、真剣になるのも当然だろう。

「いずれにせよ神奈川県警は、この事態を極めて深刻に受け止めているようですね。理事官、この検証捜査の件は、神奈川県警には正式に伝わっているんですか？」

「もちろん」

「だったら、向こうが神妙にしているとは限らない。神奈川県警は、マジになってるんですよ。最低でも、こっちの動きを知っておこうと思っている。変な話、この部屋に盗聴器が仕掛けられていないかどうか、調べた方がいいんじゃないですか」

「それはもう、済んでますよ」永井が答える。

「それなら結構ですけどね……ここ、セキュリティはちゃんとしているんですか？　見たところ、盗みに入るのは難しくなさそうですが」

「資料は全て、分散して持ち帰ることにしています」

「ウィークリーマンションを借りたそうですね？　全員一緒ですか？　だとしたら、かえって危ないかもしれない。一網打尽にされますよ」

「神谷さん、ちょっと心配し過ぎじゃないんですか」桜内が疑義を呈した。強面《こわもて》の表情に似合わない、少し甲高い声だった。

「いやいや、この一件自体が、訳が分からないんだから。できるだけ用心したいだけだ。何も知らないうちに、後ろから刺されるのは嫌だからね」

「尾行していた人間が神奈川県警の刑事だというのは、間違いないんですか」

凜が冷たく言った。一瞬で室内の空気が凍りつき、エアコンが冷気を吐き出す音だけがやけに大きく聞こえる。

「俺が見間違えたと？」

「ちゃんと確認したんですか？」

「しなくても分かる」

「根拠は？」

「観察力と勘」

凜が唇を引き結んだ。元々薄い唇が一本の線のようになり、冷たいイメージが増幅される。少しだけ顔を上げて口を開き、「大した勘なんでしょうね」と皮肉を吐いた。

「お前は神奈川県警の人間かと聞いても、答えるわけがないからね」神谷は肩をすくめた。「答えないことが答えになる」

「結構です」

「結構って、何が？」

「そう思われるなら、思って下さい。私は私の仕事をするだけですから」凜の口調に揺るぎはなかった。

「妨害されたら、まともに仕事もできなくなるよ」

「考え過ぎじゃないですか」

これでは議論にもならない。神谷は警戒――かなり高度なレベルの警戒が必要だと言ったつもりだったが、凜には伝わらないようだった。皆川や桜内は、それなりに深刻に受け止めているようだったが……こういう時は、全員が意識を共有しなければならない。

一人でも方向性が違うと、そこが穴になりかねないのだ。

まあ、穴が開こうがどうしようが、今の俺には責任はないが。この捜査には、どうにも胡散臭《うさんくさ》い部分がある。問題は、実態を確かめる手段がないことだ。警視庁の中にきちんとした人脈があれば、それを伝って警察庁の幹部が何を考えているか、探り出すこともできるだろう。だが二年半前、ろくに挨拶もしないで本土を離れた神谷の人脈は切れている。今さら電話をかけてこられても、迷惑する人間がほとんどだろう。何も人に嫌な思いをさせることはない。

当面、周囲に気を配りながら仕事を進めていくしかないだろう。まずは今後の方針を確認しなければならない。

「取り敢えず、捜査の基本線を確認させて下さい」

永井が、疑わしげに神谷を見やる。やる気があるのか、と無言で問いかけてくるようだった。やる気も何も……わざわざ大島から船と新幹線を乗り継いで横浜までやって来たのに、空手で帰るわけにはいかない。この捜査の裏側を懸念してはいるが、もしも何かまずいことがあると分かれば、その時点で手を引けばいいではないか——簡単な話である。「やめます」と一言宣言すればいいのだ。それで職を失うかもしれないが、男一人、何をやっても食べていけるだろう。

「ではまず、これまでのところの情報をまとめます」永井が、分厚いプリントを神谷に手渡した。見ると、他のメンバーのデスクには、既にそのプリントが置いてある。皆川の物など、既にあちこちに折り目と付箋がついていた。現場を見たはいいが、何かが分かったわけではなく、自分は出遅れているのだと神谷は意識した。

永井が立ち上がり、ホワイトボードの前に立った。どこから持ってきたのか、相当使い古された物で、油性ペンの跡が薄《うつす》らと残っている。そこに何か書きつけるつもりはないようで、四人の方に向き直って話し始めた。プリントは持っていない。内容は全て、頭に入っているようだった。

「一連の事件の被害者は三人です。いずれも二十代の女性で、戸塚区在住、会社員という共通点もあります。夜遅く、帰宅する途中に柳原に拉致され、乱暴されて殺されています。手口は同じで、物陰に潜んでいていきなり襲いかかり、殴りつけてから車に連れこむ、というものでした。確実に口は塞いでいたようで、悲鳴は聞かれていません」

「百パーセント成功したわけじゃない」神谷は合いの手を入れた。

「未遂が五件ありました」永井が認めた。「何とか逃げ出した女性が五人います。この五人に関しては、自ら名乗り出てきたわけではなく、県警が聞き込みで割り出しました」

「簡単には名乗り出てこられないでしょう。そうじゃないかな？　保井巡査部長」

神谷は凜に話を振ってみたが、鋭い目つきで睨まれただけだった。そういう話が専門じゃないか、と思ったが、無理に突っこむのはやめておく。既に自分はちゃらんぽらんな印象を持たれているはずで、これ以上嫌な奴だと思われても、いいことは何もない。

　永井が一つ咳払いをして続ける。

「いずれにせよ、この五人の証言が、柳原逮捕の決め手になりました。ただし私が読んだ限りでは、調書は相当緩いですね。ですから当面、この五人の女性に対する事情聴取を優先的に進めたいと思います」

「全員、近所の人ですか」神谷はプリントをぱらぱらとめくった。ざっと見て、二百枚程度か……とても一発では該当箇所を見つけられそうにない。

「戸塚区在住ということは共通していますが、必ずしもJR戸塚駅の近くに住んでいたわけではない。戸塚も広いですよ」

　神谷は立ち上がって周囲を見回し、地図を探した。あった。横浜市の詳細な住宅地図……ただしかなりぼろぼろで、どこかで使っているのを持ちこんだらしい。

戸塚区内には、四つの駅——うち二つは重なっている——がある。JRが東戸塚と戸塚、地下鉄ブルーラインが舞岡、戸塚の二駅だ。柳原が戸塚駅周辺にこだわっていた理由は分からないが、あの辺は治安が悪かったのかもしれない。

　神谷は既に、県警の失策の臭いを感じ取っていた。

証人をでっち上げたとしたらどうなる？　県警は早くから、柳原という男に狙いをつけていたのではないか。彼を犯人に仕立て上げるのを優先し、そのために目撃証言を捏《ねっ》造《ぞう》したとしたら……一般人を誘導して、「あの人が犯人だ」と指摘させるのは、実は難しくはない。それほど優秀でなくても、刑事は人心掌握術に長《た》けているものだ。しかも権力の後ろ盾がある。

「焦ってたんですかね」

「でしょうね」ぽつりと永井が認めた。

「困った時に適当なターゲットがいた、ということですか」神谷は次第に、柳原の個人情報を思い出していた。三人を連続して殺した犯人ということで、逮捕当時、メディアは大騒ぎしたのだ。他県の事件ではあるが、神谷も当然注目していた。自分たちも同じような事件に取り組んでいた、という事情もある。

プリントをめくり、柳原の個人データを引き当てた。一九八〇年生まれ、今年三十三歳になる。磯子区で生まれ育ったが、地元の高校を卒業後に実家を出て一人暮らしを始めた。職は転々として、逮捕されるまでに勤務先は六回も替わっている。逮捕された時は、自宅近くの焼肉店でホールスタッフを務めていた。ほぼフリーターのような状態を続けざるを得なかったのは、過去に逮捕歴があったからである。二十一歳の時に、女性に対する暴行事件を起こして逮捕されたのだが、この時は相手の怪我が軽かったこともあって、執行猶予つきの判決を受けている。

警察が注視したのは、過去の暴行事件だった。乱暴目的で女性を襲い――女性が暴れたために目的は果たせなかったのだが――怪我をさせた。結果はともあれ、間違いなく性的犯罪である。警察は常に、危険人物のリストをアップデートしているが、その中に柳原がずっといたのは間違いない。

「証言した女性に当たるのは、賛成ですね」

神谷が言うと、永井が露骨にほっとした表情を浮かべた。それを見て、神谷はにわかに心配になった。キャリアといえども、それなりの現場で経験は積んでいる。若い頃、それこそ二十代の半ばぐらいには、田舎の県警の捜査二課長を経験しているはずだ。それが、こんなに自信なさそうにしているとは……この捜査が難しいのは分かるが、これでは指揮官失格だ。

「ちょっと待って下さい」凜がいきなり声を挟んだ。背筋をぴんと伸ばし、姿勢を正してから話し始める。「この五人の女性が、婦女暴行事件、あるいは未遂事件の被害者なのは事実です」

「仰る通り」

神谷が合いの手を入れると、凜が一瞬睨みつけてから目を逸《そ》らす。どうやら俺を無視することに決めたようだ。しかし、話をする気になったのはいいことである。このメンバーで意識を共有しなければならない。騙されるな。利用されるな。自分たちをここへ集めた人間の意図を見誤ってはいけない——その意図が、未だに読めないのが困るが。

「性犯罪被害者に対する扱いが間違っていなかったかどうかも問題ですよ」

「神奈川県警が、傷ついた女性の心にずかずかと入りこんだ、と」

「その可能性はあります。資料を見ますと……この五人の女性に関しては、被害に遭ってから事情聴取を受けるまで、数週間から一年程度と開きがあります。柳原の事件のことを持ち出されれば、古傷を抉《えぐ》られることになります。かかわりたくないと思うばかりに、認めてしまう、ということもあるんですよ」

「いかにも田舎警察がやりそうな手口だ」神谷はかすかに怒りを覚えていた。

「ですから、保井部長が呼ばれたんじゃないですか」永井がまとめにかかった。「保井部長は、性犯罪捜査のプロです。女性被害者に対応するには、やはり女性の捜査員がベストでしょう……とにかく明日からは、五人の被害者に対する再聴取を始めます。今日は初日で、ペースが摑めなかったと思いますが、明日以降、きっちり巻き直しますから」

「ペースが摑めなかったのは、遅れた人がいたからじゃないですか」

凜が、神谷を睨みながら非難の言葉を吐いた。そうなんだろうな、と神谷は受け流した。遅れた原因は連絡ミスだとは思うが、ここで誰かに責任を転嫁しても仕方がない。黙ってうなずいた。

「では、今日はこれで解散します。先ほど申し上げた通り、資料は分散して持ち帰って下さい」

「バックアップは？」神谷は訊ねた。

「警察庁で保管しています。とはいっても、資料の扱いには十分注意して下さい」

こいつは面倒だな、と神谷は舌打ちした。資料は、段ボール箱で二箱分ぐらいある。それを五人で分散したとしても、かなりの分量だ。しかも、日中には資料を全て一緒にして検討するから、帰る時にまた正確に整理し直さなければならない。

「明朝は、八時半にこちらへ集合でお願いします」

永井が、椅子の背に引っかけた背広を着こんだ。コートかけもないのか、と神谷は情けない気分になった。安いとはいえ、一応買ったばかりの背広である。適当に置いて、型崩れさせたくはなかった。

永井が、全員にメモを配った。ウィークリーマンションの住所と電話番号などが書いてある。

「こいつは？　どこですか」神谷は照明にメモを翳《かざ》して見せた。

「地下鉄の伊勢佐木長者町《いせざきちょうじゃまち》駅のすぐ近くです。関内から一駅ですから、ここへ通うのは便利ですよ」

「一駅だったら、歩けるんじゃないですか？」

「それはご自由に……交通費に関しては、後でまとめて精算します」

そういえば、パスモもスイカもチャージが切れているはずだ。二年半も本土を離れていると、都会のシステムから完全に切り離されてしまうものだ。

5

少し話をする必要がある——自分以外の三人は何を考えているのか。この件についてどう思っているのか。

見事に拒否された。

凜は「話す必要はありません」。桜内は「もう遅いから」。二人が神谷の申し出を断ったのを見て、皆川も「自分も……」ともぞもぞと言った。まあ、それはそうだろう。今日会ったばかりの年長者と二人きりでねちねち話をするのは、皆川には苦痛のはずだ。

無言で地下鉄に乗り、一駅。伊勢佐木長者町駅から地上に上がった瞬間、神谷はここは基本的に労働者の街なのだ、と気づいた。全体にざわざわした雰囲気が漂っているし、いかにも気安く値段も安そうな飲み屋や食堂が目立つ。悪くないな、とほくそ笑んだ。全国どこへ行ってもチェーン店ばかりなのに、この街では昔から続く地元の店が頑張っているのだから。

ウィークリーマンションは、駅から徒歩二分ほどのところにあった。全員揃って、フロントでカードキーを受け取る。神谷はこれまでウィークリーマンションを使ったことはなかったが、ホテルのシステムに似ているようだ。

「どうでもいいけど、飯はどうしたんだ？」神谷は皆川に訊ねた。

「ああ、適当に……神谷さんが外出している間に済ませました」

「何だ、そうなのか。本当に、ビールでもどうだ？」

皆川が、ちらりと振り返り、後ろにいる凜と桜内を見た。困ったような表情を浮かべ、

「やっぱり遠慮しておきます」と告げる。

「困ったことがあれば、いつでも言ってくれよ。ない知恵を絞るから」

「ありがとうございます」丁寧に礼は言ったものの、皆川の戸惑いは消えなかった。

全員同じフロアで、部屋も隣接している。何となくやりにくい……壁が十分厚いことを、神谷は祈った。気安い仲間なら、物音を立てられても気にならないのだが、互いに遠慮、というか未だに戸惑っている同士である。変に気を遣うのも、遣われるのも疲れる。

挨拶もせず、無言で部屋に引っこむ。神谷はドアを開けて照明を点《つ》けると、立ち止まったまま中の様子を頭に入れた。ごく狭いワンルーム……独身時代に住んでいた部屋を思い出す。入ってすぐ右側がバスルーム。その先に小さなキッチンがあり、奥が寝室に

なっていた。他には小型の液晶テレビと電話が乗ったデスクがあるだけだ。ベッドはシングルだが、これは仕方ないだろう。いかにも、長期出張のサラリーマンが寝に帰るだけのような部屋。素っ気ないことこの上ないが、灰皿が置いてあるのはありがたい。最近は、ホテルでも禁煙部屋が増えてきているのに、ここは喫煙ＯＫのようだ。まさか、自分が喫煙者だということが分かって、このマンションを選んだわけではないだろうが……洗濯機があるのにも気づいた。さすがにこの時間だと使うには気が引けるが、多少は暮らしやすくなりそうだ。そうだ、まず外へ出て、替えの下着などを買ってこないと……今さらながらだが、荷物を取りに行く余裕すら与えてくれなかった刑事部長のやり口には腹が立つ。

いつの間にか増えてしまった荷物——先ほど買ってきた着替えと穿き替えたジーンズ、それに紙袋に突っこんだクソ重い資料——をベッドに放り出し、煙草《たばこ》に火を点けて一息つく。ずいぶん長いこと、煙草を吸うのも忘れていた。禁煙するいい機会かもしれない。

煙草をくわえたまま窓辺に立ち、カーテンを開けた。前の広い道路を見下ろせるので、張り込みしている人間はいないか、とつい探してしまうが、いない。少なくとも神谷の視界が届く範囲には。

よし、買い物に出かけよう。さすがに疲れており、このまま腰を落ち着けてしまったら立ち上がれなくなりそうだったので、思い切って部屋を出ることにした。念のため、灯《あか》りは点けたままにしておく。自分が気づいていないだけで、もしかしたら監視している人間がいるかもしれない。部屋を出たことを気づかれたくはなかった。

ドアを開ける前に立ち止まり、耳を澄ませる。両隣の部屋の音は聞こえなかった。テレビの音声も、シャワーの音も……壁はそれなりに厚いのだろう。どうやら生活音に悩まされることもなく、よく眠れそうだ。

この時間でもざわついている街に彷徨《さまよ》い出て、コンビニエンスストアを探す。すぐ隣の新しいビルに一軒、入っていた。これなら、味気なささえ我慢すれば、一か月ぐらいは楽に暮らしていける。替えの下着や靴下、ついでに明日の朝食用にサンドウィッチや飲み物を買いこみ、ATMで金も少し下ろしておく。これで当面は安心だ。

買い物を終え、少し街を歩いてみることにした。酔っ払いの姿が目立つ。どうも、新橋辺りをもっと気安くした街のようだ。食事をとれる店もいくらでもあるし、仮住まいしながら仕事をするには、悪くない環境だろう。まあ、実際に仕事が上手く進むかどうかは分からないのだが……未だに、騙されているのではないかという不快感が抜けない。

短い探索を終えてマンションの前まで戻って来た瞬間、持たされた携帯電話が鳴り出した。この番号を知っている人間は多くはないはずだがと訝《いぶか》りながら、ズボンのポケットから電話を引っ張り出す。見慣れぬ携帯電話の番号が浮かんでいた。無視するか……

しかし、身に染みついた習慣で、通話ボタンを押してしまう。

「はい」

「おう、神谷」

「横手《よこて》か？」

久しぶりに聞く声なのに、懐かしさはない。横手は同期で、今は警察庁に出向している。離島にいる自分とは、立場がまったく違う。しかし、と神谷は考え直した。自分を呼びつけたのは警察庁の判断である。そして横手は警察庁にいる——この男なら、何か事情を知っているかもしれない。

「今、横浜か？」

「ああ」

「大変だな」

「お前は知らないかもしれないが、伊豆大島は近いんだ」

「そういう意味じゃなくて」横手がじれったそうに言った。

「分かってるよ。どういうことなんだ？　お前、事情を知ってるのか」

「詳しいことは分からない」

「詳しいことじゃなくても、何でもいいんだ」

「何も聞かされてないのか？」横手の口調は、ひどく疑わしげだった。

「うちの刑事部長は、説明を端折《はしょ》る人みたいでね。一を聞いて十を知れ、ということかもしれない。だけど、判断材料が少な過ぎる」

電話の向こうで、横手が息を呑む気配が感じられた。

「他意はないんだ」

他意ときたか……何だか横手は、警察庁を代表して弁解しているようではないか。神谷は煙草に火を点け、歩道の端に寄った。目の前の公園は、暗く闇に沈んでいる。

「どういうことだ？」

「世間体のために、この特命班を置いたと聞いてるだろう？」

「ああ」

「本当に、そういうことらしい。何か事実が明らかになっても、それをどう扱うかはまだ決めていないそうだ。無罪判決が出た時点で、『調査班設置』の発表をするだろうけどな」

「はっきりした方針も決まっていないのに、俺たちを集めたのか？　警察庁は、ずいぶん予算に余裕があるんだな」

「皮肉はよせよ」横手が非難した。

「まあ、いい。どっちにしても、一種のアリバイ作りなんだな？」

「ああ。だからお前も、無理はしない方がいいぞ。どうせ結論は見えてるんだ。神奈川県警が認めるかどうかは別問題として、捜査に不正があったのは、今までの簡単な調べでも分かってるからな。それを裏づける調査をすればいいんじゃないか」

「シナリオは、もうできているわけか」むっとした。自分は、そんなものに乗っかるためだけにここへ来たわけではないはずだ。では、何のため？　考え始めると、思考が停まってしまう。

「もちろん、分かっていないことも多い。取り調べは密室の中で行われたし、記録に残らないことも多いからな……そんなこと、お前に言うまでもないか」

　こいつは皮肉を言っているのか？　神谷は無意識のうちに、携帯電話をきつく握り締めていた。夜になっても気温は下がらず、じっとりと汗をかいているのを感じる。シャワーが恋しかった。

「まあ、お前の言う通りだよ」気楽な調子で言って、呼吸を整える。「で、メンバーはどういう基準で選ばれたんだ？」

「アトランダム。各県警に手配を回して、それぞれ出す人間を決めた。かなり急な手配だったんだけどな。アトランダムにした理由は分かるな？」

「先入観なく捜査できるように？」

「そういうこと」

「それで、どうして俺が呼ばれた？」

「それは……」横手が台詞を呑みこんだ。

「あの件と関係あるのか？　上手くいけば、本庁へ戻す、と言われた」

「刑事部長から直接？」

「ああ」

「だとしても、それは警視庁内の人事のことで、俺には分からん」

「お前、すっかり警察庁の人間になったみたいだな」

「出向中だから、仕方ないだろう」

警視庁と警察庁は隣接している。警視庁が単独の庁舎なのに対し、警察庁が入っているのは中央合同庁舎第二号館で、総務省や公正取引委員会など他の官庁も入居しているという違いはあったが、隣にあるのは間違いない。ただし、神谷のような下級管理職にとって、心理的な距離はずっと遠かった。普段はまったく用事がない場所なのだ。

「お前、本当は何か別の事情を聞いてるんじゃないのか」

「いや」

短い否定の裏に、神谷は何かどろどろした物を感じ取った。警察のシステムは複雑で、数え切れない人間の思惑が蠢《うごめ》いている。普段の仕事でそういう物を感じることはないが、ローテーションからはみ出したことをやろうとすると、途端に生身の思惑が姿を現すのだ。今回の件についても……横手は「アリバイ作りだ」と認めているにしても、何かもう一枚、あるいは二枚裏がありそうな気がしてならなかった。

しかし今、無理に突っこんでも横手は何も言わないだろう。同期の人間とはいえ、この二年半は疎遠になっているし、今はあくまで警察庁の人間だ。俺の様子をうかがうために電話してきたと考えた方がいい。つまり、スパイ。

しかし、一つだけ情報を投げておくことにした。

「神奈川県警に尾行されたよ」

「マジか？」

神谷は詳しい情報を話した。もちろん、横手がこの件を知らないのは不思議でも何でもない。永井と横手は情報が真っ直ぐ伝わる一本のライン上にいるわけではないし、そもそも永井はまだ、上に情報を挙げていないかもしれない。もちろん、このまま黙殺してしまう可能性もある。

「というわけで、警察庁はアリバイ作りだと思っていても、神奈川県警はそう感じていないみたいだぜ」

「だろうな。こんなチームを作って不祥事を調査するようなことは、今まで一度もなかったから、調べられる方は疑心暗鬼にもなるだろう」

「ああ」たいていの場合は、監察官室が中心になって調べる——つまり自助努力に任せる。より重要な案件なら、警察庁の人事担当者が入ってくることはあるだろう。だが今回は、そこから一歩も二歩も踏みこんだやり方だ。

「警察庁と神奈川県警で、温度差があるかもしれない」

「神奈川県警には、深刻に捉えてもらわないとな」横手が皮肉っぽく言った。

「連中に妨害される可能性もある」

「まさか」横手が笑ったが、その声は神谷の耳の中で空《うつ》ろに響くだけだった。

「まさか、とは言えないぞ」神谷は道路を行き交う車をぼんやりと見やった。「連中がこっちの動きを気にしているのは当然だ。知ったらどうする？　そのままにしておくとは思えないんだけどな。証拠隠滅のために動くかもしれない。あるいは証人に圧力をかけるとか」

「まさか」横手がもう一度言って、鼻で笑った。「神奈川県警も、そこまで馬鹿じゃないだろう。そんなことをしたら、自分で墓穴を掘るようなものだ。それにお前なら、連中が証拠隠滅しようとしたら、それも探り出すだろう」

「それは過大評価だな」

「お前なら、阿呆な連中のことはよく分かるはずだ」

一瞬、頭に血が上ったが、この男に対して怒っても仕方がないのだ、と思い直す。警察の「総意」としての悪意はあるかもしれないが、横手が個人的に俺を攻撃したり非難したりしたことはない。

「分かったよ。ま、様子を見させてもらうさ。どう出てくるかは分からないけど……」

「お前の言う通りなら、逮捕者が出る可能性もあるんじゃないかねえ」

横手の言葉が、神谷を凍りつかせた。生温い風が吹いているはずなのに、電話を握る手に、はっきりとした寒さを感じる。横手の発言を否定できないが故に。容疑がどうなるか分からないが、証拠のでっち上げや神谷たちに対する捜査妨害が発覚すれば、警察庁からの行政的な処分だけでは済むまい。

「その時は逮捕するだけだ」

「嫌な話になるぞ」

「そうかねえ」神谷は顎を撫でた。こんな呑気な喋り方をしているのは、自分を安心させたいためだと自覚している。「警察官だって、聖人君子ってわけじゃない。ミスもするし、悪意もあるだろう。それがばれたら、処分されるだけだ」俺みたいに、という言葉を呑みこむ。何もここで――夜の横浜で、自虐的な台詞を吐く必要はない。

「何かあったら――」

横手が言葉を切った。連絡してくれ、と言いたかったのだろうと神谷は想像したが、言葉を補うようなことはしなかった。今、この男を味方と信じていいかどうかは分からない。張り巡らされた複雑な網の中で、自分がどこにいて、どんな役目を期待されているか分からないのだ。そんな状況で、相手を無条件に信用することはできない。

どうやら、まだ足元がふわふわしたような状況は続きそうだ。警察庁の本音も、「アリバイ作り」だけとは思えない。もしかしたらこの一件を契機に、神奈川県警を一度完全に壊して、建て直そうとしているのかもしれないが、そうだとしたら、投入された自分たちは戦力としてあまりにも小さい。神奈川県警という大きな組織には立ち向かえないだろう。

電話を切り、溜息をつく。短くなった煙草を携帯灰皿に押しこんで、もう一度周囲を見回した。自分を監視しているように見える人間はいない。踵を返してホテルに入ろうとした瞬間、出て来た凜と出くわす。ブラウスとパンツから、グレーのTシャツにジーンズというラフな格好に着替えていた。一瞬驚いた表情を浮かべて顔を赤くしたが——怒りのためかもしれない——一礼してその場を立ち去ろうとした。

「買い物か？」

神谷が声をかけると、すぐに立ち止まる。ゆっくりと振り返って、小さくうなずいた。その顔からは「放っておいて欲しい」という本音が滲《にじ》み出ていた。

「何か、変だと思わないか？　こんな指令、今まで聞いたこともない」

「指令は指令です」

「ごもっとも。でも、警察庁が何をしたいのか、狙いが何なのか、さっぱり分からない」

凜の表情が険しくなり、唇の前で素早く人差し指を立てた。「警察庁」はご法度か……確かに。この時間でもまだ酔っ払いがうろついているし、下手に「警察」などという言葉は発しない方がいい。その言葉に敏感に反応する人間もいるのだ。

「私は、言われた仕事をするだけですから」

「その仕事が意味不明だ。民間企業だったら、こんなプロジェクトはあり得ないだろうね」

「私たちは公務員ですよ」

「そう、身分保障が安定した公務員だね」滅多なことでは馘《くび》にならないのが現実だ。神谷は、自分の立場を民間企業の社員に置き換えて考えてみたことがある。どんな処分が出されていたか……表沙汰になったら馘、という感じだろう。そうでなければ、左遷というのは妥当な線だ。不満や不平を口にしないよう、きっちり言い含めて、本社からできるだけ遠い場所へ飛ばす。そうやって、こちらから辞表を提出するのを待つだけだ。塩漬け。飼い殺し。

「普通に仕事をするだけです」

「自分がどうしてここに呼ばれたか、分かってるのか?」

「さっき話が出た通りで、私の専門に関してだと思います」凜が肩をすくめる。「こういう事件の場合、女性がいた方がやりやすいんでしょう」

「明日からさっそく活躍してもらうことになるんだろうな」

「……神谷さんも、話を聴くつもりですか？」

証言した被害者に。神谷は、彼女がわざと抜いた言葉を補って考えた。

「それを決めるのは俺じゃないけど、そうしようかとは思ってる。書類を読んでいるだけってのは、肌に合わないんでね」

「それは、やめてもらえますか？」

「どうして」突然言われて、神谷は困惑した。

「神谷さんは、そういうことには向いていないと思います」

「何でまた、そう思うのかね」

「デリカシーがないからですよ。デリカシーだけじゃなくて、仕事に関する姿勢も疑問です。遅刻してきたのが、いい証拠じゃないですか」

何か裏がある――単なる連絡の遅れではないような気がしていたが、神谷は彼女の非難に反論せず、うなずくだけにした。別に、凜と喧嘩したいわけではない。むしろ、彼女がこれほどぴりぴりしている理由の方が気になった。いきなり命令されて北海道から飛んできたら、戸惑うのは分かるが、怒っているのは何故だろう。

「だいぶお怒りのようですねえ」

神谷は馬鹿丁寧な口調で言ったが、それがまた凜の怒りに油を注いだようだ。

「怒ってませんよ」

「そうかな。えらくぴりぴりしている感じがするけど」

「慣れない街で、いきなり訳の分からない仕事を押しつけられたら、誰だって緊張するじゃないですか」

「訳の分からない仕事だっていうことは認めるんだ」

凜が睨みつけてきた。また揚げ足を取るようなことを言う……とでも思っているのだろう。神谷は小さく息を吐き、肩をすくめた。

「君だけじゃない。こういう変な状況なら、そう思うのが普通だよ」

「そうですか」

「北海道に残してきた家族が心配だとか？」

「それは神谷さんには関係ないと思います」凜の顔がわずかに引き攣った。

「旦那は？」

「独身です」凜が、わざとらしく左手を上げて見せた。薬指に指輪はなし。

綺麗な手だな、と神谷は一瞬見入った。ほっそりと長い指の肌は綺麗で、爪も丁寧に──マニキュアをしているわけではなかったが──手入れされている。忙しい仕事の中でも、そういうのをきちんとやっているのはいいことだ、と思う。人は、外見からだらしなくなる。

「それが何か関係あるんですか」凜の口調が一段と冷たくなった。

「話の流れじゃないか、話の流れ」神谷はひらひらと手を振った。「これから一緒に仕事をするんだから、お互いのことを少しは知っておいた方がいいんじゃないか」

「仕事には関係ないと思います」

「おいおい……北海道の人っていうのは、皆そんなに意固地なのか？」

「私は東京の人間です」

神谷は一瞬混乱した。警察というのは、地域に密着した公務員である。警視庁こそ、全国から職員が集まってくるが、それは東京という街の特殊性を反映したものであり、他県警の場合、圧倒的に地元出身者が多い。東京出身の人間が北海道警に就職したケースなど、神谷自身は聞いたこともなかった。

「それが何でまた、北海道に？」

「個人的な事情は、お話しする必要はないと思います」

凜がいきなり踵を返した。

怒気を含んだ残り香が、周囲に漂う。あれは、相当な女だな……神谷は苦笑しながら彼女の背中を見送った。「凜」という名前の通りの性格かもしれないと思っていたが、実際にはもっときついようだ。こういう人間と上手くやっていけるのだろうか。

神谷自身、昔は刺々《とげとげ》しい性格だったと思う。攻撃的で、自分に自信を持ち、ブルドーザーのように仕事を進めてきた。

だが人は変わってしまう。そして、弱い方向に変わってしまった場合、元に戻すのは大変なのだ。すっかり刺を失ってしまった今の自分に、彼女の相手が務まるとは到底思えなかった。

第二部　チーム

1

リストに載った五人の女性への事情聴取。神谷は翌日、強引にその仕事に割りこんだ。凜は露骨に不満そうな表情を浮かべたが、永井が決定したので逆らえない。そういう点で、彼女はいかにも警察官らしかった。警察官は、命令に対して文句は言わないものだ——少なくとも、その場では。後になって、酒を呑みながら同僚に愚痴を零すのがお定まりのパターンである。

昨日に続いて、戸塚区に足を運ぶ。今回は、ブルーラインの舞岡駅近くだ。同じ戸塚区内でも、戸塚駅周辺とはまったく様子が違う。地上に上がって目につくのが、コンビニエンスストアぐらいで、周辺には鬱蒼《うっそう》とした森が広がっていた。どうしてこんなところに駅が、と戸惑う。横浜も、中心部を少し外れるとこんなものか……この辺が東京との違いだと思う。少なくとも二十三区内では見られない光景だった。

今日の凜は、白いブラウスにグレーのパンツ、黒いジャケットという格好だった。何かと荷物が多くなる女性刑事によくあるパターンで、かなり大きなトートバッグを持っている。一方神谷は、昨日仕入れたシャツと背広姿。ネクタイは、暑さに負けて部屋に置いてきていた。実際、歩いているだけで額に汗が滲んでくる。ネクタイをしていたら、もっとひどいことになっていただろう。大島にいる間に、暑さに弱い体質に変わりつつあるようだ。あの島は暖かいが、都心部独特のヒートアイランド現象とは無縁だ。

奇妙なことに、駅を離れるにつれて民家が増えてきた。十分ほど歩くと、所々に畑が広がる光景の中に、小学校が姿を現す。凜はそちらを見て、一瞬だけ穏やかな表情を浮かべた。何か、子ども時代に想い出でもあるのか……神谷は遠回しに訊ねてみた。

「東京にいる頃は、どこに住んでた？」

プライベートな事情は関係ない、と突っぱねられると思ったが、凜は素直に「茗荷谷《みょうがだに》です」と告げた。

「文教地区だね」学校の多い街だ、という印象がある。「ご両親が教育熱心だったとか」

「別にそういうわけじゃありません」

凜がちらりと神谷の顔を見た。露骨に迷惑そうな表情を浮かべている。神谷は構わず話を進めた。

「子ども時代……というか、学校に通っていた頃が懐かしくなったりしないか？」

「何言ってるんですか」

「今、そんな顔をしてたからね」

神谷はちらりと学校に目をやった。開放的な造りである。歩道と校庭を隔てるのは、金網の低いフェンスだけで、校庭は全部見えていた。体育の授業で、一年生か二年生らしい子どもたちが校庭を走り回っており、時折無邪気な歓声が聞こえてくる。それに混じるホイッスルの甲高い音。

「そんな顔って、どういう顔ですか」

「慈しみ深い顔、かな」

凜が立ち止まる。神谷も合わせて立ち止まり、彼女と向き合ったが、今度は露骨な怒りをその表情から読み取った。

「心配なだけです」

「何が？」

「これから会う人の……現場、このすぐ近くですよね」

「ああ」

「学校に近いところでそんな事件があったと考えると、心配になりませんか」

「……失礼」

神谷は咳払いをした。自分はそこまで考えが及ばなかった、と素直に反省する。島での暮らしで感覚が鈍ったか。どれほど本土に近く、車が品川ナンバーであったとしても、あそこは離島なのだ。一種の密室。何か事件が起きても、誰がやったのかほぼ見当がついてしまう。住民の目が網の目のように張り巡らされていることを知っていれば、そこに住む人は、悪さをしようとは考えないものだ。もちろん観光客は別だが、主に夏場に防犯パトロールを強化していれば、外から来る人間の犯罪は防げる。

しかし東京では——あるいは横浜では、街の中に危険が潜んでいる。神谷はぐっと息を呑んだ。凜は一瞬だけ神谷の顔を凝視した後、また歩き出した。少しだけスピードが上がっている。

小学校の先の交差点を右折して急坂を上る。性犯罪者が動きやすそうな場所だ、と神谷は直感的に思った。基本的には民家しかないが、所々に空き地や鬱蒼とした森がある。街灯も暗そうだ。車などで待ち伏せする犯人にとっては、絶好の「漁場」になる。

坂の多い街だ。凜が先に立って歩いて行くのを追いながら、神谷は額の汗を拭った。海から小高い丘まで、横浜というのは実に地形的なバリエーションに富んだ街で、歩く人間にとって優しくない。

凜が一軒の家を見つけ出した。振り返り、神谷の到着を待つ。どこか馬鹿にしたような表情を浮かべていた。彼女は三十歳……どうしても年齢差による体力の違いを意識してしまう。

ごく普通の民家で、表札には「堺《さかい》」の文字があった。

「ここか」

「そうですね」

「実家？」

「そうです」

　うなずきながら、神谷は頭の中でデータをひっくり返した。五人の被害者については、昨夜のうちにマンションの部屋で、ある程度データを叩きこんでいたのだ。

　被害者の堺涼子《りょうこ》は二十五歳。柳原に襲われたのは三年前、柳原が逮捕される半年前で、当時は二十二歳の大学生だった。帰宅途中、いきなり襲ってきた男に車の中に引っ張りこまれそうになり、必死で逃げ出したという。その際、手に軽い怪我を負ったが、その件は柳原の容疑には加えられなかった。本人が告訴を望まなかったからだ。ひどい危害を加えられたわけではなかったし、怪我も軽かったから、かかわり合いになるのを避けた、という感じだろうが……。

「今は何をしてるんだ？」

「デイトレーディング」

「は？」

「デイトレーディングについて説明が必要ですか？」凜が皮肉っぽく訊ねた。

「それは分かるけど……」まさか、事件をきっかけに、引きこもりのような生活を送るようになってしまったとか？　だとしたら、柳原の責任は重い。

「元々、在学中からデイトレーディングをしていたそうです。才能があるみたいですね。就職する必要もないぐらい、儲《もう》けているようですから」

「あれは一種のギャンブルだろう」

「別に違法ではないですよ」

「ああ……仰る通りだね」

デイトレーディングで収入を得る女性というのは、どういう感じなのだろう。引きこもって、ずっとパソコンの前に向かって……というイメージがある。服装や髪型にまったく気を遣わず、ぶくぶくに太った姿を自然に想像してしまった。

しかし、玄関先に姿を現した涼子は、神谷の想像力の乏しさを証明した。ゆったりとした膝丈、ノースリーブのワンピース姿で、スタイルのよさが目につく。いろいろと金をかけているな、というのが第一印象だった。おそらくジムやエステなどで、自分の体を普段から徹底して磨いているのだろう。腕や足に贅肉《ぜいにく》はなく、ほっそりした筋肉質という感じだった。髪も艶々して、薄い化粧も品がいい。

「道警……警察庁から来ました。保井です」

「神谷です」

凜に続いて挨拶する。ここは彼女を全面的に押し立てていこう、と神谷は決めていた。性犯罪の被害に遭った女性は、男性に対して嫌悪感を示すことがままある。あまりにも拒絶されるようだったら、凜の事情聴取が済むまで外で待つ覚悟さえしていた。しかし目の前の涼子は、特に不快感を表すわけでもなく、丁寧に挨拶を返した。事件の後遺症は感じられない。

「昨日も電話でお話ししたんですが、ちょっと話を聴かせてもらっていいでしょうか」凜が落ち着いた口調で切り出した。

「ええ、構いませんけど……」そこで初めて、涼子の表情に戸惑いが生じる。「古い話なんで、あまり覚えてませんよ」

「覚えている範囲で構いません。参考になると思います」

「……分かりました。どうぞ」

「今、ご家族は？」

「私だけです。両親とも働きに出ているので」

「そうですか。では、失礼します」凜が頭を下げ、靴を脱いでさっさと家に上がった。

通されたのは、涼子が「仕事部屋」と呼んだ部屋だった。まさに仕事に特化したスペース。四畳半ほどの洋間で、入るとまず、それだけで部屋の半分を占める巨大なデスクが目につく。デスクの上には、パソコンのモニタが三台。それも神谷が馴染《なじ》んでいるようなノートパソコンのサイズではなく、かなり大きい。それぞれの画面上では、数字が高速で流れていた。人間の目では追い切れないようなスピード……これを見切るのがデイトレーダーの仕事なら、スポーツ選手は全員、彼らに弟子入りすべきである。動体視力を鍛える絶好の訓練になりそうだ。

涼子はデスクの前の椅子に腰かけ、神谷たちにはソファを勧めた。疲れた時にはそこで一休みするのだろう。二人がけにしてはわずかにサイズが小さいようで、神谷は凜と体がくっつかないよう、体を思い切り端に寄せた。凜は何も気にしていない様子で、ゆったりと座り、手帳を広げている。

「ここでいいですよね？」涼子が遠慮がちに訊ねる。

「ええ、問題ないです」手帳を睨みながら凜が答える。すぐに顔を上げ、「仕事の邪魔にはなりませんか？」と聞き返した。

「大丈夫です。仕事は好きな時にできますから」

「大変そうですね」神谷は二人の会話に割りこんだ。どうやら涼子は、過去の事件のショックを既に乗り越えているようだ、と判断する。それなら、自分がクッション役になって、少しだけ雰囲気を和らげるのもいい。一対一でずっと会話を続けていると、苦痛になってくるものだ——特に事情聴取を受ける側は。

「そうでもないですよ」涼子が薄い笑みを浮かべる。態度には余裕があった。

「不躾《ぶしつけ》な質問かもしれませんが、儲かるんですか？」

「全体で見ればプラスです……ちょっと贅沢していけるぐらいには」

「いつから始めたんですか？　大学生の時？」分かっていることだが、敢えて聴いてみた。

「ええ。友だちに勧められて……経済学部だったんで、勉強にもなると思ったんです。自分で取り引きをしてみると、株のことはよく分かりますからね」

「それで儲かって、やめられなくなった？」少し意地悪かな、と思いながら神谷は質問をぶつけた。

「最初は、ビギナーズ・ラックかと思ったんです」涼子が肩をすくめる。「でも、自慢するわけじゃないですけど、ちょっと才能があったみたいですね」

それはどういう才能なのだろう、と神谷は首を捻った。分析力？　判断力？　それとも思い切りのよさ？　株に縁のない男には分からない。

「就職しないで、これで生活できるぐらいだったら、大変な才能でしょう」皮肉になっていないだろうな、と心配しながら神谷は訊ねた。持ち上げているつもりなのだが、向こうがどう取るか、読めない。

「うーん、まあ……そうなんでしょうね」涼子の顔に、何とも言えない表情が浮かんだ。自慢していいのか、卑下していいのか、自分でも分かっていない様子だった。「あまり労力が必要なくて、それなりにお金が儲かるのは事実ですけど、何だか自分が寄生虫みたいに思える時もありますね。大学時代の友だちなんかは、毎日必死で働いているのに」

実際、通勤がないだけでも楽だろう。最近の、日本の夏の暑さを考えれば……この家と駅との往復——途中の坂のきつさを思っただけで、神谷も気が滅入る。

「まあ、仕事はいろいろあるでしょう。だいたい、友だちよりも儲けているなら、それは胸を張れることじゃないんですか？　一種の才能なんだから」神谷は持ち上げた。

「まあ、そうなんでしょうねえ」涼子の発言は歯切れが悪い。椅子に深く腰かけ直し、少し前屈《まえかが》みになった。助けを求めるように、凜の顔を見る。

「始めていいですか」

「はい」凜の問いかけに、涼子が背筋をぴんと伸ばす。表情が一気に引き締まり、準備万端、という感じになった。

神谷は黙って、凜にその場を任せた。最初に気づいたのは、彼女は非常に事務的に話している、ということである。顔を見なければ、「素っ気無い」と言っていいような言葉の応酬が続く。それでいて凜は、ずっと微笑《ほほえ》んでいた。それも愛想笑いではなく、元々笑い上戸な人が、自然に浮かべているような笑顔である。普段の——短いつき合いで神谷が知ったきつい表情とは違い、いかにも相手をリラックスさせられそうだった。

それに事務的な口調を合わせているのは、さすがにプロという感じである。こういう時、いかにも同情するように深刻な表情を浮かべ、いちいち感情移入するようにうなずいたりしたら、相手もやりにくいものだ。もちろん、もっと深い傷を負っている人に対しては、別の作戦を取るのかもしれないが。

「――事件の発生は夜十時頃。間違いないですね」

「ゼミの友だちと呑み会があって、少し遅くなったんです」どこか申し訳なさそうに涼子が言った。

「この辺、夜はかなり暗くないですか？」

「暗いですね」涼子が認めた。「でも、それまでは何とも思わなかったんです。あの件があってから……夜は遅くならないように気をつけています」

「用心に越したことはないですね」

「仕事を……家でやれる仕事にしたのも、そのためなんです」突然、涼子の口調が真剣になった。

「外へ出なくて済むように？」凜も表情を引き締める。

「やっぱり、ショックが残っていて……何でもないと思ったんですけどね」寂しそうに笑う。「本当は、就職も決まっていたんです。でも、内定を断って、家で仕事をすることにしました。馬鹿みたいなんですけど、家を出ようとしたら体が動かなくなって。そんなことが一か月ぐらい続いて、これは駄目だって諦めました」

「その時に、警察に相談に行こうとは思わなかったんですか」

「最初は、大したことはないと思ったんです。私も怪我したけど、向こうも怪我したし」

「怪我?」神谷は二人の会話に割りこんだ。そんな情報があっただろうか……自分がまだ読んでいない資料の中かもしれないと思ったが、凛も怪訝《けげん》そうな表情を浮かべていた。県警が知らない、ないしは隠していた情報だろうと判断する。凛に目配せして、話を引き取った。「あなたが、相手に怪我を負わせた、という意味ですね?」

「ええ。急に襲われて、車に引っ張っていかれそうになったんです。それで、たまたま持っていた鍵……家のすぐ側まで来て鍵を持っていたので、それを手首の上に突き刺しました」涼子が、手首の関節から五センチぐらい上の部分を指差した。

「鍵で突き刺せるんですか?」

神谷には信じられなかった。涼子が体を捻り、引き出しから鍵束を取り出す。その中の一つ、ごく普通の家の鍵を二人に見せた。

「これで刺せるとは思えませんせん」凛も反論する。

「刺した、は大袈裟かもしれませんけど、思い切り引っかいてやったんです」涼子が、むき出しの左腕を鍵で引っかいた。赤い跡が一瞬生まれて、すぐに消える。「間違いなく怪我させたと思います。手ごたえがありましたし、後で見たら、鍵に血もついていましたから……」涼子が身を震わせる。

「その鍵はどうしました？」

「気味が悪かったんで、捨てました。これは合鍵です」

惜しいな、と神谷は舌打ちをしたくなった。ずいぶん古い出来事ではあるが、ＤＮＡ鑑定ができたかもしれない。そうしたら、襲ったのが本当に柳原かどうか確認できただろう。

「かなり深い傷を負わせたんですかね」

「どうでしょう。こっちも必死で、ちゃんと見ている余裕はなかったし……手ごたえはありましたけど、見ていないんだから、何とも言えません」

「鍵にはかなり血がついていましたか？」

「ええ……でも、それを見ても、相手の怪我の具合は分かりませんけどね」

どうせなら、目に突きたててやればよかったのだ、と神谷は憤った。彼女はひどい目に遭った。そんなことをしても、誰も責めはしない。

「後になって、神奈川県警の人が調べに来た時なんですけど、どういう状況だったんですか」

一瞬間が空いたのを狙うように、凜が訊ねた。話題が自分のことでなくなったので、明らかにほっとした様子で、涼子が饒舌《じょうぜつ》になる。

「理由は分かりませんけど、あちこちで聞き込み？　それをしてたみたいですよ」

「涼子さん、襲われたことはそれまで誰かに話しましたか？　家族以外に、ということですが」

「ええ……友だちには」

「大学の？」

「はい」

聴かれていることの意味が分からない様子で、涼子が首を傾《かし》げる。神谷はすぐに、凜がかすかに苦い表情を浮かべているのに気づいた。迂闊なことをした、とでも考えているのだろう。人の口に戸は立てられない。ほんの軽い気持ちで話したことに尾ひれがつき、とんでもなく大袈裟な話になって広まってしまうこともあるのだ。ましてや今は、SNSなどで情報拡散のスピードが速くなっている。本人がまったく知らぬまま、いつの間にか殺されたことになっていてもおかしくはない。県警も、そういうところから被害者情報を集めていたのだろうか。

「驚きませんでしたか？　警察が来たのは、だいぶ時間が経ってからですよね」

「忘れていたとは言いませんけど、記憶は薄れていました。それからです、ちょっと精神的に不安定になって、外に出られなくなったのは……おかしくないですよね？　だって、自分を襲った人間が人殺しで、他にもたくさん被害者がいたなんて……私も殺されていたかもしれないと思うと、怖くなりました」

「分かります」

凜は慰めの言葉も同情の台詞も口にしないな、と思った。ただ「分かります」。むしろこれが、効果的なやり方なのかもしれない。あなたの立場、恐れは十分理解できる。でも、それ以上の言葉をかけても、どこか嘘臭く聞こえるのではないか……と。相手を追いこまずに話を続けさせるには、非常にいいやり方だ。もっとも、男の自分が「分かります」と言っても、涼子は心を開かないだろう。北海道警が彼女をチームに加えた理由がよく分かった。

「それで、柳原という男はすぐに確認できたんですか？」

「ええ、まあ……」途端に自信をなくした口調になる。

「県警は、どんな方法で確認を求めてきましたか？」

「写真を何枚か見せられて、この中に似た人間はいないかって」

よくある方法だ。容疑者の写真を他の写真と混ぜ、被害者に見せる。だいたい「他の写真」には誰か刑事の顔を混ぜるものだ。あまり楽しい役目ではないので、くじ引きで決めるのが普通だが、中には悪趣味な人間もいて、自分で名乗りを上げる。

「すぐに分かったんですか」

「いや、そんなにぴんとはきませんでしたけど……あの時も暗かったので、ちゃんと顔を見たかどうか、自信がないんです」

「でもあなたは、柳原を犯人だと指摘しましたよね」

「ええ、それは……そう見えましたから」

「今でも断言できますか？」

「ちょっと、自信がないです」

涼子が助けを求めるように神谷を見た。神谷は素早くうなずき、涼子に話を進めるよう、促した。しかし彼女は、ゆっくりと首を振るだけだった。

「あの……あの犯人の人、死刑になるんですか」

「分かりません」凜の声が強張《こわば》る。「一審では死刑判決が出ました。今日が高裁の判決です」

「また死刑判決なんですか？」

凜が黙りこんだ。一介の刑事、それも当時捜査を担当したわけでもない刑事が、裁判の見通しを関係者に明かせるわけもない。もちろん、無責任な噂話ぐらいはできるが、この場に相応しい話題ではない。

「高裁の判決がどうなるかは分からないんですがね、あなた、一審で死刑判決が出た時、どう思いました？」神谷はわざとラフな口調で突っこんだ。

「何だか、嫌な感じでした。もちろん、あの人がやったんでしょう……」

「だったら、嫌な感じを抱く必要なんかなかったでしょう。そんな気持ちになったのは、何故ですか」

「それは……」涼子が唇を噛む。両手を膝に置き、背中を丸めている。まるで、自分の存在を消してしまいたい、とでも思っているようだった。

「今さらこんなことを言っても困ると思いますが、あなたを襲ったのは、本当に柳原という男なんですかね」凜がぽつりと訊ねた。いかにも、そんなに大したことではない、というように。

「言わないと駄目ですか？」

「言えることなら、お願いします」

「あの……分からないんです、本当に」涼子がさらに身を縮こまらせた。「あの時は、何となく警察の人に強引に言わされたみたいで……刑事さんたちが怖くて、つい認めてしまったんです」

　やっぱりそういうことか。神谷はじわじわと怒りがこみ上げてくるのを感じた。だがその怒りは、泡のように瞬時に消えてしまう。これは、俺と同じ失敗ではないか。問題は、県警に「意図」があったかどうかだ。警察の面子《メンツ》を立てるためにさっさと犯人をでっち上げるつもりだったのか、あるいは……どちらにしても、結果は最悪なのだが。

「それで、裁判の結果も気になっていたんですね。でも、証言したのはあなただけじゃないんですよ。つまりどんな判決が出ても、あなただけの責任ではない」

「そういう風に考えて、自分を納得させようともしたんですけど、気は重いですよね。私は裁判を傍聴したわけじゃないですけど、自分の証言が決定的な材料になったら、と考えると……嫌な気分でした。もちろん、あんなことをする人間は許せませんけど、人違いだったら大変なことになりますよね」

「分かります」

「死刑判決だって聞いて、重い嫌な気分だったんですけど……どうなるんでしょう」

「それは――」

甲高い携帯電話の呼び出し音で、凛の言葉は遮られた。この間抜けな着信は……自分のだ、と神谷は慌てた。急いで引っ張り出したのだが、まだ電話番号の登録もしていないので、誰からかかってきたのか分からない。通話ボタンを押して耳に当てると、永井の声が飛びこんできた。

「今、一報が入りました。無罪判決です」低く沈んだ声だった。

「そうですか……」

神谷は軽く深呼吸した。「ちょっと待って下さい」と告げてから送話口を手で覆い、涼子の顔を正面から見て「無罪判決でした」と告げる。途端に、涼子の全身から力が抜けた。凜は険しい表情を浮かべている。

「少し詳しい情報を仕入れます。このまま待っていてもらえますか」

部屋を出て、ドアを閉める。外へ出ようかとも思ったが、そこまでする必要はないと思い直し、玄関先で永井と話し始めた。

「詳しい状況を教えて下さい」

「まだ一報が入っただけです。判決文の全文は入手できていません。ただ、捜査に重大な瑕疵《かし》があった、という認定は間違いないでしょうね。判決のポイントがどこにあるかは、全文を入手してから分析したいと思います」

クソ分析。神谷が一番嫌いな仕事である。書類を前にあれこれ考えをこねくり回しているうちに、脳みそが硬直してくる感じがするのだ。

「これで確定、ですかね」

「そうなると思いますよ」永井の声は暗かった。この結果を前提にチームが招集されたのに、予想以上の酷《ひど》い結果だった、とでもいうように。

「大きな失点ですね」

「それは分かってますよ」

「検察は……どうしようもないでしょうね」

「上告しないかもしれません。検察には、厭戦《えんせん》ムードもあるようです」

この逆転無罪は、警察、検察双方にとって手痛い結果だ。検察側が強引に上告したとしても、最高裁では棄却される可能性が高い。

永井本人は、この件をどのように考えているのだろう。一度じっくり酒でも呑みながら、話を聞いてみたかった。彼のキャリアにおいて、どんな意味を持つ案件になるのか……だが、そんなことをする余裕はなさそうだ。これから、自分たちの調査も本格化していく。

「こちらの行動は、予定通りでいいですね」

「結構です」

「では……まだ事情聴取中なので」

部屋に戻ると、二人の強い視線に出迎えられた。涼子はどこか期待に満ちた視線。凛ははっきりした説明を求める視線。

「詳しい情報はまだ分からないそうです」

告げると、二人が同時に溜息を漏らした。そして沈黙。重苦しく、打ち破りにくい沈黙だった。

「こんなこと言うと問題かもしれませんけど」涼子が口を開いた。「何か、ほっとしました。無罪というか……無実かもしれないんですよね」

「裁判としては、そういうことになりますね」言いながら、神谷は涼子が負った心の傷を感じた。自分の証言がきっかけで無実の人間が逮捕され、死刑に処されたとなれば、心穏やかではいられないだろう。しかもそれが誤認逮捕だとしたら、浮かばれない。一方で、自分を襲った犯人はまだ身近にいるかもしれない——複雑な状況は、彼女の心を揺り動かすだろう。

だが凜は、自分とは別のことを考えているようだった。厳しい目つきを見ただけでは、本音は一切読めなかったが。

2

行きと違って、坂を下りていく帰りは楽だった。凜は終始無言で、顎に手を当てながら歩いている。ちらりと横を見ると、何かぶつぶつとつぶやいているのが分かった。必死に考えているようだが、どことなく危なっかしい。

「考えるか、歩くか、どちらかにした方がいいのでは？」神谷は思わず忠告した。

「大丈夫です」凜が即座に答えた。「ちょっと考えていただけです」

「何について？」

「県警の強引な捜査について」

神谷はうなずいた。自分も同じである。今の涼子の証言だけでも、県警の捜査がかなり強引で杜撰《ずさん》だったことは分かる。

「間違いないな」

「この分だと、調査の進展は早いかもしれません」

「早く北海道へ帰りたいか」

凛が、右手で顔を扇《あお》ぐ。迷惑そうな表情だった。

「そういうわけじゃないですけど……この暑さは、北海道ではあり得ません」

「そうだろうな」今年の夏は特に暑かった。しかも九月になっても、残暑がだらだらと続いている。体に蓄積するダメージは相当なものだ。

だらだらと坂を下りながら、神谷は今後の展開に思いを馳《は》せた。今日やるべきことは、五人の被害女性に対する聴き取り。凛が最初に涼子を選んだのは、比較的楽な相手だからだ。「柳原」とみなされた男の犯行は未遂に終わっている。精神的ショックの少なかった相手から始め、こちらも徐々に事情聴取に慣れていこうという算段だろう。

「次は東戸塚か」

「そうですね」

自宅ではなく勤務先を訪ねる予定になっており、少しだけ気が楽だった。自宅というプライベートな空間に入って行くと、こちらも緊張を強いられる。

舞岡駅へ戻らず、近くを走るバスで戸塚へ出てＪＲに乗り換え、東戸塚で下車。また少し歩くことになる。次に会う被害者は、清水紗江子《しみずさえこ》、二十六歳だった。自宅も勤務先――フィットネスクラブの事務員――も、東戸塚の駅近くである。

フィットネスクラブは、駅から歩いて五分ほどの場所にあった。その五分の間に早くも汗をかき始め、さっさと冷房の利いた建物の中に入りたい、と神谷は切実に思った。だが冷房に恋い焦がれる神谷の気持ちを挫《くじ》くかのように、紗江子は建物の前に出て立っていた。真っ白なポロシャツとジャージという格好で、すっと伸びた背筋が長身を際立たせている。足元はヒールのないスニーカーだが、それでも百七十センチはありそうだった。すぐに二人に気づくと、緊張した笑みを浮かべて頭を下げる。凜が先に挨拶し、「どうかしましたか」と訊ねた。

「いえ……どうせ中では話ができないし、どこかでお茶でも飲もうかと思ってたんです」紗江子が答える。妙に上機嫌で、テンションが高い感じがした。

「裁判のこと、聞きましたか」

「聞きました」神谷の問いかけに、紗江子が間髪入れず答える。顔に浮かぶ笑みが、さらに大きく広がった。

ああ、やはり……と神谷は暗い気持ちになった。この人も涼子と同じなのだ。自分の証言が一人の人間の命を奪うかもしれない、と怯《おび》えていたのだろう。無罪判決は、自分を襲った犯人が結局捕まっていないという事実を抜きにしても、心を重圧から解放したはずだ。

「どう思いました?」

「いや……何か、ちょっとよく分かりません」そう言いながらも、本音が透けて見える。よかった。無実の人を死なせなくてほっとした。

「立ち話もなんですから、場所を変えましょうか」凜が割って入った。「この辺にお茶を飲むような場所、ありますか」

「東口にはたくさんあるんですけど、西口にはマクドナルドぐらいですね」

「それで構いませんよ」凜があっさりと受け入れた。

マクドナルドね……生臭い話をするには似合わない明るい雰囲気だろう、と神谷は鼻白んだ。だがこの暑さの中、延々と東口まで歩いて、陰気臭い昔ながらの喫茶店を探すのも気が進まない。

紗江子の案内で、マクドナルドに向かう。この辺りは街並みが綺麗に整備されており、豊かに枝の張り出した街路樹が、日陰を提供してくれていた。影ができている場所を選んで歩きながら、神谷は並んで先を行く二人の動きを注意した。時折言葉を交わしているようではあったが、会話が弾んでいる様子ではない。紗江子は警戒しているだろうし、凜も歩きながら重大な質問をする気はないはずだ。

昼食の時間帯に入っているので、店内は混み合っていた。話をするにはいかにも不似合いな環境だな、と思いながら、神谷は二人を先に座らせ、飲み物を買いに行った。アイスコーヒー、三つ。今はとにかく、冷たい物で喉を慰めてやりたかった。

周囲はざわついていたが、三人でテーブルを囲むと、途端にそれが気にならなくなった。奥の席に紗江子が座り、向かいに神谷と凜が並んで陣取る。紗江子はアイスコーヒーにミルクとガムシロップを加え、丁寧にかき回した。神谷と凜はブラック。全員が一口飲んだ後で、凜が真っ先に口を開いた。

「無罪になってよかったですか？」

「こんなこと言っていいかどうか分からないんですけど……」遠慮がちに紗江子が切り出す。

「どうぞ、自由に言って下さい」凜が穏やかな声で促す。「ここで出た話は、表には漏れませんから」

あくまで今のところは、だな、と神谷は思った。今後自分たちの調査がどういう方向へ行くかは分からないが、状況によっては正規の供述を求められることもあるはずだ。だがその時はその時。また対策を考えればいい。

「ずっと気になってはいたんです」紗江子が認めた。「本当は、あの時……あの人が犯人かどうか、自信がなかったんです」

「警察は、どんな感じで接触してきましたか？」

「写真を何枚か見せられて、その中に犯人はいないかって聴かれました」

涼子の時と同じだ。やり方としては間違っていないが、おそらくかなり強引に柳原をプッシュしたのだろう。「この男に似てませんでしたか?」「この男ですよね?」「間違いありませんね?」。そんなやり取りが簡単に想像できる。嫌な記憶を蘇らせられた上に、無理矢理認めるように迫ってきたら、否定できる人間は少ない。

「それで、柳原だと認めたんですね?」

「でも今考えてみると、はっきりしないんです。私、顔ははっきり見てませんでしたから」

凛がうなずき、当時の状況を確認し始めた。淡々とした口調なので、捜査会議で報告書を読み上げているようだった。これでいい。この方が、変に同情を交えられたりするより、紗江子も楽だろう。

「犯行時刻は午後十時四十五分頃、場所はあなたの自宅の近くですね?」紗江子がうなずくのを見て、凛が続ける。「この日あなたは、遅番で十時まで勤務先のフィットネスクラブにいた。後始末で少し遅くなり、クラブを出たのが十時半頃。いつも、歩いて帰宅していたんですね?」

「そうです」

「十五分ぐらい?」

「ええ」

「それで、自宅近くまで来た時、急に暗がりから飛び出して来た男に襲われた、と」凜が少しだけ声をひそめた。隣席の人間に聞かれたくないのだろう。「車に連れこまれそうになったんですね」

「いきなり殴られたんです」紗江子が顔を歪《ゆが》め、左耳を抑えた。右利きの男が頭を狙ってパンチを繰り出したら、そこに当たるのは自然だ。「一瞬くらくらして、意識が遠くなって……でも、何とか振り切ったんです」

「車は見たんですか？」

「白いワゴン車でした」当時の記憶を思い出すのは、それほど苦痛ではないようで、すらすらと答える。最後に、遠慮がちにつけ加えた。「ナンバーまでは見てないですけど」

「それは無理ですよね」凜が同情するように同意した。「慌てていたし、暗かったし」

「そうなんです。あの辺、夜は真っ暗で。でも、バスの路線からは外れているし、自転車でも怖いのに変わりはないし、だけど車で行くには大袈裟なんで……仕方なく、いつも歩きなんです」紗江子が言い訳するように言った。

「怪我は？」

「ちょっと頭が痛かったですけど、別に血が出たわけでもないので、そのままにしておきました」

「当時は警察にも届けなかったんですね」

「ええ。何もなかったので」

紗江子が首を横に振る。一瞬言葉を切り、凜がアイスコーヒーを一口飲んだ。その隙に、神谷も質問をぶつける。

「警察が事情聴取に来たのは、ずいぶん後ですよね」

「はい、何か月かしてからです」

「警察に届け出なかった事情は分かりますが、警察が事情聴取に来た時、どう思いました?」

「びっくりしましたけど……他にも被害者がいたなんて、知らなかったし」

「あなたは当時、どれぐらいはっきり犯人の顔を見たんですか」

「それは……」紗江子の顔に困惑が広がった。「見てないです、あまり」

「だったらどうして、県警が顔写真を見せた時に犯人だと分かったんですか。決め手は?」

「写真というより背の高さ、かもしれません」

「背の高さ?」

「ええ……背が高いっていうか、大きい人だって説明されたんです。あの時も、顔は見ていなかったけど、大きい人だというのは分かったんですよ。あの、雰囲気で」

明らかな誘導尋問だ。事情聴取に来た刑事が、どんな風に話を進めたか、神谷も簡単に想像できる。刑事がやることなど、警察がそうだと言うから認めてしまったんですね」

「自信はなくても、警察がそうだと言うから認めてしまったんですね」

「ええ、まあ……そんな感じです」言ってから急に居心地悪そうになり、紗江子が肩をすぼめた。「重大な事件のことだっていうから……私以外に、もっとひどい目に遭った人もいるっていう話でしたから、協力したくて」

「なるほど」

神谷がアイスコーヒーに手を伸ばすと、今度は凜が喋り出した。

「襲われた時の話に戻ります。それまで、家の近所で痴漢の被害に遭ったことはありますか？」

「ないです」

「そういう噂を聞いたことは？」

「それもないです。この辺、治安はしっかりしているので」

凜は矢継ぎ早に質問を重ねた。神谷が口を挟む暇もなく、紗江子に休みを与えないためだけに、続けているようでもあった。紗江子が、あっと言う間に疲れを見せ始める。

結局、涼子の話をコピーしたような内容になった。はっきりしたのは、県警が強引に柳原を犯人だと決めつけ、紗江子を利用しようとした、ということ。

紗江子をフィットネスクラブまで送り、神谷と凜は駅へ引き返し始めた。凜は終始無言。何か怒っている感じだったが、その理由を訊く気にはなれなかった。触らぬ神に祟《たた》りなし、だ。

凜が初めて怒りを口にしたのは、午後も遅くなってからだった。会うべき五人のうち、四人の面談は終えたが、残る一人には会えずに——入院中で面会できないとのことだった——今日の事情聴取は終了、という段になった時である。

「さっきのあれはないです」

「さっきって？」

「二人め——紗江子さんに対する事情聴取の時」

「何かあったかな」時間が経っているせいもあり、ぴんとこない。

「神谷さんこそ、誘導尋問してたじゃないですか。県警が誘導尋問したことを認めさせるために、話をそっちの方向へ持っていったんです」

神谷は口をつぐんだ。指摘されればその通りである。だがこの調査の目的が、県警のミスを炙《あぶ》りだすことである以上、ある程度の無理は仕方ないではないか。普通の捜査のやり方にこだわる必要はないだろう。

「予断を持ったやり方ですよね？　普段の捜査もそんな感じなんですか？　そうなら、神奈川県警と同じだと思いますが」

「それとこれとは事情が違う」反論しながら、神谷は惨めな気分を味わっていた。凜の指摘は完全に正しい。身に覚えもある。まさか彼女は、俺の事情を知っているのか？だとしてもおかしくはない。あの件は、全国紙の社会面で大きく扱われるような事件だったし、刑事はよく新聞を読む。

「どう違うんですか。神谷さんは、この件の調査をするのに相応しくないんじゃないですか」

神谷はすっと息を吞んだ。怒りと後悔がこみ上げたが、ほどなく空《むな》しさが全てを覆い隠す。怒りも後悔も、腹の底に沈殿してしまった。

「ま、そうかもしれない。別に、自分で希望してここへ来たわけじゃないし」

「だったら、島へ帰ったらどうですか」

「それも、自分では決められないと思うよ」

挑発的な言葉を、神谷はあっさり受け流した。あの一件以来、自分は相撲で言えば「肩透かし」ばかりやっている、と思う。誰も自分に期待もしていないのだし、どんなに攻撃してくる相手がいても、適当に受け流していれば何とかなる、と学んだからだ。

「仕事を続けるかどうかは、上が決めることだ」

「だったら、私から進言しておきましょうか？」

「それはやめた方がいい」

「マイナスの査定がつくのは怖いですか？」

「そうじゃなくて、君のことを心配してるんだよ。俺を嫌うのは勝手だけど、余計なことをしたら、警察庁の方針に逆らうことになるかもしれないぞ。俺も君も、本来は国家公務員じゃないから、警察庁から処分されるようなことはないだろうけど、一応向こうは上級官庁だからな。扱いにくい奴だという評判が立ったら、今後やりにくくなる」

「もう、十分やりにくいですよ」

「道警で、何か問題でもあったのか？」あそこも、昔からいろいろとトラブルを抱えている。

「何もありません」自分で言っておいて、凜が即座に否定した。「とにかく、少し自重して下さい」

「とはいっても、俺はこういう風にしかできないからなあ」神谷は頭を掻いた。「人間なんて、そんなに簡単には変われないよ——どんなに大変なことがあっても」

「変わりますよ」凜が憤然として言い放った。「しかも簡単に。人間の心なんて弱いものなんです」

「まるで自分が変わったみたいだな」

「被害者のことを言っているんです」

「……ああ」

「神谷さんは今まで、人生が変わってしまった人を、何人見てきたんですか」

「少なくとも、君よりはたくさん見てるだろうな。たぶん、十年以上も長く刑事をやっているんだから」売り言葉に買い言葉で応酬を続けながら、神谷は彼女が刑事としての視線で語っているわけではないかもしれない、と疑い始めた。まるで自分が何かの被害に遭ったかのような口ぶりだ。

夕暮れが迫る戸塚駅。ホームに佇《たたず》みながら交わす会話としては、いかにも不適切である。誰かに聞かれてはまずい、という意識も働いた。

「ま、そういう話は後でゆっくりする機会もあるだろう」気にはなるが、ひとまず撤退だ。

「ないと思います」凜が即座に言い切った。「私たち、仕事をするためにここへ集められたんですから」

「その仕事がいつまで続くか、分からないんだぜ。お互いのことを何も知らないまま終わりになるのは寂しいね、話をする時間ぐらいはあると思うけど」

「特に話をする必要はないと思います」

それきり凜は黙ってしまった。これほどきつい女性刑事はいない……警察は今でも男社会であり、その中で働く女性たちは、神谷の目から見ても精一杯突っ張っていることが多い。普通の会社や役所に勤める女性たちは、愛想よく笑いながら自分の要求を押し通せるぐらい経験を積んでいるはずだし、したたかでもあるだろうが、警察の場合は少し事情が違う。とにかく突っ張って、周囲の圧力に潰されないようにしている人が多い。その中でも彼女は、特に刺々しかった。

仕事とは関係なく、自分が保井凛という一人の女性に興味を引かれ始めていることに、神谷は気づいた。

3

神谷は、特命班の部屋に戻った途端に、険悪な雰囲気に気づいた。打ち合わせ用のテーブルについた男たちから、嫌な気配が立ち上がっている。永井以外の三人には面識がなかった。永井の横に座った男が、感情を殺した視線を向けてくる。五十歳ぐらいか……おそらくこの男が、到着が遅れていた大阪府警の監察官だろう。でっぷりとした体型で、額が汗で光っている。左手で盛んに扇子を使っているが、あまり効果は上がっていない様子だった。だいたいこの部屋は、エアコンの利きが悪い。

向かいに座る二人は、神奈川県警の人間と見て取った。揃ってネクタイを締めて背広を着ているが、汗をかいている様子もない。二人とも五十代に見えたが、腕組みをして難しい顔つきをしている方が、わずかに年上のようだった。もう一人は、まるで矢を放つように、神谷たちに鋭い視線を投げつけてくる。

神谷は彼らと視線を合わせないように気をつけながら、自席に戻った。皆川も桜内も緊張した様子で、書類を読む——読む振りをしている。少し離れた場所にいる四人の会話は聞こえてこなかったが、どうにも気になる。永井から話を聴くまで待てなかった。

「皆川君、煙草でもいこうか」神谷は口元に右手を持っていった。

「は？」

「煙草だよ、煙草」

「自分は——」

「いいから、つき合え」

神谷が立ち上がると、皆川が渋々後に続いた。打ち合わせ用テーブルの脇をすり抜ける時に、県警の人間らしい二人に睨まれたが、無視する。

部屋を出て、神谷は階段で下まで降りた。実際、煙草が吸いたかったこともある。このチームには神谷以外に喫煙者はいないらしく、暗黙のうちに部屋は禁煙になっていた。

夕方になって、少しだけ気温が下がってきたようだった。神谷はまず煙草に火を点け、近くの自動販売機で缶コーヒーを二本買ってきた。一本渡してやると、皆川が不機嫌そうな声で「どうも」と礼を言う。すぐに、「自分は煙草、吸わないんですけど」とつけ加えた。

「君も鈍いな。煙草を吸わないことぐらい、分かってるよ」臭いと、膨らんでいないポケットがその証拠だ。

「だったら何なんですか？」

「お初にお目にかかるあの三人は誰なんだ？　デブのオッサンは、大阪府警の監察官か？」

「そうです。島村《しまむら》さんです」事情が呑みこめたのか、皆川の口調は平静に戻っていた。

「今日、こっちへ来たんですよ」

「ずいぶんゆっくりしたもんだな。真打登場ってわけか？」

「そういうわけでもないでしょうけど……県警の刑事に対する事情聴取は、島村さんが中心になってやるんじゃないですか」

「あー、慣れた人間に任せておくのが一番だな」神谷は缶コーヒーを開けた。甘ったるい味は、疲れた体にはありがたい。「で、残りの二人は神奈川県警の人間か」

「捜査一課長と管理官です。管理官は、二年半前に柳原を逮捕した時の担当係長でもあるそうですよ」

「手柄を立てて昇進したわけか」それなら、この件で責任を問われたら降格にすべきなのだが……神谷は、警察官が降格処分を受けた実例を知らない。そんな処分をするぐらいなら、辞表を書かせるものだ。

「その辺の事情はよく分かりませんけど……」皆川の顔に戸惑いが広がる。

「で、用件は？　理事官が呼びつけたのか？」

「向こうが勝手に来たんですよ」

「ご挨拶ってやつかね」神谷は顎を撫でた。昨夜使った髭剃《ひげそ》りが合わなかったようで、剃り残しがかなり鬱陶しい。元々髭はあまり濃い方でもないのだが、それでもこれだけ剃り残すとは……今夜は別の髭剃りを試そう、と決めた。

「そんな感じだと思いますけど、もしかしたら圧力をかけにきたのかもしれません」

「あー、えらく生意気だと思わないか？　向こうは被告みたいなものだろう」

「裁判じゃないんですから」皆川が苦笑する。

「いや、そんなものだよ。まな板の上の鯉《こい》ってところは同じだろう」

「ええ、まあ……」皆川がコーヒーを一口飲んだ。

そこへ、桜内が降りて来る。神谷が煙草を吸っているのを見て、にやりと笑い、自分もワイシャツの胸ポケットから煙草を取り出した。

「お、これで喫煙者は全体の三分の一になったわけだ」

神谷が言うと、桜内が嬉《うれ》しそうに笑みを浮かべた。普段から、喫煙について文句を言われているのだろう。

「多数派への道は遠いでしょうがね」

「そろそろ、中で灰皿を使えるように交渉すべきかな？」

「それはやめておいた方がいいでしょう。彼女が許してくれませんよ」

「保井？」

「何か、きつそうじゃないですか」

「あー、実際、きつい」日中のやり取りを思い出し、神谷は思わず苦笑してしまった。

「ま、俺たちは肩身の狭い思いをしてればいいんじゃないかな。きちんと国庫に貢献している人間が肩身の狭い思いをしているのは、ろくな国じゃない証拠だけど」

「ろくな国じゃない証拠は、他にもいくらでもありますよ」

桜内がにやりと笑う。年齢も近いし、この男とは話が合いそうだ、と神谷は安心した。

「で、神奈川県警の皆さんはお怒りなのかな？」

「相当怒ってますね」桜内が気持ちよさそうに煙を噴き上げた。「だけど、微妙なやり取りになってて、聞いてると面白いですよ。連中も駆け引きは下手みたいですね。『調査には全面的に協力する』って言いながら、永井さんから情報を引き出そうと必死なんだから」

「で、永井さんは？」

「のらりくらり」

「案外いい官僚になるかもしれない」溢れるほど言葉を連ねながらも言質《げんち》を取らせない

のは、官僚として優秀な証《あかし》だ。

「しかし、難儀しそうですよ。神奈川県警も、表立ってはともかく、本音ではあまり協力する気はないようだし」

「一課長がここへ突っこんできたのは、一種の宣戦布告だろうな……最初に防御線を張るつもりだ」神谷は、昼間の事情聴取の成果を二人に披露した。

「予《あらかじ》めシナリオがあった感じですね」桜内が渋い顔で認めた。

「シナリオも書きたくなるだろうな。こういう事件は、早く解決しないと、プレッシャーが高まる一方だから」警察は、子どもが被害者になった事件と性犯罪に対しては、敏感に反応する。しばしば連続して発生するし、誰が犠牲になるか分からないので市民の不安が高まる一方だからだ。

「それで、取り敢えずは前歴がある柳原に責任を押しつけた、ということですか？」暗い声で皆川が訊ねた。

「そうそう。公権力を持った人間は、しばしば自分の都合のいいように現実を作りかえるから」桜内が火の点いた煙草の先で皆川を指した。「あんたも気をつけなさいよ。若いうちはそういうことに反発するかもしれないけど、警察暮らしが長くなると、何とも思わなくなるものだから」

「自分は、そんな風にはなりませんよ」皆川が唇を尖《とが》らせて反論した。

「若い頃は誰でもそんな風に突っ張るんだよ。ところが気づいた時には、警察の習慣にどっぷり浸かって、自分も悪い先輩たちと同じようなことをしている。ねえ、神谷さん」

神谷は曖昧に笑って話をやり過ごした。桜内も、俺のことを何か知っているのか？いつの間にか、すっかり疑心暗鬼になっていた。同じチームの人間とはいえ、信頼できるかどうかは分からない。これ以上この話を続けさせないためにと、話題を変えた。

「ところで今日、お二人は？　昼間、傍聴に行ってたんだよな」

「ええ」桜内が、煙草を携帯灰皿に押しこんだ。「まあ、見事な無罪判決でしたよ。一審での事実認定をほとんどひっくり返した。捜査方法に重大な瑕疵があったと指摘して、犯罪行為は立証できない、と認定しましたからね」

「そこまで露骨な判決だったのか……よく、一審は有罪になったな」

「柳原が事実否認を始めたのは、一審の途中からだったんです」皆川が補足説明を始めた。「初公判では容疑を認めていたんですよ。それが途中でひっくり返ったとなると、裁判員の心証も悪くなるでしょう？」

「そりゃそうだ」神谷はうなずいた。裁判員だけでなく、裁判官も同様の印象を抱いただろう。最初に容疑を認めていた被告が、後から無罪を主張したりすると、どうしても「適当なことを言っている」と捉えがちなのだ。無実だというなら、最初から否認すればいい、と考えるのは自然である。その背後には、警察は無茶をしないという先入観がある。ちゃんと調べて、本人の自供も得ているのだから間違いない。公判の途中で証言をひっくり返すのは、判決が近づいてきて、何とか実刑を逃れようと足掻《あが》いているだけだ、と思ってしまう。

「柳原の様子は」

「泣いてました。号泣です」皆川が顔をしかめた。

「まあ、泣く気持ちも分かりますけどねえ」桜内が同意する。「死刑からの生還なんだから」

「上告は？」

「今のところ、検察側は動いてません」

「このまま確定かな」

「その可能性が高いと思いますけどね」桜内がうなずいた。

「弁護士には接触したか？」

「判決の後で会いましたけど、ほとんど挨拶だけでした。柳原本人には、まだ接触できていません」

「それは明日以降の仕事だな。弁護士も、こういうケースはあまり経験していないだろうから、戸惑うと思うけど」

「神谷さん、何か嬉しそうですけど」桜内が指摘した。

「あー、難しい事件ほどやりがいがあるからね」神谷は咳払いした。これは格好つけ過ぎか……だが、本音ではある。名目だけの捜査本部ほどつまらないものはない。それこそゼロの状態から事件に取り組むのが面白いのだが、この件はむしろマイナスからの出発と言える。難易度は、これまで扱った事件の比ではないだろう。

二人とぽつぽつ話をしながら、神谷はやれるかもしれない、という感触を抱いていた。依然として、上が何を考えているか、自分に何をさせたいのかは分からないが、少なくともこの二人が使える人間なのは分かったから。午前中の法廷でも、実によく周囲の状況を観察していたようだ。

「で、柳原はどうしてる？」

「弁護士が連れていきましたけど、その後のフォローはできてません。そろそろ、弁護士と連絡を取ろうと思ってたんですよ」皆川が嫌そうな表情を浮かべながら言った。

「弁護士は確か、こっちの人だったな」

「ええ……」皆川が尻ポケットから手帳を引き抜き、確認した。「一審から担当しています。早い段階で、柳原が無理な供述をさせられたことは確信していたんですが、一審では裁判戦術を失敗した、と後悔しているようですね。もっと柳原を早く説得して、全面否認させればよかった、と言ってました」

「何だ、結構突っこんで話をしてるじゃないか」

「まあ、それぐらいは……」皆川が口の端を歪めるようにして笑った。「弁護士だって、話したいと思いますよ。ただ、会見を先に済ませたい、と」

「まずは会見して、世間に手柄をアピールしたいだろうな。大勝利なんだから」

「予定では夕方ということだったんですが、まだみたいです」皆川が腕時計を見た。

「もういい時間ですけどね」

「今夜、会いに行ってみよう。何も明日まで待つ必要はない。できたら柳原にも接触したいな。家に帰ったのかな？」

「どうでしょうね。実家との関係は、必ずしも上手くいってるわけじゃないようですから」皆川が手帳を閉じて尻ポケットにしまった。「いずれにせよ、弁護士とは話が通じていますから。会見が終われば、向こうから連絡がくる予定です。無理に急《せ》かすこともないでしょう」

「あー、了解。で、法廷では、神奈川県警のお歴々はどんな感じだった？」

「傍聴に来ていたのは四人ですけど、全員真っ青でしたよ」桜内が代わって説明する。どこか嬉しそうだった。

「そりゃそうだろうね」

「終わった後で、記者連中に囲まれて、逃げ出すのに一苦労してました」

「馬鹿だねえ。そうなるのは、予想できるだろうに」神谷は新しい煙草に火を点けた。久しぶりに自由に煙草が吸えて、頭が冴えてきた感じがした。「で、コメントなんかは出してるのか？」

「午後に、刑事部長名でコメントがありました。要するに遺憾である、ということですけどね」

「かねがね思っていたけど、『遺憾』ほど便利な日本語はないな」

二人が軽く笑う。いい調子だ。神谷も薄い笑みを浮かべて続ける。

「それさえ言っておけば、何とでもなる。能力のない人間にとっては、最高の逃げ文句だよ。だいたい、神奈川県警は――」

神谷は口を閉ざした。建物から、県警の捜査一課長と管理官が出てきたのだ。二人とも暗い表情で、不満なのは見ただけで分かる。どうしたものか……丁寧に挨拶するのも変だし、無視するのも不自然である。結局神谷は、軽く会釈するだけにした。まあ、可《か》哀想《わいそう》なことだよな、とは思う。神奈川県警においても、捜査一課長は、ノンキャリアの人間が到達できる最高点の一つと考えていい。本人が、三年前の捜査にどれだけ関与していたかは分からないが、無罪判決で晩節を汚された、と憤っていてもおかしくはない。天下りにも影響が出る、と生臭いことを考えているかもしれない。

二人は一瞬だけ、固まっている三人を睨みつけた。課長は何か言いたそうにしていたが、すぐに迎えの車が現れたので、直接対決は免れた。神谷は細く息を吐いて緊張を解き、肩を二度、上下させた。あの男たちと対峙《たいじ》するのかと考えると、さすがに表情が強張ってしまう。

続いて凛が階段を降りてきた。神谷と桜内が煙草を吸っているのを見て顔をしかめたが、すぐに「上がって下さい。打ち合わせです」と告げた。

敵がいなくなったところで作戦会議か。神谷は煙草を携帯灰皿に押しこみ、凛の後に続いて階段を上がった。途中、「どんな様子だった」と訊ねる。一瞬立ち止まって振り返った凛が口を開きかけたが、曖昧な表情を浮かべて首を振るだけだった。

部屋に戻ると、永井と島村は先ほどと同じ場所に座っていた。二人とも眉間に皺《しわ》を寄せ、難しい表情で話し合っている。永井が顔を上げ、四人に座るように言ったが、六人だと椅子が足りない。最年少の皆川が自分の椅子を引いてきて、テーブルから少し離れた場所に陣取った。

「神谷警部補と保井部長は、島村監察官とは初めてですね」永井が切り出した。

「どうも」

島村が短く言った。でっぷりした体型によく合った、太い声。だらしないわけではないが、きびきびした印象もない。まあ、ゆったり構えているということだろうと、神谷は好意的に考えた。年齢を考えても、ひたすらむきになって仕事をする時期はとうに過ぎている。余裕を感じさせる態度は、むしろこの仕事に合っているのではないかと思った。


「大阪府警の監察官室から来られました」永井が補足する。

「まあ、普段は暇してますわ。大阪府警では、最近ワルが少なくてね」

笑ったが、その冗談に呼応する者は誰もいなかった。大阪府警も、昔から何かと不祥事が多い。こういう発言は、決して洒落《しゃれ》にはならないのだ。

「ま、とにかく、よろしく」

一転して遠慮がちに言ってから、拳を口に当てて咳払いをする。間が悪いかどうかは読める男のようだ、と神谷は一安心した。今までの経験からいって、関西人とはなかなか話が合わないのだが……。

「理事官、先ほどの県警との会談の内容、教えてもらえませんか」神谷は切り出した。

「向こうにすれば様子見、ということなんでしょうが」永井が苦笑した。「県警の現場レベルは、かなり警戒しています」

「その上はどうなんですか」

神奈川県警でも、本部長、それに多くの部長はキャリアである。警察庁と直に通じているわけで、今回の調査では微妙な立場に立たされるだろう。

「今回の件では、あくまで現場の調査が中心になります。正直に言えば、部長レベルに上がっていく話ではない」

永井の説明を聞いて、神谷は一瞬頭に血が上るのを感じた。なるほど、警察庁の狙いの一つはこれかもしれない。要するにトカゲの尻尾切りだ。現場を叩いて調べれば調べるほど、上の関与がなかったことははっきりするだろう。ありとあらゆる報告が部長レベルまで上がるわけではない——それが証明できれば、キャリアの責任は「事情を知らなかったこと」一点に絞られる。積極的に犯人のでっち上げにかかわったのではないとなれば、警察庁本体のダメージは少なくて済む。

「当時の本部長は、今どこにいますか？」

「中部管区警察局長」永井が淡々と答える。

「刑事部長は？」

「本庁の薬物銃器対策課の課長です」永井の声が小さくなった。

二人とも、順当な出世と言える。果たしてこの二人の責任を追及することはできるか……たぶん無理だ。将来的には、人事に影響が出るかもしれないが、今すぐ直接的な処分は下せまい。

キャリアと我々ノンキャリアは、違うレイヤーに生きている。

「ま、当面キャリアの皆さんのことは放っておいてええんちゃいますか。そういう皆さんを調べると考えただけでもぞっとするわ」島村が皮肉を交えて言った。実際には、キャリアに対して何ら臆するところはないタイプのようだったが。

「神谷警部補、今日の事情聴取について説明して下さい」

永井が促したが、神谷はその役目を凛に譲った。

「事情聴取の主役は保井部長ですから。私はただのサポート役だったので」

凛が、感情を交えず、淡々とした口調で四人に対する事情聴取の結果を説明した。話が進むうちに、重苦しい空気が部屋に満ちてくる。凛の説明が終わって最初に口を開いたのは島村だった。

「要するに、シナリオ通りに話を進めるために、証人に圧力をかけたわけや。昔ながらの手口ですな」

「お馴染みの」

神谷が合いの手を入れると、島村が声を上げて笑った。変な悪意はなさそうな男だとほっとする。

「今日の件は、調書にまとめておいてください」

「正確な調書ではなく、レポートですね」永井の指示に対して、凛が言った。

「そう、その通りです。データは共有しますので……今日、やっとパソコン関係の整備が終わりました」

言われて室内を見回すと、確かに仕事ができる環境が揃っていた。各デスクにはノートパソコンが置かれ、コピー機とファクスも設置されている。固定電話はないが、連絡はあくまで携帯電話で済ませる、ということだろう。

「それより、金庫も入れた方がいいんじゃないですか。一々資料を持ち帰るのは面倒ですよ」神谷は提案した。資料はこれからも増える一方だろう。毎日重い書類を持ち運びすることを考えるとうんざりする。

「申し訳ないですが、そこまでは手が回らない」永井が首を振った。

「県警の方は、ちゃんと協力すると言ってるんですか」神谷はさらに突っこんだ。

「それは、拒否するとは言いませんよ」

「嫌々ですか」

「まあ……そういうことです」

「テーブルの下、調べました？」

永井がきょとんとした表情を浮かべる。神谷は実際に、テーブルの下を覗《のぞ》きこんだ。何もなし。つるつるしている。

「何してるんですか、神谷警部補」島村が不思議そうな顔で訊ねる。

「いや、盗聴器をしかけられたんじゃないかと思いましてね」

「まさか」島村が豪快に笑ったが、誰も追従しないのを見て、怪訝そうな表情を浮かべた。「真面目に言うとるんか？」

「ないとは言えないんですよ。俺は昨日、尾行されましたからね」

「だったら神奈川県警は、力の入れどころを間違ってるね」島村が皮肉に言った。「そういうことをしとるから、変な具合になるんでしょうが……ま、自己責任で気をつけることですな。盗聴や尾行を気にしていたら、本来の調査が疎《おろそ》かになる」

「それが狙いかもしれませんがね」嫌がらせや妨害工作をして、調査を進めさせない――神谷はそういう筋書きを想像していた。ばれた時のことまでは考えていないだろう。

「そこまで考えるのは、ちょっと――」

「ちょっと待って下さい。ニュースの時間です」

島村が神谷の懸念に反論しようとしたが、皆川が声を張り上げたので邪魔された。皆川が慌てて立ち上がって身を伸ばし、テーブルに置いたテレビのリモコンを摑んだ。すぐに、NHKのニュースの音声が飛び出す。

「――神奈川県で発生した連続女性殺人事件で、一審で死刑判決を受けた柳原真治《しんじ》被告に対する控訴審判決が東京高裁であり、逆転で無罪判決が言い渡されました」

刑事たちの目が一斉にテレビに集まる。小さな画面なので、全員が前のめりになって覗きこんだ。

ニュースはまず、東京高裁前の映像から始まった。マイクを持った記者が、判決内容について説明し始める。続いて、スタジオに戻って事件と裁判の概要の説明。司法担当記者が解説していることから、NHKがこの件を重視して報道しているのは分かる。

「ここまでは、昼間のニュースでもやってましたよ」画面を睨んだまま、永井が言った。

それからちらりと、皆川に視線を移す。「弁護士と柳原の会見はどうしたんですかね」

「それは――」

二人の会話は、アナウンサーの次の一言で中断された。

「つい先ほど、柳原元被告の弁護を担当した石井一樹《いしいかずき》弁護士が会見を開き、捜査の不当性を主張しました」

画面に映った石井は、三十代の細面の男だった。クソ暑いのに、きっちりネクタイを締めてスーツを着こんでいる。ストロボが瞬くと、銀縁の眼鏡が光を発しているようだった。

石井は比較的冷静な口調で、警察の捜査の杜撰さを指摘した。それ自体は、弁護士として当然言っておかなくてはならないことである。神谷は白けた気分で弁護士の言い分を聞いた。途中で先送りのように画面が飛び、記者が「柳原さんはどうしているか」と訊ねた時には、思わず身を乗り出して耳に全神経を集中させた。

「身柄は解放されたんですが、すっかり体調を崩しています。本人も会見させていただく予定でしたが、しばらくは無理だと思います。これも警察の不当な捜査の結果であり……」

突然、携帯電話の甲高い呼び出し音が鳴った。皆川が慌ててズボンのポケットから携帯電話を取り出し、窓辺にダッシュして電話に出た。

「はい、はい、そうです」

かすかに声が聞こえてくる。神谷はそちらの方が気になって、ニュースから意識が離れた。ニュースが終わるのと、皆川が電話を終えるのと、ほぼ同時だった。皆川が「弁護士から連絡です」と告げる。

「よし、行こうか。会えるな?」

神谷は立ち上がった。戸惑いの視線を感じるが、会える時に会っておかないと、チャンスは逃げる。神谷は経験からそれを知っていた。もっとも、自分がどうしてこの捜査に入れこみ始めたのかは分からなかったが。そもそも、入れこんでいると言えるのか……本気だったらこんなものじゃない、という思いもある。永井に視線を向け、「弁護士に会いに行きます」と告げる。

「分かりました」

「待っていなくていいですよ。自分の分の資料は自分で引き上げますから。それより、遅くまで仕事している人間がいるんだから、メシの心配をして欲しいところですねえ」

永井の耳が赤くなった。そんな基本にさえ気づかなかったことを恥じているのだろう。

捜査本部ができれば、所轄の警務課が必死で予算を捻出し、捜査員が腹を減らさないようにする。現場経験が少ないキャリアは、こういうことを知らないから、と神谷は不安を覚えた。この一件を本気で調査するつもりなら、もっと押さえの利く、立場が上の人間をキャップにすべきではないのだろうか。それにチームの構成も気になる。警視正が一人、警視が一人、警部補が二人、巡査部長が二人。バランスが悪いと考えてしまうのは、自分が警察という階級社会にいる人間としての発想しかできないからかもしれない。

4

石井は、横浜の事務所で九時過ぎに会う、と指定してきた。都内で何社かの取材を受けているので、その後、ということだった。ちょうどいい具合に時間が空いたので、神谷は皆川を食事に誘った。昨夜は牛丼……今日も立ち食い蕎麦か何かでいいような気分ではある。何しろ島では、こういうジャンクフードは食べられない。ファストフードなど、時間がない時に仕方なく利用するものだと思っていたのに、いつの間にか味の記憶が体に染みついていたのだ。

「どうせなら、中華街にでも行きませんか」珍しく、皆川が進言してきた。

「いいけど、そんな時間、あるのか？」

「大丈夫ですよ。中華なら早く食べられるし、弁護士の事務所はすぐ近くなんです」

「よし、任せる。学生時代によく通ってたのか？」

「そうですね……神谷さん、横浜は？」

「ほとんど知らない。俺は大学も東京だったし、就職してからもこっちへ来ることは滅多になかったからな。どこか、美味そうな店に連れて行ってくれ。ついでに、煙草が吸えればもっといい」

「最近は、どこも禁煙じゃないですか」

「あー、まあ、そうだろうな」

本部を出て、一番近い日本大通り駅まで歩く。一駅だけ地下鉄に乗って、再び地上に出た。すぐに、テレビなどでよく見かける、派手派手しい門が姿を現す。既に午後八時近いが、中華街はまだまだ元気だった。

狭い一角に中国が——あるいは日本人がイメージする中国らしい雰囲気が現出している。人が多くて、歩くのにも難儀するほどだったが、皆川は身の軽さを利用して、すいすい歩いて行く。途中、四つ角で立ち止まって一瞬思案したが、すぐに歩き出した。目当ての店への道順を忘れてしまっていたようだ。

「学生時代とは様子が違うか」追いついて、神谷は訊ねた。

「自分がいた頃は、まだみなとみらい線が開通してなかったんですよ。中華街に来るには、ＪＲの石川町駅か関内駅から歩いてくるしかなかったんです。いつもこっちと逆側から入って来ましたから」

皆川は心なしか生き生きして、足取りも軽かった。こういうものだろう、と神谷は羨ましく思った。福岡出身の皆川にとって横浜は、大学の四年間を楽しく過ごした、綺麗な想い出の街なのだろう。

中華街には、ビル一棟がそのまま店になっているような巨大店も多いが、一方でラーメン屋に毛が生えた程度の小さな店も目立つ。皆川が案内してくれたのは、ピンキリのキリの方だった。店内は全体に脂っこく、テーブルに指を滑らせるとべったりと汚れてしまいそうな、古臭い店。何でこんな店に、と思ったが、皆川は嬉しそうだった。

「ここが、コストパフォーマンス最高なんですよ」

「お勧めは？」

「何でも美味いんですけど……定食が充実してますよ。その方が早いですし」

「定食ねえ……」

神谷は顎を撫でた。餃子《ギョーザ》でビール、仕上げに麵類といきたいところだが、さすがに人と会う前にビールは呑めない。となるとニンニクの臭いが残る餃子も選択肢から消え、締めの麵もなくなった。ここは皆川の勧める通り、定食にしておこう。皆川は青椒肉絲《チンジャオロース》の、神谷はエビチリの定食を選んだ。皆川がチジミも追加注文する。中華料理屋でチジミ？　思わず首を傾げたが、これが絶品なのだという皆川の嬉しそうな顔を見ると、受け入れざるを得なかった。若い奴が元気に飯を食べる姿を見るのはいいものだし。

安い定食にしては味は上々だった。意外なことにチジミも、その辺の韓国料理屋で食べるものよりずっと美味かった。表面のかりっとした歯ざわりと対照的な、中のもちもちとした食感、葱《ねぎ》とニラの甘みなど、極めて高度にバランスが取れている。甘辛のタレもその味を引き立てた。

さすがに定食に加えてチジミは食べ過ぎだった……神谷は膨れた胃を持て余したが、皆川は平然としている。嬉しそうに水を飲み、満足そうに腹をさすった。

「よく食うな」

「久しぶりですから」

「懐かしい街で仕事をするのはどんな感じだ?」

「いや……今日も昼間はずっと東京にいたし、あまり横浜を満喫している感じじゃないですね」

「ところで君、結婚してるのか?」

「いやいや」皆川が苦笑した。「なかなか暇がないんで……神谷さんは?」

「離婚した」神谷はあっさり言った。「余計なことは訊くなよ。一応、心の傷は癒えてないことになってるんだから」

「はあ……すみません」

「冗談だよ」神谷は声を上げて笑ってやった。「よくある話だ。忙し過ぎるとろくなことがないから、君も気をつけろよ。向こうに可愛い恋人を残してきてるんじゃないか？」

「ええ、まあ」皆川の顔がにやけ、すぐに苦しそうな表情になった。「いきなりなんで、ちゃんと話もできなかったんです。この仕事、いつまでかかるか、分かりませんよね？」

「一か月だ」神谷は人差し指を立てた。「理事官も言ってたけど、それぐらいで結論を出さないと、こういう調査は駄目だと思う。一か月ぐらいなら、君も彼女と離れ離れでも何とかやっていけるだろう。それぐらいの信頼関係はあるんじゃないのか」

「いやあ、それが……まだ子どもなんですよね」

「子どもって、何歳年下なんだ」

「ちょうど十歳」

「すると何だ、相手は女子大生か何かか？」

「ええ、まあ、そういうことです」皆川がさらりと言った。

「この野郎、とんでもない奴だな」神谷は笑いながら呆れていた。いったいどこで出会ったのだろう。十歳離れていると、住む世界は完全に違うはずだ。「合コンか何かで知り合ったのか？」

「そんな感じです」皆川が少し照れた。

「福岡県警はお盛んだな」

「勘弁して下さいよ。周りの人間もまだ知らないんですから」

皆川が急に顔をしかめた。体を斜めに倒すと、ズボンのポケットから電話を取り出す。無視しようとしたので、神谷は「彼女か」と訊ねた。

「まあ、あの……はい、そうです」

「話ぐらいしてやれよ。ただし、五分な」神谷は右手をぱっと広げた。「まだ仕事は終わってないんだから」

「すみません」

皆川がすぐに店から飛び出して行く。それを見送ってから、神谷は煙草に火を点けた。夕飯のピーク時は過ぎたのか、店内に他に客はいない。どちらかといえば、ランチ時に稼ぐ店なのだろう。レジのところにいる店員も、のんびりとテレビを眺めている。

それぞれに、それぞれの生活があるわけか。俺は、生活らしい生活を捨ててきた。それでも、さほど悔しいわけでも辛いわけでもない。人生は毀誉褒貶《きよほうへん》を繰り返すものだ。一々過剰に反応していられない。

石井弁護士は、げっそりしていた。午前中から判決に立ち会い、柳原の面倒を見て、会見と取材をこなして……長い一日だったのは間違いないだろう。その締めくくりが自分たちとの会合だとしたら、何という強靭《きょうじん》な使命感だろう。本当は、さっさと祝杯でも上げたいはずだ。

神谷たちを出迎えた石井は、何も言わずに煙草に火を点けた。十人ほどの弁護士が在籍しているこの事務所の個室では、喫煙か禁煙かはそれぞれに任されているらしい。神谷も、素早く煙草に火を点けた。石井が、吸殻が一杯になった灰皿を押し出してくれる。デスクは積み重ねられた書類で埋まり、神谷たちはその隙間から顔を覗くようにして石井と対面することになった。

「事情がまだよく分からないんですが、この調査はどういうことなんですか？」石井が疑り深そうに問いかけてきた。

「実は、我々もよく分かっていないんです」

神谷が答えると、石井が目を細め、「同じ警察なのに分かってないっていうのはどういうことですか」と厳しい口調で訊ねた。

「うちの特命班は混成部隊でしてね。私は警視庁、こっちの若者は福岡県警から呼ばれたんです」

皆川がひょいと頭を下げるのを見て、神谷は続けた。

「ま、神奈川県警に対しては余計なしがらみがないということで、客観的な調査を期待されてるんじゃないかと思います」

「異例ですね」

「異例ですが、モデルケースになるかもしれませんよ。今後は、警察の不祥事調査に関しても透明性が求められるんじゃないですか？　今回上手く行けば、今後も不祥事の捜査には、我々のようなスペシャルチームが結成されるかもしれない」

スペシャルチームとは、我ながら格好つけ過ぎだ。適当に喋っただけで、自分が警察庁の本音を代弁しているわけではない。

「オーケイ。ただし、私はあなたたちを全面的に信用するわけにはいかない」

「結構ですな。はっきり言ってもらう方がありがたい」

石井がにやりと笑う。少なくとも今は、二人とも本音で喋っているのは間違いない、と神谷は確信した。上っ面をなぞるだけの会談にはならないだろう。腹の探り合いはここまでだ、と一気に話し始める。

「というわけで、我々は外部で調査委員会を作ったのと同等の考え方と気持ちで動きますから、是非ご協力をお願いしたい。まずは柳原さんに会うのが最重要事項です。本当に体調を崩しているんですか？」

「本当ですよ。拘置生活がきついのは、警察の方ならよくお分かりでしょう。体力的、精神的な過労との診断ですが、しばらく会うのはご遠慮願えますか」

「ま、そういうことなら仕方ないでしょう。で、どうなんですか？」

「どう、とは？」

石井が煙の向こうからこちらを見る。妙に堂々とした態度であり、見た目よりもずっとベテランのようだ、と神谷は警戒した。気をつけないと、煙《けむ》に巻かれてしまう。

石井は煙草を灰皿に置き、傍らのファイルフォルダを広げた。眼鏡をかけ直して、しばらく中を読むのに集中していたが、やがてゆっくりと顔を上げて溜息を漏らす。

「裁判の中身については、特に説明する必要はないですね？」

「あとで入手できます」

「要は、取り調べに違法性があり、証拠が信用できない、ということです」

「事実関係はともかく」

「裁判所が認定しなかったということは、そういう事実はなかったということですよ」

必ずしもそうではないのだが。事実と真実は別物であるし、法廷は真実を探る場ではなく、単に判断を下すだけだ。

「で、裁判はこれで終わりですかね」

「実質的に終了でしょうね」石井がにやりと笑う。「検察が上告する理由がないし、しても却下されるのは目に見えている。税金を無駄遣いするような戦いはしないように、あなたたちからも進言すべきですね」

「我々はそういう立場じゃないので」神谷は肩をすくめ、煙草を灰皿に押しつけた。立て続けに吸いたいところだが、さすがに遠慮する。既に狭い部屋は白く染まっており、灰皿も満杯。そして皆川は、息苦しそうだ。

「では、どういう立場ですか」

「検証を求められているだけですよ」

「警察サイドのアリバイ作りでは？」

「あー、実は私もそれを疑っているんですよ」神谷は認めた。「しかし、そうであっても特に問題はないでしょう。我々は事実関係を調べるだけです。それをどう利用するかは、上が決めることなので」

「今までの感触ではどうなんですか」

「県警はヘマしましたねえ」

「神谷さん」

皆川が低い声で忠告する。見ると、厳しい顔で必死に首を振っていたが、神谷はそれを無視した。

「まずいですよ」皆川が言った。

「いや、いいんだよ。どうせこれから、いくらでも出てくる話なんだから」神谷は皆川の忠告を振り切り、石井に向き直った。「たぶん我々の捜査は、裁判の結果を裏づけることになると思います。実際、証言があやふやで誘導的だったことは、もう分かっていますから」

「柳原さんを犯人に仕立て上げるために、そういう証言が必要だった、ということですね」

「でしょうねえ。ああいう事件だから、早く犯人を捕まえないと世間の風当たりが強くなる。警察っていうのは、案外小心者の集まりでしてね」

「小心者が権力を持つと、ろくなことはない」石井が真顔で指摘した。

「あー、仰る通りです。普段はそういうのは意識しないんですが、こういうことがあると、身に染みて分かりますねえ。自戒しないと……それで、柳原さんにはつないでもらえますか」

「私としては拒否はしませんが、回復次第ですね。今すぐには無理ですよ」

「向こうはどういう意向なんですか？　会うのを拒否されたら、調査が進まない」

「戸惑っている、というのが正直なところです。あなたたちの狙いは既に伝えてありますけど、どうして今さら警察にそんなことを話さなければならないのか、理解に苦しんでいる」

「それはそうでしょう」神谷は認めた。「普通、警察には自浄能力なんかないと思うでしょうからね。痛めつけられた相手が、今度は立場が逆だといって接近してきても、信用できないでしょう。しかし、我々には他意はないですから。神奈川県警の取り調べが適法だったかどうか、適法でなかったらどんな風にまずかったのか、それを調べるだけです」

「それだけですか?」眼鏡の奥で、石井の目が光った。

「というと?」神谷は警戒を強めた。こいつは、腹に一物持っている。気をつけないと、こちらが知らぬ間に利用されてしまうかもしれない。

石井が灰皿から煙草を取り上げ、ゆっくりと吸った。いかにも美味そうで、体から力が抜けていくのが見ていて分かる。実際目尻が下がり、背中も少し丸まってくる。今日は一日、ゆっくり煙草を吸う暇もなかったのだろう。煙草は慌ただしく吸うと、かえって気持ちをささくれ立たせる。経験上、神谷もよく知っていた。

「私が気にすることじゃないかもしれないけど、犯人はどこへ行ったんですかね」石井がぽつりと言った。

「それは……」神谷は言葉に詰まった。

「柳原さんが逮捕されてから、同じような犯行は起きていない。犯人はどこへ行ったんでしょう。ただ、なりを潜めているだけですかね? だとしたら、危険だな」

「どうして危険だと思われますか?」神谷は突っこんだ。

「性犯罪者っていうのは、性欲が衰えずに、捕まらない限りは、同じことを繰り返すんですよ。気持ちでは反省していても、性欲は抑えられるものではない。分かります?」

「あなたよりはよく分かっていると思います。そういう事件も担当しましたから」

「ああ、それなら結構ですけどね」石井が顔の前で手をひらひらと振った。「釈迦《しやか》に説法だったかな。でも、真犯人が分からないと、不安になる人もいるでしょう。今回、無罪判決が出て柳原さんが釈放されたことは、大きなニュースになった。当然、犯行現場だった横浜の人たちは、疑問に思いますよね――だったら犯人は誰なんだ、と。私は、柳原さんは完全に無実、濡れ衣だったと信じている。でも、世間の人はそうは思わないかもしれない」

「何しろ柳原さんが逮捕されてから、同じような事件は起きていない」

神谷の指摘に、石井が小さくうなずいた。両手を組み合わせ、そこに顎を乗せて、神谷を凝視する。

「まあ、いろいろな人がいろいろなことを考えるでしょうね。私もそうです。一番大事なのは、柳原さんに、今後安心して暮らしてもらうことですよ。失った信用を取り戻すのは大変かもしれないけど、できないことではない。そのために一番効果的な方法は何だか、分かりますか?」

「――真犯人の逮捕」そして、生活を立て直すのに必要なのは、国賠訴訟で分捕る金だ。

「仰る通りです」石井が大きくうなずく。「あなたたちは、特別に集められたチームだ。

どういう仕事をするのかも分かりました。しかし私は、柳原さんの弁護をした人間として、強くお願いしたいですね。彼の完全な無実を証明するために、真犯人を捜して下さい。だいたい、あなたたちも気持ちが悪いんじゃないですか？　真犯人が無事で、いつまでも街を自由に歩き回っていると考えたら……どうです？」

反論できなかった。自分たちは、そこまでの仕事は求められていないと理屈では分かっている。だが神谷は、彼の挑発に心を動かされていた。警官が警官を調べる――こんなことは、刑事として王道の仕事ではない。むしろ、野放しになっている犯人を追うことこそ、大事だ。

5

特命班の仕事は、次第に軌道に乗り始めた。主な仕事は二つに絞られている。裁判記録も含めた資料の読み込みと、関係者――県警の刑事たちへの事情聴取。そういう作業が進んでいくうちに、神谷は、この一件は「複合汚染だ」という印象を抱き始めた。誰に責任が行くかがはっきりしない。敢えて言えば、当時この捜査にかかわっていた刑事たち全員の責任だが、それを証明するのは困難だろう。

資料を読むのが嫌いな神谷は、主に関係者の事情聴取を担当した。これまでとはまったく違う仕事で、最初は戸惑ったがすぐに慣れた。人間というのは、実に環境の変化に強い生き物である。

　被害者や目撃者に対する事情聴取は、外で行われた。一方、警察関係者から話を聴く時には、基本的に捜査本部を使う。神奈川県警の施設を使うわけにはいかないからだが、これが何ともやりにくかった。密室である取調室でのやり取りに慣れている身としては、オープンスペースでシビアな話をすると、落ち着かない。

　だがこの状況は、自分たちに有利に働くのではないか、と神谷は感じていた。密室ではなく、他の人間も作業しているスペースで話をするとなると、どうしても集中力を削《そ》がれる。一方、そういう環境に慣れた神谷たちは、気持ちを途切れさせずに話を続けることができた。それだけでも、心理的に優位に立てる。

　神谷は、島村と組んで刑事たちを調べる機会が多くなった。一応、このチームの中ではベテランの部類に入る二人ということで、重要な任務が任されたのだ。

　ほどなく、このコンビは悪くない、と神谷は自画自賛するようになった。押し引きのバランスがいいと言うべきか……基本的に神谷が突っこみ、島村が聞き役に回る。相手が言葉に詰まったり誤魔化したりすると、島村がのんびりした口調に包んだ鋭い質問を飛ばし、相手の本音に迫るのだ。しかも、島村も喫煙者という共通点がある。これでチームの喫煙率は五割。桜内を加えた三人で、そろそろ灰皿の設置を求めよう、と話すのが日課になった。もちろんジョークであり、本気で言っているわけではなかったが。神谷の感覚では、喫煙に対する風当たりが厳しくなり、狭い喫煙場所に追いこまれるようになってから、むしろ仕事の効率と深みが上がった気がする。自席でのべつ幕なしに煙草を吸っていた頃は、仕事のけじめがつかなかった。煙草を吸うために席を立つのは、いい区切りになる。しかも煙草部屋に集まる面子は、虐げられた喫煙者同士という意識で固く結ばれ、そこで内密の話が出ることもしばしばだった。

今回も、その意識が上手く働いている。神谷は依然として、警察庁の狙いに関しては疑心暗鬼のままでいたのだが、島村はそれなりに伝《つて》と情報を持ち、神谷を安心させてくれた。

「上も、真犯人の逮捕までは期待してへんわ」

ある日、神谷が暴行事件の真犯人を割り出せないだろうかと相談すると、島村が笑いながら言った。

「そうですか?」

「無理、無理」煙草の煙を追い払うように大袈裟に手を振る。「だいたいあんた、そういうケース、記憶にあるか? 裁判で無罪になった後、真犯人が分かったケースなんか、ほとんどないやろ? 事件から時間も経っとるし、捜査する方の気持ちも切れるから、ようやれんよ」

「でも今回は、捜査するのは別の人間ですよ」

「ああ、そういう意味ではちょっと違うかもしれへんけど、あまり出しゃばるのはどうかな。ここはうちらの管轄やない。我々はあくまで、捜査の内容を調べるために集められたんであって、余計なことをすると、上もいい顔はせんと思うよ」

それは分かっている。だが神谷は、自分の中で眠っていた感覚が目を覚まし始めるのを感じていた。無罪判決になった後で真犯人が分かったことはほとんどない……それはそうだが、だからといって、割り出すのが不可能、ということもないだろう。今までやったことのある人間がいないなら、俺が最初になってもいい。

だが、島村以外の人間に、そういう気持ちを露骨に話すのは控えた。全員が自分の仕事を抱えて必死になり、しかも全体の動きは何となく軌道に乗っているのだから――ゴールがどこにあるかはまだ読めなかったが――今は横道に逸れるべきではない。

横浜に集められてから五日後、神谷と島村は、主に柳原の取り調べを担当した捜査一課の警部補――今も同じ部署にいる――と対峙していた。捜査の中軸にいた人間であり、最重要人物と言っていい。自然と緊張感も高まる。

だが、約束の時間の五分前に特命班に出頭した松崎《まつざき》は、自然体だった。緊張してもいないし、特に感情を露《あらわ》にすることもない。打ち合わせ用のテーブルにつくと、珍しそうに室内を見回した。

うだった。
「ここは、取り調べ向きではないですね」丁寧な口調で切り出したが、いかにも不服そ
「取り調べではないですから」神谷は訂正した。「あくまで参考までに話を伺う、とい
うことです」
「実質的には取り調べでしょう」松崎の唇が歪んだ。
「そう思われるのは自由ですがね、こっちはそういう意識ではないので。それだけは知
っておいて下さい」
「どうでもいいですよ」白けた様子で、松崎が肩をすくめる。「時間はかかりますか？
同僚に確かめたら、いつも結構長く留め置かれるようですけど」
「それは、どれだけ早く喋ってもらうかによります」
「私の方では、特に喋ることもないんですけどね」松崎が耳を掻いた。
話に入る前に、神谷はざっと松崎を観察した。中肉中背。顔だちにもこれといった特
徴がなく、鼻の横にある大きな黒子《ほくろ》だけが目立った。自分とさほど変わらない年齢——
四十四歳なりに、顔には疲れも見える。髪は綺麗に七三に分けていた。ネクタイを外し
たワイシャツ姿で、脱いだ背広は丁寧に畳んで、隣の椅子に置いた。あまり座り心地の
いい椅子ではないのに、背筋をぴんと伸ばしていることと併せて、几帳面《きちょうめん》な性格なの
だろう、と判断する。この男の取り調べはかなりきつそうだ。冗談を言うでもなく、ひ

たすら真面目に話を進めていくだけ。しかし、県警の中では「取り調べのエース」として一目置かれていることを、神谷は読みこんだ資料から知っている。

「神奈川県警では、落としの松崎、と呼ばれているそうですね」

「それはいかにも、昭和的な呼び方ですね」松崎が苦笑する。「本当にそんなことを言っている人間がいるとしたら、センスが古過ぎる」

「あー、それもそうですねえ」考えてみれば、自分たちも平成の人間なのだ。昭和よりも平成の時代を長く生きているし、そもそも警察に入った時には、元号は既に平成になっていたのだから。「しかし、取り調べのテクニックに、昭和も平成も関係ないでしょう」

松崎が唇を引き結ぶ。「落としの」と言われているのは間違いないようだ。これは気をつけないと……相手に喋らせる技術を持っているということは、逆にどうすれば自分の秘密を漏らさずに済むかも熟知している。

「柳原元受刑者のことについて伺います」

松崎は返事をせず、うなずくだけだった。構わず、神谷は続けた。

「取り調べ調書を確認した限り、彼は最初は犯行を否認していますね？　身に覚えがない、と」

「仰る通り」

「それが、逮捕二日後になって急に供述を覆して、犯行を認めました。何がきっかけだったんですか」取り調べの全面可視化が実現していないので、取調室の中で何があったかは、当人たちしか知り得ない。供述調書に全てが記載されるわけではないのだ。本当は、先に柳原に話を聴きたかったのだが、石井はまだ「面会謝絶」としている。

「送検された時に、検事と話して意識が変わったようですね」

「脅しをかけた？」

「いや、まさか。縷々《るる》言い聞かせて、理性に訴えた、ということですよ。柳原も馬鹿じゃない。否認を続けていてもメリットはない、と気づいたんじゃないですか」急に松崎が饒舌になる。

「検事に言われて初めて気づく？　普通は、取り調べ担当の刑事がそれをやるでしょう」

「それは、人によって相性があります」

松崎の耳がわずかに赤くなったのに神谷は気づいた。やはりこの男は、取調官としての自分に誇りを抱いている。

「それで、供述を覆した後の態度はどうだったんですか」

「素直なものでしたよ」

「三件全部について、自白して」

「そういうことです。記憶も確かでした」

「逮捕後二日目に供述を変えた、ということでいいんですね」

「ええ」松崎の顔に不安の色が過《よぎ》った。

「取り調べ二日目……この日、あなたは他の被害者の話を初めて持ち出している。柳原に暴行された、あるいはされそうになった五人の女性の証言です。これは間違いないですね？」

「ええ。通常の取り調べの手順として、問題はないと思います。重要な補足情報ですからね」

「そもそも、柳原を容疑者として絞りこめたのも、その女性たちの証言があってこそ、ですよね」

「そうです」

「あなたは、この五人の女性と直接話したことはありますか？」

「……いえ」一瞬躊躇《ちゅうちょ》した後、松崎が答えた。

「女性たちに対する事情聴取は、別の人が担当したわけですね？　あなたはその報告を受けて、あるいは調書を読んで、柳原の取り調べに利用した」

「普通のやり方だと思いますが」

普通——松崎はあくまで、自分の手順が通常のやり方から逸していなかった、と強調するだけで、それが是か非かは問題と思っていないようだ。なるほど……こういう考えもある、と神谷は納得した。長年習慣的に行われてきた方法だから、間違いはないと信じてしまう。自分が教わってきた、あるいは先輩から盗み出した方法にはすがりつきたくなるものだ。

「あなたは、人の気持ちを読むのに長けていそうですね。だからこそ、『落としの松崎』なんでしょう」

松崎がまた、唇を引き結ぶ。神谷の発言の狙いが読めていないようだ。

「……何が仰りたいんですか」

「実際に、この女性たちから話を聞いていたら、どうなっていたでしょうね」

「意味が分かりません」

「我々は五人の女性のうち、現在入院している一人を除いて、全員に話を聴きました。全員が、神奈川県警の事情聴取に対して、「誘導された」という感触を抱いています。彼女たちは、柳原の写真を見せられても、ぴんときていなかった。それを、誘導尋問のような形で、犯人だと認めるように迫った、ということですよ。危険な犯人が野放しの状態でこういうことを言われたら、どうなると思います？　人の心を忖度《そんたく》するのが得意なあなたなら、十分理解できると思いますが」

「私は、自分の職責を果たしただけだ」松崎が声に怒りを滲ませた。

「まあまあ、神谷警部補」それまで無言を通してきた島村が、割って入る。「そう急がんでも……とにかく松崎警部補、あなたは使える材料を使って柳原を落とした、そういうことですな？」

「ええ」松崎が不満そうに唇を捻《ね》じ曲げる。

「つまりあなたは、純粋に柳原と対決していた。そこだけに傾注していた。あなたのところに次々と流れこんでくる補足情報が正しかったどうかなど、チェックしている暇もなかった」

「そうです」松崎が力をこめてうなずいた。

「つまりあんたは、あくまで自分の役目を果たしていただけっちゅうことですな。他のことには目を瞑《つむ》って」

松崎に対する呼び方が、急に「あなた」から「あんた」に変わったが、関西弁の柔らかいイントネーションのせいで、刺々しい感じではなかった。

「容疑者を調べるのが、私の仕事ですから」

「まあ、どこの県警にも、取り調べのスペシャリストってのはいるもんですわな」気楽な調子で島村が言った。「あんたもその一人だ。それこそ、教科書に使いたいぐらいのテクニックだそうですなあ。人柄、言葉のチョイス、相手に対する感情移入、全て超一流だ。そういう人間は、余計なことはしなくていい。自分の仕事だけに専念することこそ、刑事として正しい道、っちゅうことでしょうな」

松崎がもぞもぞと体を動かした。褒め殺しではないか、とでも思っているのだろう。だが否定はしない。この男のプライドは、神谷が考えているよりもずっと高そうだ。

「いやいや」とか「そんなことはない」と適当に誤魔化すタイプではない。

「つまりあんたは、この情報——五人の女性に関する情報が本当だったかどうかは、知らないことになる」

「私は仲間を信じていた」

「そう、仲間を信じるのは大事なことですわな。ただ、警察も常に百パーセント正しいわけやない。間違った情報を元に動けば、間違った結論が出るのは当然や。それにあんたとしては、その情報を検証しようがなかった」

「女性たちに対する事情聴取が間違っていた、と言うんですか」松崎の顔は蒼褪《あおざ》めていた。

「それこそ、柳原やないけど、今になって証言をひっくり返しとるわけですからね。それも一人や二人やない、全員です。否定じゃないですよ？　自分の証言に自信がない、ということです。でもこれは、実際には否定と同じだわな」

「そこで問題になるのは、あなたの認識なんです」神谷が言葉を引き継ぎ、ぐっと身を乗り出した。「五人の女性に対する事情聴取——この結果はどこかおかしいと思いませんでしたか？　例えば、供述内容があまりにも綺麗に揃い過ぎているとか」

「そんなことは……」

「疑問に思わなかったんですね？」神谷は畳みかけた。「それを当然だと信じたわけですか？　まあ、当時は県警もかなり追い詰められた状況だったわけで、仕方ないかもしれませんね。しかし、今考えるとどうですか。あまりにも証言が揃い過ぎたのは、不自然だと思いませんか」

「それは……」

「あなただけでも、怪我しない方がいいんじゃないですかね」神谷は両手を組み合わせた。「本当に悪い奴は、別にいるんでしょう。あなたは確かに『落としの松崎』かもしれませんし、この捜査で最も大事な役割を担っていたのは間違いないでしょうが、全体をコントロールしていたわけではない。この一件のシナリオを書いた人間がいるはずなんですが、どうですか」

「……あんたも、相当のワルですね」松崎が突然、乱暴な口調で反論した。

「ワル、ね」かすかに、胸にちくりと痛みを感じた。

「そういう手法は……フレームアップでしょう。あんたたちが今問題にしていることと、まさに同じじゃないんですか」

「申し訳ないけど、今はこちらが調べる立場ですよ」

「我々の中にも、左遷される人間が出てくるということですかね……いや、神奈川県警には、離島の警察署はありませんけどね」

自分でも気づかぬうちに、神谷は立ち上がって腕を伸ばし、松崎の胸倉を摑んでいた。まさか、こんな……どうでもいいことではないのか。誰かに揶揄されようが馬鹿にされようが、どうでもいいと考えていたのに、体が勝手に動いてしまう。

気づいた時には、島村が間に入って、二人を分けていた。永井も慌ててそれに加わってきた。神谷はあっという間に松崎から引き剝がされ、壁際にまで退避させられていた。桜内が神谷の前に立ちはだかる格好で、防御壁になっている。こういう時だけ、妙なチームワークを発するわけだ。

「あー、何でもないです。手が滑った」神谷は冗談半分に言い訳したが、誰も反応しなかった。

「本性が見えましたね」桜内の肩越しに、松崎が笑っているのが見える。「あんたは警察官失格なんだ。そういう人間が、俺たちの不祥事を調べている……何かの冗談ですか、これは」

「警察庁の考えていることは、こっちには分からないんでね」神谷は言い返した。鼓動が平常に戻らない。

「勝手にやって下さい。取り調べの基本を教えましょうか？　信頼関係ですよ。調べる方と調べられる方の人間関係。少なくとも神奈川県警は、あんたたちを信用していない。そんな状態で、まともな調査ができるとは思わない方がいい」

「お互い様だな。こっちも、おたくらは信用してないから」

「まあ、その辺で……」永井が弱々しい口調で話を打ち切りにかかった。「これはあくまで調査ですから。喧嘩するのが目的じゃないですよ」

「ごもっともですな」神谷は背広の襟を撫でつけた。「こっちはあくまで仕事でやってるんで。そちらが挑発的な行為に走ったことも、記録させてもらいますよ」

「記録されると都合が悪いのは、そっちじゃないんですか」

「まあまあ」島村が二人を宥《なだ》めた。「冷静に、ね？　冷静に。頭に血を上らせると、ろくなことはないですよ」

まったく、島村の言う通りだ。神谷は、自分が急速に落ち着くのを意識した。しかし神奈川県警も、ただ黙って嵐が通り過ぎるのを待つつもりはないのだろう……これは、連中なりの作戦かもしれない。これからどういうことが起きるのか、神谷には簡単に想像できた。恐らく俺を担当から外すよう、警察庁に訴えるだろう。取調官として適格性を欠く、とかいう理由で。しかし、その主張が通るとは思えない。警察庁は当然、全ての事情を知っていて俺をこのポジションに置いた。県警が少しぐらい騒ぎ立てようが、無視するだろう。

「さ、続きをやりましょうか」島村が二人を席に着かせた。

「拒否します」松崎があっさり言い切る。「この人の取り調べは受けたくない」

「取り調べじゃなくて、単なる事情聴取ですよ」神谷は既に、自分のペースを取り戻していた。「さ、再開しましょう。どうせ誰かには話さなければならないんだから。選ぶほど、こっちには人はいませんよ」


煙草が不味《まず》い……夜になって少しだけ気温が下がり、ワイシャツ一枚では肌寒かった。そんな格好で外へ出て来てしまった自分の不用心さを恥じる。ウィークリーマンションの部屋でも煙草は吸えるのだから、わざわざ外へ出る必要などなかったのだ。そろそろ閉塞感に襲われ始めている、と意識した。毎日きっちり仕事をしている意識はあったが、なかなか先が見えてこない。永井がこの調査をどんな風にまとめ、どうやってチームを解散させるのか、まだ読めない。確かめてみようと思うこともあるのだが、永井はあたふたしているか暗い表情で書類を読んでいるかどちらかで、とても突っこんだ話ができる雰囲気ではない。

マンションの壁に背中を預け、夜空に向かって煙を吹き上げる。残暑もさすがに遠ざかりつつあり、季節の移ろいを肌で感じることになった。

ふと、人の気配を感じる。凛。一緒に被害女性に聞き込みをして以来、まともに話をしていない。嫌われているだろうなと思って声はかけなかったし、彼女も話そうとはしなかったのだが、今夜は少し様子が違った。またTシャツにジーンズという軽装だが、薄手のカーディガンを羽織っている。女性らしい雰囲気が強調されていた。

何か話したそうにしている。だが神谷は、自分から口を開く気にはなれなかった。凛は二メートルほどの間隔を置いたまま、突然「島流しってどういうことですか」と訊ねた。

いきなりそれかよ、と思わず苦笑してしまう。まだ長い煙草を携帯灰皿に押しこみ、神谷は彼女に向き直った。冗談を言っている気配ではなく、表情は極めて真剣だった。

「そういうのは、本人にぶつける前に、周辺で情報を収集しておくものだ」

「島流しだって言う人がいるんですよ。私は冗談だと思っていたんですけど」

「警視庁管内には、離島に五つの警察署がある。そこへ赴任する確率は百二分の五だ。君が想像しているよりも、ずっと高い」

「優秀な人だったら、島流しされたと思うかもしれませんよね」

「そう、優秀な人なら、な」神谷は耳を掻いた。「俺の場合、いかにも相応しい勤務先だと思うけど」

「そういう人が、こんな特殊な捜査に呼ばれるとは思えないんですけど。いったい何があったんですか？」

「それを知ってどうする?」神谷は新しい煙草を取り出したが、火は点けなかった。しばらく躊躇《ためら》った後、パッケージに戻す。「俺のことになんか、興味がないんじゃないのか」

「それは——」

松崎が昼間吐いた台詞が引っかかっているのか。それはそうだろう。危うい人間と一緒に仕事をしていると考えると、不安になるのは当然だ。

「自分のことは、自分では話し辛いもんでね。永井理事官にでも訊いてみたらどうだ?あの人は何でも知ってるはずだ」

「自分では話せないことなんですか? 本人の口から聞いたことしか信用できないんじゃないですか」

「だったら君は、自分のことを話せるのか?」

凜が口をつぐむ。ほら、やっぱり話せないだろうが……神谷は、少しだけ勝ち誇ったような気分になったが、すぐに、そんなことで胸を張っても意味はないのだと思い直した。仲間内で挑発し合い、いがみ合うような真似《まね》は……彼女が自分をチームの一員と考えているかどうかは分からないが。

「君にも、何か秘密があるよな」

「聞きたいんですか?」

「話したければ、どうぞ」神谷は両耳に手を当てた。「人の話を聞くのが俺の仕事だから」

「別に……」

言うなり、凜は踵を返してしまった。そう言えばこの前、ここで別れた時も同じような感じだった。今までどれだけの男が、同じようにして彼女に別れを告げられたのだろう、と神谷はぼんやりと考えた。

第三部　タレコミ

1

松崎と対峙した翌朝、捜査本部に顔を出した瞬間に、神谷は永井に声をかけられた。彼は横浜に仮の宿を取っているわけではなく、毎日都内の家から通っているのだが、いつも出勤は一番早い。

「ちょっといいですか」

「いつでもどうぞ。リーダーは理事官なんですから」

言うと、永井が嫌そうな表情を浮かべる。が、すぐに能面のような表情に変わり、打ち合わせ用のテーブルにつくよう、神谷に促した。冷蔵庫からペットボトルの茶を持ち出して二つの紙コップに注ぐと、一つを神谷の前に置く。冷蔵庫は入ったものの、コーヒーメーカーはなし。お湯も沸かせない。どこが備品の調達を担当しているかは分からないが、とても十分なバックアップがあるとは言えない。神谷は一日の始めに一杯のコーヒーがないと、動きが鈍くなるのだ。今は仕方なく、朝の缶コーヒーが日課になっているが、あれは砂糖がたっぷり過ぎるほど入っている。この任務が終わったら体重が増えているのではないかと心配になっていた。

「申し上げにくいんですが」椅子を引きながら永井が言った。

「俺を外すつもりですか」

永井の動きが止まった。椅子に手をかけたまま、一瞬だけ神谷の顔を凝視する。神谷は苦笑して首を振った。

「いや、嫌なことは言いたくないでしょう？　それぐらい、自分で言いますよ……どうですか？　少し楽になりましたか？」馬鹿馬鹿しいと思いながら、言葉が溢れてくる。

「すみません、気を遣わせてしまって」永井が首を振り、ようやく椅子に腰を下ろした。

「県警の連中から、クレームでもきましたか？」

「昨日の松崎警部補の一件でね……向こうに攻撃材料を与えてしまいましたね」

「面目ない」そんなことは少しも思っていなかったが、神谷は一応謝罪した。この男の立場を潰してしまうことについては、申し訳なく思う。とにもかくにも、自分たちは同じチームの人間なのだから。

「仕方ないですね。向こうも用心していますから、何かあったら揚げ足を取ってくるのは予想していました」

「そもそも、どうして私がここへ呼ばれたんですかねえ」神谷は茶を啜《すす》り、紙コップ越しに永井の顔を凝視した。これはいいチャンスかもしれない。未だにどこかふわふわした気分を感じているのだが、この辺で真相を知り、地に足を着けたかった。「危険があるかもしれないと、分かっていたはずですけどね……少なくとも警視庁の中では。警察庁が私を一本釣りするわけがないですから、警視庁が推薦したんでしょう？　その理由は何なんですか」

「それは、警視庁に確認していただかないと。うちとしては、警視庁の推薦があったから、あなたに声をかけた、というだけです」

「誰が推薦したんですか」

大島署の幹部であるはずがない。署の連中とは、つかず離れず、悪くはない関係は保っているが、当然俺のことを警戒しているだろう。「何もしてくれるな」というのが本音だろうし、こんな特命捜査に推薦するとは考えられない。だったら、かつての上司や同僚とか……それもないだろう。

今の俺は、誰も触りたがらない存在のはずだから。

「そこは、私は知りません。もっと上のレベルで決まった話ですからね」

神谷は、紙コップをテーブルに置き、指で弾いた。薄い緑色の水面が震え、波紋が広がる。胸の中で、何かがざわざわと動いた。

「理事官、本当はどこまで知っているんですか」

「知らなければならないことは、全て」

こいつはやはり典型的な官僚だ、と思った。具体的なことは言わず、絶対に言質を取らせない。曖昧に徹することこそ、官僚が生き延びる術《すべ》なのだろう。だから、こいつらが嫌いなのは「議事録」そして「議論」そのものだ。これ以上話を続けても何にもならない、と神谷は諦めた。

「分かりました。島へ帰しますか？」悔しくもあるが、不思議と懐かしい。あの島が自分の人生の全てになってしまったなどとは思いたくないが、離れているうちに、不便な生活が恋しく思われてきたのも事実だった。

「続行です。県警に対する取り調べからは外れてもらいますが、他にもやらなければならないことはたくさんありますから」

「資料を読むような仕事じゃなければ、何でもやりますよ」

「……神谷警部補？」

立ち上がりかけた神谷は、ゆっくりと腰を下ろした。永井は困惑した表情を浮かべており、本音は読めない。

「私としては、神奈川県警に対する調査を終えれば、それで仕事は終わりです」

「そういう話ですよね、最初から」

「それでいいのか、と思うようになりました」

「と言うと?」神谷はまたお茶を一口飲んだ。

「真犯人は分からないままですよね」

「そうなりますね……何もしなければ。神奈川県警も再捜査はできないでしょう」

「それでいいと思いますか?」永井がぐっと身を乗り出し、神谷に問うた。「これだけの事件で、誤認逮捕で……犯人が出てこなかったら、大問題だ」

「出てこないと思いますよ。手がかりは全部冷えてしまった。そもそも県警の連中が、最初から完全に間違った方向へ行ってしまったんだから、今さらどうしようもないでしょう。証拠を調べれば調べるほど、連中が柳原を早く犯人にしようと、シナリオを書きなぐったことしか分からない」

「それでいいと思いますか」永井が繰り返した。普段あまり感情を見せない彼にしては珍しく、しつこい。

「何が仰りたいんですか」神谷は腕組みをした。彼の考えなど、とうに読めている……しかし、自分の口からそれを言いたくなかった。むしろ、「命令」として言って欲しい。

「神谷警部補なら、言わなくても分かってくれると思いますけどね」

「どうせなら、はっきり命令したらどうですか。あなたはここではキャップなんだから、私を動かす権利がある」

「あなたに、自分で気づいて欲しいんですよ」

彼の本音が読めない。これは自分に対する善導なのか、あるいはもっと深い考えがあるのか……もしもここで真犯人を割り出すことができれば、永井にとっては大きな手柄になるだろう。ただし、その可能性は極めて低く、特に指示がないのに捜査していたとなれば、面倒なことになる。神谷が勝手に捜査していたことにすれば……失敗しても永井の責任にはならないし、もしも上手くいったら手柄を自分の物にできる。

面白い——こいつは実は、クソ野郎かもしれないが。

神谷は思わずにやりとしてしまった。それを見て、永井がまた困惑の表情を浮かべる。

「ま、考えておきますよ」

立ち上がると、永井が「どうするんですか」と声をかけてきた。

「考えます……煙草でも吸いながらね」

それ以上の言葉を呑みこみ、神谷は外へ出た。この状況を怒る気持ちと、面白く感じる気持ちが半々。ちょっと風が吹いただけで、どちらかへ転んでしまいそうだった。

ビルの外へ出ると、ちょうど島村が出勤してきたところだった。いつもの常で、ワイシャツの胸ポケットには扇子を入れている。

「お、早いな」

「たまたまですよ」

神谷が煙草をくわえると、島村もつき合う気になったようで、足を止めた。最近気づいたのだが、ビルの管理会社が、一角に喫煙所を作っている。正面から入って来ると分からない隅の方だが、そこを見つけた時、神谷は思わずにやりとした。何しろ、携帯灰皿は容量が少ない。すぐにいっぱいになってしまい、処理するのも面倒なのだ。喫煙所は、このビルで働く人たちなら誰でも利用できるので──たまに通行人も吸殻を捨てていく──内密の話はし辛いのだが、朝早いこの時間には無人だった。

「県警に対する事情聴取から外されました」

島村がいきなり声を上げて笑い、煙草をパッケージから引き抜いた。フィルターを親指の爪に何度か叩きつけてから火を点ける。丸い顔には、依然としてにやにや笑いが浮かんでいた。

「昨日のあんたのやり方を見てるとねえ……仕方ないだろう。県警が抗議してきたんじゃないの？」

「そうらしいです」

「で、あんたはどうする？」

神谷は黙って肩をすくめた。依然として、怒りと好奇心の中間で心が揺れている。

「県警に対する直接の取り調べはやめますよ。他のメンバーに迷惑をかけるわけにもいかないですからね。後は島村さんに任せます」

「あんた、何かあったんか？」

神谷はちらりと島村の顔を見た。俺のヘマは、いったいどこまで広がっているのだろう。積極的に喧伝《けんでん》されたわけではないが、警察という組織の中では噂が広がるのは早い。ただし自分の問題は、最悪を「A」とすれば「D」程度で、聞いた瞬間隣の人間に耳打ちしたくなるレベルではない。神奈川県警の連中は知っているが、それはわざわざ事情を調べたからだろう。連中も、ノーガードで打たれるままではいないはずだ。

「島村さんぐらいの人なら、とっくに知っていると思いましたけど」

「俺は何も知らんよ」

「そいつは結構ですね」神谷は肩をすくめた。「俺の悪名も、大阪府警にまでは伝わっていないんだ。だったら何も、自分から打ち明けることはないですね」

「あんたが言いたくないなら、無理には聞かんけどね」島村が肩をすくめる。「誰にでも、知られたくないことはあるわな」

「どうも」神谷は軽く頭を下げた。この男は、大阪の人間らしくずけずけと人の心に入りこんでくるかと思えば、すっと引く時もある。取り調べでも同様だ。こういう風に自在に押し引きができる人間は、取り調べで才能を発揮する。

「ま、あまり深く考えんようにな」

「いつも大して考えてませんよ」

ふと視線を上げると、皆川がこちらへ走って来るところだった。朝から騒がしい男だ……と苦笑したが、その真剣な表情を見て、神谷は何かあった、と悟った。

「柳原と会えますよ」

さっそく仕事ができた、と神谷はにんまりとした。県警の阿呆どもの相手をしているより、よほどましではないか。

柳原は、横浜市内の病院に入院していた。皆川に連絡を寄越した石井弁護士が、事情聴取の条件として自分の同席を要求してきたので、仕方なく呑む。別に、石井が居ても邪魔にはならないだろう、と神谷は判断した。何となくやりにくい弁護士ではあるが、目指す方向性は同じはずだ——柳原がどのように神奈川県警に嵌《は》められたか、探り出すこと。

病院に来ると、神谷はいつも少しだけ緊張してしまう。生死が交差する場所……特に神谷の場合、事件や事故の捜査絡みで来ることが多いから、嫌な気配を濃厚に感じることになる。そういう記憶は薄れることもない。

柳原は個室に入っていたので、多少は気が楽になった。他の入院患者と同室だと、どうしてもいろいろと気を遣うことになる。石井の立ち会いは邪魔ではあったが、いないことにして話を聴こう、と決めた。

病室に入るなり、神谷はうなじの毛が逆立つような不快感を味わった。柳原の周囲には、不気味な緊張感が漂っている。ここへ来る前に、家族は一度も見舞いに来ていない、と石井から聞いていた。家族だけでなく、石井以外に訪れる人はいないようだったが。ベッドサイドテーブルには、ミネラルウォーターとコーヒーのペットボトル。二年半も身柄を拘束されていたにもかかわらず、でっぷりとした巨体――身長も百七十九センチある――は健在だった。勾留されると、一年で十キロ痩せる人も珍しくないというのに、依然として体はだぶついている。

体調を崩していた、と石井は言っていたが、それは本当だったのだろうか。一目見た限りでは、体調が悪いようには――成人病の疑いは別にして――思えなかったのだ。むしろ今後の対策を考えるために、一人になる時間が必要だったのではないだろうか。無理もないことで、責める気にはなれない。

神谷はゆっくりとベッドに近づき、椅子を引いて座った。座る前に名乗るのが筋だろうが、これが「警察の事情聴取」と性格が違うことを相手に意識させるために、わざとラフな感じで始めた。

「どうも、警視庁の神谷です。こっちが、福岡県警の皆川」

皆川は背後で立ったままだったので、神谷は後ろを振り返って指差した。ベッドの方に向き直ると、柳原の射すような視線に出迎えられる。嫌な感じだった。元々、肉の多い顔に埋まった小さな目なのだが、強烈な悪意を感じる。小さな点を彷彿《ほうふつ》させる目からは、警察に――あるいは世間に対する敵意が滲み出ていた。

「今日は、いわゆる取り調べじゃないですから。気楽にして下さい」

「警察が来てんだから、取り調べに決まってる」柳原がぽつりと言った。

敵意。そして憎しみ。隠そうともしないし、そうしようとしても零れてしまうのだろう。失われた歳月は、彼に一途に人を恨む気持ちを植えつけたようだ。

「いやいや、我々が調べているのは警察なんでね」

「神奈川県警が何をやったか、という意味？」

「そういうことです。こういうミスは許されないから、ちゃんと調査することにしたんですよ。そのために、あなたに話を聴きたいだけです」被害者として、という言葉を神谷は呑みこんだ。喋らせるためであっても、この男を持ち上げるのは気が進まない。生理的に受けつけられない、というのが第一印象だった。もちろん、そういう個人的な感想は乗り越えて話を聴かなければならないのだが。

「どうせ犯人扱いだろう」柳原がいじけたように言った。

「あなたがやってないというなら、我々はそれを信じますよ。だいたい、裁判で無罪になったんだから、これ以上追及しようがない」

「まだ確定したわけじゃない」

　少しは法律についても知っているわけだ、と神谷は思った。確かに、検察側がまだ態度を明らかにしていない以上、最高裁までいく可能性は消えていない。神谷は少し腰を浮かして、椅子を後ろへ引いた。僅かなりとも距離を置きたいという本能から出た行動だったが、柳原は神谷の心理をあっさりと見抜いた。

「俺みたいな男の近くにいると、気持ち悪いですか」

「他人に対して、そういう風に感じたことはないな」嘘が、すらすらと口を突いて出る。神谷は、先輩たちに散々教えられてきた——嘘も方便だ、と。だが、相手がそれを見抜いた場合はどうすればいいのか。

「別に、慣れてるから」柳原は平然としていた。

「何に?」

「気持ち悪がられることに。昔からずっと同じだから」

　まあ、それは……分かる。柳原の額に滲む汗を見ながら、神谷は巨大なガマガエルの姿を想像していた。何となく、ぬめっとした印象が滲み出ているのだ。触りたくない、と嫌悪させる雰囲気がある。神谷は意識して表情を消した。俺の個人的な印象は、今回の事情聴取には何の関係もない。

「これから何回か、話を伺うことになると思います」

「別にいいですよ、暇ですから」

「入院はいつまで？」

「ま、適当に。いたけりゃいつまでいてもいいんだろうけど、金が続かないから」

「ここの入院費用は誰が出してるんですか？　ご家族は？」

「家族には、とっくに見捨てられてますよ。別にこっちも、会いたいとは思わないけどさ」憎悪を感じさせる口調で柳原が吐き捨てる。「親も兄妹も疑ってかかってるんだから。家族なんてどうでもいい」

「しかし、退院後のこともあるでしょう」

「ああ、俺はね、金を分捕ることにしたから。長いこと身柄を拘束されたんだから、国から金を貰《もら》う権利があるでしょう？　それで何とか暮らしてくから」

「なるほど」やはりこれが本音か、と神谷は呆れた。要するに、働きたくないのだろう。逮捕される前、柳原はぶらぶらしていたわけではない……しかしどの職場でも長続きしなかったのには、何か理由があるはずだ。過去の事件の問題か、本人の性癖か。調書の中に、柳原の勤務先で取った証言があったはずだ。後で読んでみる必要がある。

「できたら、放っておいて欲しいんですけどね」

「こういうことを二度と起こさないためには、ちゃんとした調査が必要なんですよ」

「警察が警察を調べても、何も出てこないでしょう。どうせ適当に話を終わらせて、報告書を書いて終わりじゃないの？」

「そうならないように、我々は外から集められてきたんです」

「それでも、警察の身内でやることに変わりはないし。別に期待してないから」

いきなり攻撃的な態度に出てくるわけか……まあ、怒りも治まらないから仕方ないだろう。神谷は努めて自分をリラックスさせようとした。柳原は、冷たく小さな目で、こちらを凝視している。

「逮捕される前のことを聞かせて下さい」

「俺は何もやってないよ」ふいに目を逸らした。

「そうじゃなくて、仕事のこととか」

「仕事は普通にやってたけど」

「警察は、いきなり来たんですか？」

「最初は、暴行事件のことを聴きにきた」

文句を言いながらも話す気はあるようだ、と神谷はほっとした。警察に対する怒りでもいい、何か喋ってくれないことには何も始まらない。

「三件の殺人事件のことではなく、戸塚区内で起きた、他の婦女暴行事件のことですね」

「そう」

「あなたを容疑者として扱った？」

「ま、そういうこと」柳原が耳に指を突っこんだ。抜いた指に息を吐きかけ、顔をしかめる。「ご丁寧でしたよ。ご丁寧過ぎたかな。ねっちり、じっとり話を聴いていった」

「最初は、三件の連続殺人のことは聴かなかった？」

「二度目……いや、三度目の時だね。警察署に初めて呼ばれた時に、そういう話になって」

「どう思いました？」

「そりゃびっくりしたよ。婦女暴行事件にも覚えがないのに、いきなり人を殺しただろうって言われても、反応できるわけがない」

「何の前触れもなく、突然そんな風に言われたんですか？」

「最初はアリバイのことからね。事件が起きた時にどこにいたかっていう話になって……そんなの、上手く説明できないこともあるじゃないですか。昨日今日の話じゃなかったんだから、すぐには答えられないでしょう」

「手帳や、携帯のカレンダー機能は使ってなかったんですか」

「書き留めるほど予定がない人生なんで」柳原が薄笑いを浮かべながら肩をすくめた。

「日記なんてつけてない。警察ってのは、どんな人間でも日記をつけてると思ってるわけですか？」

　ねちっこい皮肉。やりにくい相手だ……神谷はいつの間にか背中を丸めていたのに気づき、背筋を伸ばした。その拍子に、ふと柳原と正面から目が合う。小さなビー玉のような目だ、と思った。あるいはぬいぐるみの目玉。ひどく無機質なのに、心に抱えた闇を感じさせる目つきである。危うく身震いしそうになって、堪えるために思い切り両手を拳に握った。

「結果的にあなたは、アリバイを説明できなかった」

「最初から無理な要求でしょう？　その時点で、やばいと思ったけどね」

「やばい？」

「こいつら、俺を本気で犯人にするつもりだな、と思った。最初の時とは違ったな」

「最初に逮捕された時のことですか」

「あの時は、淡々としてた。調べも事務的でね。婦女暴行事件なんて、警察的には大したことがない話なんでしょう？」

「そんなことはない」神谷は頭に血が上るのを感じた。

「殺人になると、やっぱり違うんでしょう？　態度で分かったよ」

「確かにあの事件は、極めて重要かつ深刻なものでしたからね」

「ね？　だから、早く犯人が欲しかったんでしょう？　手近な所に俺みたいな人間がいたら、責任を押しつけたくなるよね」

「どうして認めたんですか？」

「それは、裁判で散々言ったんだけど」不機嫌そうに唇をねじ曲げる。

「私は聴いていないので、直接教えてもらえないですかねえ」

「何度も喋りたくない話だけど……あんたら警察の人って、心理学者みたいだね。人を追いこむ術を知っている」

結局柳原は、警察——特に取り調べを担当した松崎らが、どれほど巧みに自分を誘導していったかを、事細かに説明した。神谷にしてみればお馴染みの手法だったが、容疑者本人から聞かされると、やはり胸がざわつく。

一通り話を聴き終え、神谷はげっそりと疲れたのを意識した。やはり、事情聴取は複数回に分けて行おう。柳原は体調不良で入院しているのが嘘のように、まだ喋り足りない様子だったが、神谷の方で、もうギブアップだった。

「ところで、あの事件の犯人が誰かは、分からないんですか」神谷が立ち上がったところで、柳原が唐突に訊ねた。

「残念ながら」

「よく我慢できると思うよね」

「我慢?」神谷はまた、うなじの毛が逆立つのを感じた。

「普通は、どこまでも突っ走るもんだと思うけど」

神谷は無言で、柳原の目を覗きこんだ。自分とは違う世界観の中で生きる男。

「犯人は、我慢していたと？」

「俺は犯人じゃないよ」柳原がにやりと笑った。「二年半も世間から隔絶されてたのは間違いないけど」

「あなたがやったんですか？」この場で聴いてはいけないことだが、神谷は思わず口にしてしまった。

「おっと、それじゃ話が最初に巻き戻しじゃないですか。俺はやってないっていう前提で話してるんでしょう？」

神谷は反応しなかった。言葉にしても、ジェスチュアで示すにしても、とにかくこの男に言質を与えたくない。

結局、どこか中途半端な気持ちのまま、神谷と皆川は病室を出た。途端に、皆川が深々と溜息を漏らす。

「何だよ、若いのに溜息なんかついて」神谷は皆川の背中を平手で叩いた。

「いや、疲れました……」

「あー、右に同じく、だ」

二人は、石井が病室から出て来るのを待った。今日の事情聴取について、反省会でも開いているのだろう。二人は、並んで廊下の壁に背中を預けた。ベンチでもあれば即行で座ったところだな、と神谷は思った。それほど、精神的にダメージの大きい面談だった。

五分後に病室から石井が出て来た時、神谷は思わず胸を撫で下ろした。彼の表情は……変化はない。少なくとも、大きく胸の内が揺れた感じではなかった。

「柳原さんは、どんな様子でしたか？」

「いや、特に変わりありませんよ。いつもあんな感じですから」

「警察に対して挑発的？」

「それぐらい、理解していただかないと」石井が苦笑した。「ひどい目に遭わされたんですからね」

「それは分かりますが、ちょっと挑発が過ぎるんじゃないですか？　自分が犯人だとも取れるような発言は、まずいでしょう」

「あの程度では、問題になりませんよ。だいたい、無罪は絶対に確定するんですから。検察には打つ手はありませんよ」

そうなった後に、「実は柳原の犯行だ」と発覚したらどうなる？　どうにもならない。刑訴法には、一事不再理の原則がある。一度判決が確定すれば、その件について二度は審理しない、というものだ。仮に柳原が真犯人であっても、これで逃げ切りになる。もちろん、新たに事件を起こせば、まったくの「別件」として罪を問うことはできるのだが。

二人は石井と別れ、車で病院を後にした。車で来て正解だった、と神谷は思う。公共交通機関だと、どうしても他人の目を遠慮して話しにくくなる。

「どう思った？」ハンドルを握る皆川に、神谷は話しかけた。

「何か……気持ち悪い男ですね。こんなことは言うべきじゃないかもしれないけど」

「あー、俺も同じように感じた。しかも、相当やりにくい相手でもあるぞ」

「でも、事情聴取は終わったわけじゃないですよね」

「むしろこれからが本番だな」

神谷は無意識のうちに手帳を広げた。白紙のページを見詰めながら、これからの事情聴取の手順を頭の中で整理する。ポイントは、柳原の心理の変化だ。どうして自分の犯行だと認める気になったのかは、今日の話では納得できなかったし、その後の裁判でさらに供述をひっくり返すことになったきっかけについては、まだまったく聴けていない。普通、供述を覆すには、然るべきタイミングがあるものだ。一番多いのが、初公判の時である。取り調べに不満を持ち、「言わされてしまった」と感じていれば、公の場で発言が許される最初の機会である初公判に被告は飛びつく。公判途中から、というケースを、神谷はほとんど聞いたことがない。

「言っていいかどうか分かりませんけど、もしかしたら柳原が本当に犯人っていうことはありませんか」

「ない」神谷は即座に否定した。最大のポイントが、先ほど柳原が自ら語ったアリバイの問題である。逮捕―取り調べの段階では、柳原は三件の事件のアリバイに関して、ろくな供述ができなかった。本人が言うように、日記をつけていたわけではないから、記憶がはっきりしていなくても不思議ではない。結局、一審の途中で突然持ち出したアリバイ――急に思い出したという――が、二審での無罪のポイントになったのだ。高裁では、石井が第三者の新たな証言を持ち出し、それが認定された。少なくとも三件のうち一件では、「犯行は物理的に不可能」であり、その小さな穴が、警察・検察が築いた壁を崩した。

「神谷さんはアリバイのことを言ってるんだと思いますけど、それもどうなんですかね。途中で思い出すことなんて、ありますか?」

「人間の記憶力は、そんなに当てにならないから。自分ではコントロールできないし、ある日突然、思い出すこともあるよ」

「何だか……自分は不自然な感じもするんですよ」信号待ちになり、皆川がハンドルを指でリズミカルに叩いていた。そうすることで、話のテンポを速めようとでもするように。

「そうかな」

「やっぱり、思い出そうとずっと努力していても、思い出せないこともあるでしょう」

「普通は、な。でも、必死になっている時には、想像もできないことが起きるもんだぜ」

「まあ、そうかもしれません……」皆川が右手の人差し指を下唇の下にあてがった。「やっぱり、釈然としませんけどね」

「柳原から本音を引き出すのは、相当大変そうだ」神谷は認めざるを得なかった。「ああいうタイプは、一番やりにくい」

「でしょうね」

「今後どう攻めるか、ちょっと考えないといけないな」

信号が青になり、皆川がアクセルを踏みこむ。神谷の背中は、シートに強く押しつけられた。皆川の運転が少し乱暴なのは、これまでの経験から分かっている。

頬杖をつき、外の光景を眺める。この件全体が、ぼやけて曖昧な感じがした。果たしてすっきりした結論など、出るのだろうか。永井が指摘した通り、真犯人を捜すべきかもしれない。真犯人が現れない限り、どれほど細部を詰めていっても、釈然としない感じは残るのではないだろうか。もちろんそれでも、自分たちはきちんと仕事をしたことになるかもしれないが……。

神谷は、ワイシャツの胸ポケットを手探りし、煙草のパッケージを取り出した。残念ながら、朝のうちに最後の一本を吸ってしまっていたのに気づく。どこかで煙草を手に入れないと……窓の外に目をやると、少し先にコンビニエンスストアがあるのに気づいた。看板に「酒・たばこ」の文字がある。

「悪いけど、その先のコンビニで停めてくれないか」

「何ですか?」皆川が疑わしげに訊ねる。

「煙草が切れちまった。君は何かいらないか? 飲み物ぐらい、奢《おご》るけど」

「いや、いいです」

皆川が肩を上下させる。彼に必要なのは休息と、若い恋人の体温だろう、と神谷は思った。まあ、男なんていうのは、所詮女でしか癒されないものだ。自分には縁遠くなったことだが……そう考えると、急に不快になってきた。離婚のどたばたを思い出す。まさか、十年近く連れ添った女が、あんなに冷たい本性を持っていたとは。大島への赴任が決まった後、あっさり「離婚したい」と切り出してきたのだ。理由は幾つでもある、と指を折った。仕事でミスをして、あらぬ疑いをかけられていることもそうだし——それを話してしまったのは痛恨の極みだと神谷は今でも後悔している——大島への赴任が決まったのは決定打だった、とまくしたてた。私は島へ行くつもりはないし、最近のあなたはおかしい。そういう人とは一緒にいられない、と。

何という言われようだったのか。確かにあの一件があった後、自分は理想的な夫の座から滑り落ちた——それまでも理想とはほど遠かったが。妻に愚痴、あるいは自棄《やけ》になって暴言を吐いたことも、一度や二度ではない。精神的な家庭内暴力と言ってよかった。だが妻は、離婚が神谷にどれほどダメージを与えることになるのか分かっていて、敢えてやったのかもしれない。妻は元警察官——所轄時代の同僚だ——だったので、警察官と家庭の関係をよく知っている。離婚は、一番悪い影響を与えるものだ。家庭の平和を守れない人間には、治安など守れるはずもないという、分かったような分からないような理屈が未だにまかり通っている。あの離婚で、自分の本土復帰もなくなったのではないかと神谷は疑っている。

皆川が、コンビニの駐車場へ車を乗り入れる。歩道との段差が結構大きく、ショックで体ががくんと揺れる。ドアに手をかけながら、神谷は「本当に何もいらないか？」と念押しした。皆川は無言で首を振り、ハンドルに両手を預けて背中を丸めた。

「俺はついでに一本吸ってくるから、電話するところがあったら電話したらいい」

「いや、まあ……」皆川が苦笑した。「別にいいです。ごゆっくりどうぞ」

彼女と上手くいってないのか、と訊ねそうになったが、質問を呑みこむ。本当にそうなら、他人には言うはずもない。特に、臨時のチームでたまたま一緒に仕事をしているだけの、胡散臭い人間には。

煙草を二箱買い、店を出てさっそく火を点ける。灰皿のある場所からは、自分たちの車も見えるので、そこからしばらく見守ることにした。皆川はぼんやりとした表情を浮かべたまま、どこかを見つめている。電話を取り出す気配はなかった。これは本格的に、彼女と喧嘩したのかもしれない。ろくに説明もしないまま地元を離れて、既に一週間。二人の間に何か大事な予定があったとしても、全てキャンセルになったはずだ。どうやって機嫌を取るか、頭が痛いところだろう。女に振り回されるのが普通の年頃だ。

夏が少しずつ遠ざかっている。肌が感じる気温の変化が、それを裏づけていた。ずっとワイシャツの袖をまくっていたのだが、今朝など、それでは少し肌寒く感じるようになった。上着を着ていても暑さを感じることはなく、ネクタイを締める日もすぐそこまで来ている。

携帯が鳴り出す。ディスプレイには「公衆電話」とあった。今時、公衆電話を使う人は珍しい。取り敢えず通話ボタンを押した。

「もしもし?」

「神谷さんの携帯ですか?」

「そうですが」そちらは、と問い返したい気持ちを抑えつけた。何の電話か分からないが、身元を聴かれた瞬間に切ってしまう人間もいる。そういう人間に限って、重要な情報を持っていたりするものだ。

「お話ししたいことがあるんですが、会ってもらえませんか」

「あー、それは、私の仕事と何か関係あることですか」

「だから電話したんです」

「つまり、私が何者か、分かっている？」

「分かっているから電話したんです」相手の声に苛立ちが混じった。

若い人間だな、と神谷は読んだ。二十代後半から三十代の男……皆川と同世代ぐらいだろうか。丁寧に、静かに話してはいるが、わずかな焦りが感じられる。

「話すのは結構ですが、どういう内容ですかね」

「それは、会った時にお話しします」

罠《わな》だ、と神谷は直感した。神奈川県警が何かしかけようとしている。だが一瞬の後、その推測を自分で打ち消した。いくら神奈川県警でも、積極的に罠をしかけるようなことをするだろうか。こちらの動向を観察し、動きを把握しておくぐらいのことは考えるかもしれないし、実際にそうしていた。だがそれ以上のことを計画してばれたら、墓穴を掘ることになるのだ。あり得ない。

「で、いつですか」

「できれば今からでも」

「場所によるかなあ」神谷はわざと呑気な声を出した。「こっちは今、横浜の山の方にいてね」山、というのは表現として正しくないが、神谷にすれば、港からかなり離れた内陸部のこの辺り、田園都市線の青葉台付近は「山」という感じだ。

「時間は合わせます。海の方で会えませんか？　コスモワールドとか」

あれか……確かでかい観覧車がある、小さな遊園地だ。誰かと会うには都合がいい。オープンスペースで人出も多いから、目立たないだろう。ただし、監視されやすい、という問題点もある。

「ここから一時間で行けるかな？　申し訳ないけど、こっちは横浜の土地勘があまりなくてね。今、青葉台の近くにいるんだが」

「大丈夫です。ただし、八王子街道は使わないで、保土ケ谷《ほどがや》バイパスで来た方がいいですよ。この時間の八王子街道は混みますから」

「遅れたらいなくなるのかな？」相手は地元の人間だ、と確信する。指示が細かい。

「待ちますが……」相手が少しだけ躊躇した。「できれば、一時間で来ていただけると助かります」

やはり神奈川県警の人間ではないか、と神谷は疑った。仕事場を抜け出していられる時間に限界があるとか。さて、どうしたものか。

「一人で来ていただけますか」

そうくると思ったよ、と神谷は皮肉に微笑んだ。やっぱり罠の臭いが強い。だが、もしかしたら得る物があるかもしれないと、スケベ根性も出てしまう。どうせよく分からない仕事なのだから、多少危ない所に踏みこんでも構わない、とさえ思った。

「運転手が一緒なんだけど」

「一人でお願いします」

「一人で会うだけの価値がある情報なんでしょうね」

「……そうだと思います」

断定はしない。それをどう評価するか……下手に風呂敷を広げないのは、むしろこいつが持っている情報の質が高い証拠かもしれない。

「で、どうやって落ち合う？　あんたの方で、俺を見つけるという感じかな」

「ええ」相手が少し引いたような声を出した。

「じゃあ、そっちにお任せしますよ。見逃さないように」

神谷は煙草を揉《も》み消し、車に戻った。皆川がシフトレバーに手をかけた瞬間、訊ねる。

「君、張り込みは得意か？」

2

落ち着かない場所だな、と神谷は無意識のうちに体を揺らしていた。みなとみらい地区には巨大なホテルやショッピングセンター、オフィスビルなどが建ち並んで無国籍な顔を持つ一方、街中を運河が縦横に走っているので港の雰囲気も濃いのだが、その中にあってコスモワールドは、唐突に子ども染みた気配を醸し出す一角である。園内を小型のジェットコースターが縦横に走り——神谷は蜘蛛《くも》の巣をイメージした——お化け屋敷の類もある。それらのアトラクション全てを霞ませてしまうのが、巨大な観覧車だ。輪の中央部分にデジタル時計があるので、その名も「コスモクロック21」。ここへ来る途中、皆川が急にその観覧車の話を始めたので、神谷は驚いた。だがすぐに、彼女を横浜に呼んでデートするために下調べでもしていたのだろう、と気づく。普段なら鼻で笑ってしまうところだが、この男の場合、何故か応援してやらねば、という気持ちになる。

電話してきた男は、複数ある入口のうち、「ワンダーアミューズゾーン入口」から入り、階段を降りたところにあるベンチの前で待っていてくれ、と指示した。言われた通りにしたが、居心地が悪いことこの上ない……場内にいる人間の平均年齢は、十五歳ぐらいだろう。自分の子どもと言ってもいいぐらいの若者たちに紛れていると、複雑な気分になる。おじさんは仕事で来てるんだからな、と周りに説明したくなってきた。

それにしても……よくもまあ、こんなアトラクションを作るものだ。ちらりと見た限りでは、狭い敷地を走るジェットコースターなのだが、ほぼ垂直に近い角度で水に突っこんでいくのがハイライトになっているらしい。あり得ない……そもそも神谷は高所恐怖症気味で、大島まで飛行機で行くだけで、気分が悪くなるぐらいなのだ。

悲鳴と歓声に耳を傾け、ジェットコースターの動きを目で追っていたのは、十秒ほどだっただろうか。気づくと、傍らに一人の男が立っていた。電話をかけてきた男だ、とすぐにぴんとくる。年齢は三十代半ば、小柄。ネクタイはしていないが、背広は着ている。神谷はちらりと足元に目をやった。汚れてもくたびれてもいない、普通の黒い革靴。歩き回る商売ではないな、と見当をつけた。足元から顔に視線を戻す。細い顎、小さな鼻、点のような目。全体に顔のパーツが小作りで、印象に乏しい表情である。左手に黒いブリーフケースを提げていた。

「神谷さん？」恐る恐るといった感じで切り出してくる。

「そう……あんたの名前はまだ聞いてないな」

「山田《やまだ》です」

偽名かどうか、判断しようがなかった。あまりにもありふれた名前で、偽名だとしたら工夫が足りない。

「山田さん、ね」今は取り敢えず、受け入れるしかない。本名かどうか、大いに疑わしかった。「ところで、ここは話しにくい場所だね。どうする」

「適当に歩きましょう」

適当にといっても……平日の正午過ぎなのに、園内はやけに混んでいる。ひっきりなしに歓声が上がっているので、話がしやすい環境ではない。だが山田は、場所を移す気はないようだった。

さて、こいつの本意は何だろう。県警のスパイ、という疑いは依然として消えない。だがこれだけ人が多いと、隠しマイクなども使えないはずだ。まあ、乗る振りをして適当に話を聴き出そう、と神谷は腹を固めた。そういう探り合いなら人より得意だ、という自信はある。

二人はしばし、無言で園内を歩き回った。結局、ワールドポーターズに近い正面入口近くまで来た。ここなら人の行き来が激しいので、かえって目立たないだろう、と神谷は判断した。ここも、頭上をジェットコースターのコース――淡いピンク色だ――が走っている。山田が、自動販売機を背にして立った。特徴のない顔とはいえ、さすがに緊張しているのは分かる。

「で、どういうことですか。そちらが呼びつけたんだから、そちらの話を先に聞きましょうか」

「今回の件、誰が黒幕だったか、分かりましたか」

「黒幕?」

神谷は思わず、声を上げてしまった。こいつが県警のスパイだとしたら、あまりにも不用心というか、図々し過ぎる。もちろん、「直接確かめてこい」と上司に命令された可能性はあるが。そして、次に出てくるのは賄賂《わいろ》かもしれない。背広の内ポケットから封筒を取り出し、そっと差し出す――しかし神谷の想像は外れた。山田は蒼い顔をしたまま、神谷の顔を凝視している。

「あんたは、県警の人か」

「話せません」

「そういうことを気にするのは、神奈川県警の人間だけだと思うが」

「申し訳ないですが、それについては……」

山田が一歩後ずさった。背中が自動販売機に触れて、びくりと体を震わせて前に出る。すぐに周囲を用心深く見回し、何もないと認めたようで溜息をついた。

演技ではないな、と神谷は確信した。となると、この怯えようは……本物の内通者かもしれない。県警の中にも、自分たちのやり方が間違っているのでは、と疑問に思っている職員がいるだろう。本当にそうだとしたら、神谷としては願ってもない展開だ。これからどれだけ県警関係者に事情聴取をしても、結局真相は明らかにならないだろう、という諦めがある。事件からかなりの時間が経っているし、自分たち警察庁の調査班が入ることは事前に分かっていたのだから、口裏合わせをする余裕は十分にあったはずである。

「分かった。これ以上余計な質問はしない」今はな、と神谷は自分に言い聞かせた。

「君の話を聞くよ」

「ありがとうございます」まだ顔色は蒼かったが、山田はひとまずほっとした表情を浮かべ、頭を下げた。

「黒幕が誰か、あんたは分かってるのか」

「概《おおむ》ね」

「概ね？　何だか中途半端な話だな」神谷の期待は、早くも萎《しぼ》み始めた。まあ、そんなことではないかと思っていた……殺人事件の捜査であっても、誰が決定的な役割を果たしたかは結局分からないことが多いのだ。もちろん最後には、捜査本部長である所轄署の署長なり捜査一課長のゴーサインが出ないと犯人逮捕には至らないのだが、神谷が知りたいのは、「柳原が犯人だ」という総意が、「どの時点で」「誰によって」形成されたかである。最初に声を上げた人間、それを推した人間、意図的な裏づけのために証拠を集めた――あるいはでっち上げた――人間がいる。誰がどんな役割を果たしていたのかを全て割り出さないと、真相は闇の中から出てこないだろう。そして今のところ、県警側から具体的な供述は得られていない。

「いや、柳原犯人説を強力に推進した人は分かっています」

「誰だ？」

「一課の重原《しげはら》管理官は、もう調べましたか？」

「いや、まだだ」

「当時、捜査本部を実質的に動かしていたのは重原管理官です」

「それは知っている。重原管理官は、どういう理由で柳原犯人説を推したんだ?」

「柳原が以前起こした事件がありましたよね。その時、所轄の刑事課長で事件を担当したのが……」

「重原管理官か」

山田が素早くうなずいた――なるほど、筋は通る。

刑事と容疑者にも、相性のようなものはある。例えば、取り調べを通じて、いつの間にか本音を通い合わせることのできる容疑者もいるのだ。そういう容疑者に関しては、後々面倒も見たくなる。反省し、刑に服して社会復帰すれば、仕事を探してやるような刑事もいる――昔は、そういうことも珍しくなかったそうだ。だが中には、嫌な印象しか残さない容疑者がいるのも確かである。柳原がそういうタイプであろうことは、たった一度面会しただけの神谷も確信していた。婦女暴行事件という犯罪を巡って、長い間柳原とつき合い続けた重原が、露骨な嫌悪感を抱いたとしてもおかしくはない。むしろそうなるのが当然だろう。

「柳原は、重原管理官が以前調べた容疑者だ。しかも当時、さほど反省した様子も見せなかった、という感じだったんでは?」

「その通りです」山田が顔を上げる。顔色はようやく、普通に戻っていた。

「当時、この事件に関しては、早く解決しなければいけないというプレッシャーが高まっていた。その中で、重原管理官には、容疑者にでっち上げられる人物の心当たりがあった、ということなんだな」

「そうだと思います」

伝聞か……しかし実際に伝聞なのか、話を曖昧にしているかは分からない。山田という男が神奈川県警の警察官だったとしても、三年前の捜査に参加した刑事なのか、それともまったく関係ない部署の人間なのかによって、事情は違うだろう。ただ、関係ない部署の人間だったら、こんなことはしないのではないだろうか。

「我々の仕事は、あんたを守ることでもあるんだよ」

山田が神谷の顔を凝視した。

「あんたが警察内部の人間で、勇気を奮って情報提供してくれているなら、絶対に守る。間違っているのはシステムの方で、あんたの行動は正しいんだ」

「難しいことはあると思います」

「神奈川県警が、正面から警察庁と喧嘩すると思うか？　最後は引っこむしかないんだよ」自分が中央官庁の威を借りて権勢を張っているだけのような気がして、情けなくなってくる。だが今は、何としても山田を安心させなければならない。「これからのことは心配するな。だいたい神奈川県警も、あんたを尾行するほど暇じゃないはずだ」

山田が素早く頭を下げた。必ずしも納得したわけではないようだったが、多少は安心できた様子である。

「今日は、この辺でいいですか？」

「顔つなぎは、これで十分だ。ただ、あんたの連絡先だけは教えてもらわないと困る。一方通行は嫌いなんでね」

「それは……」

証拠が残るような連絡方法は困る、か。神谷は策を巡らした。

「だったら毎日一回、定期的に電話を貰うというのはどうだろう。そうすれば、あんたがくれた情報について話ができるし、無事も確認できる」

「無事」という言葉を聞いたせいか、山田の頬が引き攣った。余計なことを言って怖がらせた、と反省する。もしかしたらこの男は、まだ二十代なのかもしれない。不況が続く時代、せっかく手に入れた安定した仕事を手放すのはたまらない、と考えても不思議ではない。

「……それでいいです」

「俺の方からどうしても連絡を取りたい時は、どうしたらいい？」

「それは……」山田が唇を舐める。冬でもないのに乾いてひび割れた唇は、ひどく痛そうだった。「メールで……改めてメールアドレスを取ります」

「フリーメール？」

「ええ」

神谷はうなずいた。フリーメールの持ち主を追跡するには、かなりの手間がかかる。取り敢えず山田とつながる手段としては、悪くない。

「分かった」神谷は名刺を渡した。「取り敢えず今日中に一回、俺にメールをくれないか。あんただと分かるように、最初に合い言葉みたいなものがあるといいんだけど」

「ＫＫＫでどうですか」

「それは何だ？　あんた、クー・クラックス・クランの人間じゃないだろうな」

「クソッタレ・神奈川・県警」初めて山田がにやりと笑った。一礼すると、すぐに神谷の前を立ち去る。

おいおい、こいつはかなり強烈だぞ、と神谷は呆気《あっけ》に取られた。自分の職場をそこまで悪し様に言うとは……逆にこちらとしては、情報提供者として利用しやすいかもしれない。もしかしたら山田は、警察を辞めることも決意しているかもしれない。背水の陣ならば、包み隠さず話してくれるはずだ。

神谷はその場に立ち尽くしたまま、周囲を見回した。視界の隅に、皆川の姿が映る。まったく気づかなかったな……張り込みの腕に関しては合格だ。これから、尾行のテクニックも見せてもらおう。

3

午後四時を過ぎても皆川から連絡が入らず、神谷はさすがに心配になってきた。こちらからも何度も電話を入れているのだが、返事がない。まさか、厄介なことに巻きこまれているのでは……皆川が山田を尾行していることは、他の人間には話していない。いい加減な情報を伝えるわけにはいかないのだ。あの男がもたらした情報が使える物かどうかはっきりさせるには、どうしても山田の身元の確認が必要である。神奈川県警の警察官だとしたら、情報の確度は高くなるだろう。ただしその場合、罠の可能性も真剣に考えなければならなくなるが。

もう一度電話をかける。反応なし。神谷は思わず立ち上がった。焦っている気配に気づいたのか、永井がちらりとこちらを見る。事情を話そうと口を開きかけた瞬間、ドアが開いて皆川が飛びこんで来た。顔が光るほどに汗をかいている。

「どうした！」神谷は思わず怒鳴ってしまった。

皆川が大きく息を吐き、「すみません」と頭を下げる。顔を見た限り、トラブルがあった様子ではなかった。単に「参ったな」という表情を浮かべている。神谷はうなずきかけ、冷蔵庫からミネラルウォーターのペットボトルを取り出して放ってやった。勢いよくキャップを開けた皆川が、一気にボトルを傾ける。溢れた水が喉に伝い、慌てて口元を手で押さえた。眼鏡を取ると、二の腕で額の汗を拭う。

まだ、他のメンバーに聞かせるわけにはいかない。神谷は部屋の片隅に皆川を誘い、事情を聴いた。

「どうしてこんなに遅くなったんだ？　別れてから四時間も経ってるぞ」

「すみません」皆川がもう一度頭を下げる。「奴《やっこ》さん、ずっと動き回ってたんですよ。こっちも、電話をドライブモードにしてましたし」

「最終的にどこへ行った？」

「家です」

「家？」

「ええ……自宅は」皆川が手帳を広げた。「相鉄線の天王町《てんのうちょう》駅の近くですね」

「どの辺なんだ？」聞き覚えのない駅名だった。

「ここから遠くないですよ」

「表札は？」山田が本名かどうかも気になる。

「ありませんでした。一人暮らしだと、表札を出さない家もあるでしょう。自分もそうですけど」

「そうか……で、家に帰るまでは？」

「あちこちを回って時間を潰していたんです。暇なんですかね……あの後、ワールドポーターズでメキシコ料理のバイキングを食って、みなとみらいのショッピングセンターをぶらぶらして、一時頃から映画です」

ちょうどその頃、連絡がないのが心配になって何度も電話をかけていたのだ、と思い出す。映画館にいたなら、電話には出られない。

「映画は二時間ぐらいで終わって、そのまま家に帰りました。見届けてから戻って来たんです」

「そこから連絡してくれればよかったのに」

「すみません」

皆川の顔が瞬時に曇った。警察官として一番大事な「報告」を忘れていたことに、今更ながら気づいたのだろう。だが神谷は首を振って、彼を責める気はない、という意思を示した。家が分かっただけでも収穫である。

「警察官だとして……今日は非番だったのかね」

「そうでしょうね」

「家はどんな感じだった?」

「普通のマンションです。いかにも独身の男が住みそうな」

皆川が携帯電話を取り出し、マンションの写真を見せた。確かに……何の変哲もない、五階建てのマンションである。おそらく部屋はワンルームか、1DK程度の広さだろう。二枚目の写真は、玄関ホールにいる山田の姿を捉えていた。郵便受けから何か荷物を取り出している。ということは、ここが山田の家なのは間違いないだろう。

「よし。ひとまずOKだな」

皆川が安堵《あんど》の息を漏らした。それを見て、少しだけ意地悪な気分になる。

「今日のところは、だぞ」

「え?」

「まだこいつの正体が分かったわけじゃない。明日の朝からまた張り込みと尾行だ。それは、君の仕事だぞ」

「自分が、ですか?」皆川が自分の鼻を指差した。

「乗りかかった船だろうが。ま、これから理事官に報告するから、最終的に判断するのは俺じゃないけどな」

神谷は全員を集め、山田という男について説明した。メンバーは、最初は疑わしげに聞いていたが、説明が続くにつれて表情が真剣になってくる。神谷は、島村に視線を向けて確認した。

「重原管理官に対する事情聴取がまだでしたね」

「ああ」腕を組んだまま島村が答える。

「聴取予定はあるんですか」

「リストには載ってる。ただ、いつ呼ぶかはまだ決めていない」

「少し待ちませんか。山田の情報を吟味してからでもいいと思います」

「ちょっと待って下さい」凛が手を挙げた。「その情報は信用できるんですか?」

「タレコミとか内部告発なんていうのは、だいたいこういう感じだよ」神谷は軽くやり過ごした。「こっちが予想もしていない時に、とんでもない話が出てくるんだ」

「話がうま過ぎると思いませんか」

凛が立ち上がった。テーブルを挟んで神谷と向き合う格好になる。それにしても……と神谷は感心した。親はよく、こんな名前をつけたものだ。そして、名前の通りの女性に育ったのは、いいことなのか悪いことなのか。一本筋の通った物腰なのは間違いないが、一歩間違えば喧嘩腰、とも取れる。刺々しいその態度の原因が名前、というわけではないだろうが。

「そうかもしれない」

「簡単に乗っていいんでしょうか」

「それは、これから調べないと何とも言えないな」神谷は肩をすくめた。「例えばこれが罠であっても、俺は別に構わないと思う。引っかからないように気をつければいいだけなんだから。それに、警察庁に上げる報告書に書く内容が増える。その方が、何かと処分しやすくなるんじゃないですか、理事官」

　話を振られ、永井がのろのろと首を振った。これ以上話をややこしくして欲しくない様子だった。まったく、何なんだ……永井は、いったいどうしたいのだろう。この一件は、絶対平穏には終わらないはずなのに。そう考えると、警察庁のどのレベルで今回の調査のアイディアが出てきたのかも、謎に思えてくる。キャリアの連中の間には、暗黙の了解で絶対最高の原則があるはずだ——無難。間違いなくそれを破るプロジェクトを、いったい誰が推進したのか。

「まあ……」永井が手元の書類に視線を落とした。視線が彷徨う。明らかな時間稼ぎだ。

「神奈川県警が妙な工作をしようとしているなら、報告書のページが増えるのは間違いないでしょうね。それをどう利用するかは、上が決めることです。取り敢えず、この山田という男の動向調査と、情報の精査はすべきでしょうね」

「重原を攻める材料になるといいがね」島村が話に加わってきた。「ところで柳原の方は、どんな感じで？」

「嫌な奴ですね」

　神谷が指摘すると、島村と桜内が「分かっている」と言いたげにうなずく。この二人はベテランだから、それだけで柳原がどういう人間なのか、察したようだ。凜は相変わらず怒った様子である。一度会っただけで人間の印象を決めるな、とでも言いたいようだった。

「嫌な奴でも、あんたがこれから担当して話を聴かなあかんよ、神谷警部補。次に会う時は、まず重原のことを確認した方がええな。昔からの因縁があるなら、柳原の方でも感じることがあるやろ」

「そうですね」柳原と会うのは、正直気が進まない——生理的嫌悪感は否定しようがない——が、これは仕方がない。島村の言う通りで、柳原と重原の関係は解き明かしておかねばならないことだ。

「こっちの事情聴取でも、重原の周辺の人間に探りを入れてみるわ」島村が右の掌を真っ直ぐ伸ばして、すっと前に出した。何かを切り裂き、前に進む仕草。

「お願いします……理事官、この山田という男に対する調査は進めてもいいですね？」

神谷は念押しした。

「そうですね……取り敢えず、情報の真贋《しんがん》は確かめないと」

「では、明日の朝から監視をつけます。それは皆川にやってもらおうと思いますが……俺もやりますけどね。まず、本当に県警の人間なのかどうか、確かめます」

「分かりました。その件はお任せします」

「理事官、もう少し気合いを入れませんか？　柳原を陥れた中心人物が重原だと分かれば、後は枝葉末節ですよ？　県警がどんな風に捜査の筋を曲げて行ったかは、だいたい分かっている。問題は、誰がそれを推進したか、でしょう」

「そうですね」

「だから——」なおも攻めようとして、神谷は口をつぐんだ。言い過ぎだ。仮にもこの男はキャリアであり、自分たちとは別のレイヤーに生きている。深くかかわらないのが暗黙のルールなのだ。「とにかく、山田の情報の確認を進めます」

打ち合わせは、どこか尻すぼみのまま終わった。何となく釈然としなかったが、これがこのチームの色なのだ、と神谷は自分を納得させた。寄せ集めなのだから、まとまらないのも仕方がない。永井には、もう少しリーダーシップを発揮してもらいたいのだが。

打ち合わせをしている間に、山田からメールが来ているのに気づいた。誰でも取れるフリーのメールアドレス。そして書き出しの「ＫＫ」——打ち合わせ通りだ。パソコンから「受領しました」と返信しておいてから、皆川に石井弁護士とつないでもらう。柳原に直接突っこむ前に、彼にも探りを入れておきたかった。

「重原さんね」電話の向こうで、石井は鼻を鳴らした。「柳原さんから、いろいろと悪口は聞いてますよ」

「なるほど」

「前の事件の時に、散々いたぶられた、と言ってます。性犯罪を嫌うタイプだそうですよ。それはそれで結構なことだけど、かなり強引な取り調べをやる人らしい」

「前回の件には、問題はなかったと思いますがね」

「まあね。ただ、その時の印象を残したままで今回の事件に取り組んだとしたら、どうしても偏見や先入観が入りこむでしょう。上手いやり方じゃないですね」

「あー、まあ、仰る通りかな」自分のやり方を否定されているような気分になったが、仕方がない。

「とにかく、でっち上げの張本人はあの人じゃないんですか？　現場の責任者だったんだし」

「そちらは、具体的に何か摑んでいるんですか？」

「いや、そういうわけじゃないけど」それまで勢いこんで話していた石井が、急に勢いを失った。「こういう時は、現場責任者が一番怪しいんじゃないですか」

「まあ、問題が起きた時に戦犯と呼ばれるのは、こういう人たちですよね……後でまた、柳原さんにお話を伺います。今回の事件で、直接重原管理官と接触があったかどうかは、重要なポイントだと思いますよ。ところで、柳原さんのその後の様子はどうですか」

「今は落ち着いてはいます」

「退院の目処《めど》は？」

「数日後には。もう、体調的にはほとんど問題ないんですけど、この後どこへ住むかが決まってないんですよ」

「実家は助けてくれないんですね？」

「完全に絶縁状態だから、無理でしょう。まあ、こちらで安いアパートでも探しますよ。仕事もね」

大変ですね、と言おうとして言葉を呑みこむ。この男を慰労するのも、筋が違う感じがした。調査の重要なパートナーとも言えるのだが、何となく胡散臭い印象が拭えない。功を焦っている感じもするし……今は上げ潮に乗っている状態だから、どんどん攻めていきたいところだろうが、その前のめりの姿勢がどこか鬱陶しい。

電話を切り、溜息を漏らした。依然として、警察庁の狙いが分からないのも気になる。誰を処分したいのだろう？　この件をずっと調査していくと、神奈川県警の中で最終的にゴーサインを出したのは誰か、という問題に突き当たる。キャリアである刑事部長や本部長は、どの時点でこの情報を知ったのか。止めようとは考えなかったのか。おそらく警察庁は、この二人を守ろうとするだろうが……二人が深く関与していたという事実でも出てきたら、自分たちはどうすればいいのだろう。ここで忖度して情報を握り潰す？　警察庁に報告を上げてから、なかったことにされるのも馬鹿馬鹿しい。

だがそこは、自分が心配することではない、と思い直した。上は上、自分は自分。分かった事実は報告書に全部盛りこめばいい。情報をどう利用するか決めるのは、結局警察庁なのだ。こっちはせいぜい、ご褒美の本土復帰を夢見ておくか。

問題は、本土に戻りたいのかどうか、自分でもよく分からなくなってきたことだった。

横浜に来て十日が経って、ようやく普通に呑みに行く余裕ができた。落ち着いて酒を呑むのはいつ以来だろう……相手は桜内。たまたま空いていたからなのだが、酒を呑む相方としては非常にいい、ということがすぐに分かった。桜内は、いつの間にか横浜市中心部の呑み屋を調べていたようで、神谷を案内してくれた。ウィークリーマンションの近くにある昔ながらの居酒屋で、雰囲気がいい。傾きそうな一軒家の一階が店で、当然のように全面喫煙可。カウンターの上には料理が並び、そこから適当に選べばつまみになる。

少し冷えこんできたので、ビールは最初の一杯だけにとどめ、すぐに日本酒に切り替える。ぬる燗《かん》の喉越しが心地好く、神谷は季節の移り変わりをはっきりと感じていた。客が少ないので、カウンターではなくテーブルに陣取る。桜内は、少し酔いが回ってくると、すぐに不安を打ち明けた。

「この件がどうなるか、ちょっと心配なんですよ」

「右に同じく、だな」神谷はアサリのぬたを口に運んだ。酒が進む濃い味つけである。

「神谷さん、何か言われてるんですか」

「何かって」

「条件とか」

「ああ」神谷は箸を置き、煙草に火を点けた。「異動はあるかもしれないな」

「こっち……本土へ、ですか」

「最初に、そういう風には言われた。ただし、どういう結果を出したらそうなるのかが、分からないんだ」刑事部長の誘い文句は幻だったのではないか、と疑い始めてもいる。その後、警視庁の人間からは、人事に関して何も連絡がないし……まあ、今の段階では何も言えないだろうが。

「神谷さん、こっちでは損な役回りを引き受けたんでしょう」桜内が、ぐい呑みを宙に浮かしたまま言った。

「……知ってるのか」

「うちは、お隣ですからね」

「ああ」

「一人だけの責任にするっていうのはどうなんですか」

「いや、俺の責任なのは間違いないから」自分だけのミス。周りは関係ない。

「それでいきなり島流し……失礼、離島に異動っていうのは、性質《たち》が悪いな。普通、段階を踏むでしょう」

「別に馘になったわけじゃないし、どうでもいいよ。大島も悪くないぜ」

「失った物も多いんじゃないですか」

こいつは……神谷は忙《せわ》しなく煙草を吸いながら、桜内の丸い顔を凝視した。答えにくいことを堂々と聞いてきやがって。一瞬怒りがこみ上げたが、深呼吸して肩を一度上下させると、自然に引っこんでいった。この程度の怒りをコントロールする術は、とうに身につけている。

「ま、人生は色々だから」

「そんなに簡単にまとめていいんですか?」桜内が食い下がる。

「ヘマしたのは俺なんだぜ。誰かに責任を転嫁できるわけじゃない」何だか言い訳めいているな、と思った。それも逆の言い訳だ。自分を助けるためではなく、貶《おとし》めるための言葉になってしまっている。

「あの事件、その後どうなったんですかね」

「分からない。今でも特捜が追いかけているはずだけど、俺のところには情報が入ってこないから」

「気になりませんか?」

「大島は大島で、それなりに忙しくてね」やることはある——ぼんやりと釣り糸を垂れるとか。

「神谷さん……」桜内が溜息をついた。「おとぼけって、結構疲れませんかね?」

「誰がとぼけてるって?」

桜内が神谷の顔を凝視した。意外に目つきが鋭く、こちらの本音を抉り出そうとしているようだった。だがふいに表情を崩し、「すみませんでした」と謝る。

「何だよ、いきなり」

「言い過ぎました。あれはあくまで、警視庁さんの仕事ですからね。埼玉の人間がとやかく言うことじゃない」

「まあな」

神谷は、もう一度肩を上下させた。思っていたよりも身構えていたのだと気づく。まったく、埼玉県警の人間に突かれただけで、こんなに緊張してしまうとは情けない。

「とにかく、この件が上手くまとまれば、戻れるんでしょう?」

「どうかなあ。戻っても、特にいいことがあるとは思えないし」神谷は煙草を灰皿に押しつけた。

「そうですか?」

「そんなもんだよ。だいたいもう、忙しい仕事についていけるかどうかも分からない。のんびりしたリズムに慣れちまった」

「島はそんなに暇なんですか?」

「暇だな」神谷は認めた。先ほどの「それなりに忙しくて」と矛盾する発言だと気づいたが、訂正する気にもなれない。「あんな所で何かしでかそうなんて考える、悪い奴はいないよ。だいたい――」

携帯が鳴り出して、神谷は口をつぐんだ。ズボンのポケットから取り出すと、０９０から始まる番号が浮かんでいる。それが誰からなのか、すぐに分かった。二年半も経つのに、まだ覚えているのが意外だった。

「悪い、知り合いから電話だ」神谷は立ち上がった。

「どうぞ」桜内が出入り口の方に手を差し伸べ、煙草をくわえた。

神谷は通話ボタンを押しながら、店を出た。外はざわざわとした小さな繁華街で、酔漢の姿が目立つ。変に絡まれないようにと、神谷は店の外壁に背中を押しつけるようにして歩道と距離を取った。

「神谷さんですか?」

「お前、この番号、どこで知った?」

「それぐらいは調べられますよ」

「一応、機密の仕事なんだけど」

「機密?　警視庁の中では、誰でも知ってますよ」

警察の中には秘密はないのか、と神谷は苦笑した。まあ、そんなことはどうでもいい……懐かしい声を聞いて、少しだけ心が和んだ。

「元気だったか」

「おかげさまで。神谷さんは？」

「だらだらやってるよ。島では疲れることなんか何もないからな」つい、嘘をついた。「何もしないから疲れる」こともあるのだ。仕事に追われる毎日を送っていたのが、急にがらりと変わってしまうと、気持ちが空回りするばかりで疲労が蓄積される。

「今、横浜ですよね」

「ああ」

「どんな感じなんですか」

「何とも言えないな。まだ見通しは立ってない」

ふと、今の自分に必要なのはこの男ではないかと思った。警視庁捜査一課強行犯捜査第二係巡査部長、天野《あま》大《のまさる》、通称マサ。あの事件が起きた時には、所轄の刑事課から上がってきて二年が経った、三十歳の若手だった。かつての右腕。何も言わずともこちらの考えを読んで動き、背中を預けられる男。

そう、実際に命を救ってもらったことがある。

あれは、天野が捜査一課にきて一月もたたない時だったか。神谷たちは、強盗傷害事件の犯人逮捕に駆り出された。凶暴な男であり——それまで三件の事件を重ね、そのどれもで被害者に重傷を負わせていた——徹底して警戒していたにもかかわらず、向こうの動きは神谷たちの予測を上回った。路上で尾行して声をかけ、取り押さえにかかったところで、いきなり隠し持っていたナイフを抜いたのだ。刃が一閃《いっせん》した次の瞬間、神谷は腕に鋭い痛みを感じて棒立ちになってしまった。腕を伝う生暖かい血の感触を、今も覚えている。一瞬、刃物を構えた犯人と一人きりで対峙する格好になり、神谷は死を覚悟した。その時、横から飛び出した天野が、犯人の膝に蹴りを入れ、ぐらついたところで神谷と犯人との間に立ちはだかって壁になってくれたのだ。

一瞬遅れて、他の刑事たちが殺到し、犯人を制圧した。あの時、天野が飛びこんできてくれなかったら、どうなっていたか分からない。

今風の、軽いところも目立つ男なのに、いざという時には頼りになる。しかも、自分を慕ってくれてもいた。こういう人間には、滅多に出会えないものだ。その幸運を、神谷は自ら手放してしまった。

「あの……今、忙しいですよね」

「何だよ、マサ」神谷は思わず頬が緩むのを感じた。「お前、いつからそんな風に遠慮するようになった」

「いや、状況が状況ですから。それに神谷さん、警察庁に出向中なんでしょう?」

「便宜的なものだよ。で、どうかしたのか？　わざわざご機嫌伺いで電話してくるほど、お前も暇じゃないだろう」

「会えませんか?」天野が切り出してきた。「自分、そっちへ行きますよ。横浜を離れにくいでしょう?」

「まあ、そうだな」勝手に管内を離れてはいけない、というのは警察官の常識である。本当は、仕事をしていない時間にどこにいようが、関係ないのだが。特にこの仕事は、あくまで臨時、特別なものであり、普段の警察官の常識に縛られることもあるまい。

「そっちへ行きます」天野が繰り返した。

「いいけど、もう遅いぞ」

「構いません……神谷さんがよければ」

神谷は縄のれんを持ち上げて、ちらりと店内を見た。桜内はのんびりと煙草をふかしながら、酒を呑んでいる。まあ……この男の追及から逃れるために、天野を利用するのもいいだろう。「後輩が訪ねて来るからこの辺で」というのは、切り上げるのにいかにも適した言い訳だ。

「分かった。お前、横浜辺りには詳しいか?」

「たまに行く店が何軒かあります」

神谷は腕時計を確認した。今、八時過ぎ。これからあいつが横浜まで来て落ち合うとしたら、九時を過ぎるだろう。今夜は遅くなるが、まあ、それは構わない。誰が待っているわけでもないし。

「得意のパブか？」天野はイギリス風の店を好んでいる。「お勧めの店があるなら、つき合うぜ」

「いや、今夜は酒はやめておきましょう」

「素面《しらふ》じゃないとできない話でもあるのか？」

「そういうわけじゃないですけど、何となく……」

緊張しているな、と思った。天野のことだ、会うなら呑める店で、とくると思ったのだが……落ち合う場所を確認し、神谷は店に戻った。桜内が怪訝そうな表情を浮かべて出迎えたが、神谷は笑みを消せなかった。

「後輩がこっちに来ることになってね」

「あ、そうなんですか」

「悪いけど、出なくちゃいけない」尻ポケットから財布を抜いた。

「慌ただしいですね」桜内も煙草を揉み消して立ち上がった。

「申し訳ないな。今度また、ゆっくり」

「ええ」あまり気のない様子で桜内がうなずく。

桜内もそろそろ切り上げ時だと思っていたかもしれない。このチームには「芯」がない。目的ははっきりしているのだが、それだけで初対面の人間同士が強固な絆を結べるものでもなく、つき合いは上辺だけになる。今夜は、関係を深めるいい機会だったかもしれないが、途中から面倒になった。寄せ集めは所詮寄せ集めということか。

自分たちがどこへ向かおうとしているのか、この調査が終わった後でどうなるのか、神谷にはまったく想像もつかなかった。

4

横浜に不案内な者同士が落ち合う場所となると、やはり横浜駅になる。巨大な駅だが、行けば何とかなる、と神谷は高をくくっていた。甘かった。場所を指定したのは自分の方なのに、結局遅刻してしまった。先日西口に行った時には、チェーンの呑み屋しか見当たらなかったので、東口に隣接する横浜ポルタの地下を選んだ。東口から地下へ潜って行くだけなのですぐに分かると思っていたのだが、とにかく広い。待ち合わせ場所の喫茶店を見つけた時には、約束の時間に五分遅れていた。

天野は店の外で立っていた。変わらぬがっしりした大きな体型。軽く手を挙げ、小さく笑みを浮かべる。やはり緊張しているようだ、と神谷は見て取った。それも理解できないではない。警視庁にとって、俺は今でも扱いにくい人間だろうし……こんな男と会っているとばれたら、天野の立場も悪くなりかねない。そう考えると、誘いに乗ってここへ来てしまったことを後悔した。まだ若い天野は将来のある身である。ここまで大きな失点もない。

　俺とは違うのだ。

「よ」神谷は意識して軽く声をかけた。「元気そうじゃないか、マサ」

「おかげさまで」天野が丁寧に頭を下げる。

　こういう所はまったく変わっていないな、と神谷は感心した。堅苦しいわけではないが、礼儀正しい。

「どうする？　飯は食ったのか」

「ええ、まあ。神谷さんは？」

「お前が電話くれた時、呑んでたんだよ」

　天野の右の眉毛だけが上がった。

「別に珍しくもないだろう。同じチームの仲間と呑むことぐらいはあるよ」

「上手くやってるんですね？」

「どうかな」肩をすくめた瞬間、神谷は自分がもう酒を呑みたくないのだ、と気づいた。先ほどもそれほど呑んだわけではないのに、もういっぱいだ、という感じがする。いまはむしろ、正気を保つために目覚ましが欲しかった。そして目の前にはコーヒーショップ。酒抜き、という話にしておいてよかった。

「お茶でいいな？」

「ええ、自分もその方がありがたいです」

時間も遅いので、コーヒーショップに客は少なかった。コーヒーを買うと、神谷は迷わず喫煙席に向かった……煙い中で座った瞬間、「お前、禁煙してないだろうな」と天野に念押しする。

「もちろん」天野がにやりと笑って、ワイシャツの胸ポケットから煙草を取り出した。

「よし、同志としてこれからも頑張ろうじゃないか」

天野が嬉しそうにうなずく。喫煙者が少なくなっている今、自分たちは団結する必要がある、と神谷は常々思っていた。二人とも一服して落ち着くと、神谷は先に切り出した。

「で、どういう風の吹き回しだ？　俺と会うのは、禁止されてるんじゃないのか」

「そんなこと、ないですよ」強い口調で天野が否定した。「神谷さんの被害妄想じゃないですか。別に、誰も何とも思ってませんから」

「そうかね。だったらどうして俺は大島にいるんだ？　懲罰人事以外の何物でもないだろう」

「自分は、そういうことは分かりませんけど……」天野の顔に戸惑いが浮かぶ。

「いきなりこういう話はやめようぜ」しかし二人の間には、今は「こういう話」しかない、と分かっている。共通の経験があまりにも強烈過ぎた。もちろん主役は自分であり、天野は直接関係していないのだが。

「……すみません。余計なことはしない方がよかったですかね」

「いや、お前が連絡をくれたのは嬉しかったよ。完全に見捨てられたんじゃないと思えば、気も楽になる」

「見捨てるわけないじゃないですか。それは、神谷さんの思いこみです」

「意味が分からないな」神谷は首を傾げ、煙草を灰皿に打ちつけた。この手のコーヒーショップの灰皿ってやつは……あまりにも小さ過ぎて、吸殻を三本も入れると満杯になってしまう。

「だから……とにかく、今回どうしてこの調査に入っているか、分かってないんですか」

「分からない」ゆっくり首を振る。「いきなり刑事部長から電話がかかってきて、ろくに説明もなかった」

「神谷さんを何とか本土に戻したいと考えている人がいるからですよ」

「誰だよ」そんな人間がいるわけがない。自分はどうでもいい中間管理職の一人に過ぎず、本庁ではとうに忘れられた存在だと思っていたから。

「それは……自分の口からは言えませんけど」

「それじゃ、本当かどうか、分からないじゃないか」

「神谷さんなら、とうに割り出してると思ってましたけど」天野が顔をしかめる。

「そんなことしてる暇はないよ」

「そうですか」天野が下唇を噛み締めた。

どうしてそんなに悔しがる？　神谷は頭の中で疑問を転がしながら、コーヒーを啜った。

「考えてみてもいいんじゃないですか」天野は少しだけしつこかった。

「何を」

「誰が神谷さんをここへ押しこんだのか、何をさせたいのか」

「考えても仕方ないことだな」まさに自分が感じている疑問ではあるのだが、どうして天野がむきになっているのか、さっぱり分からなかった。

「しっかりして下さいよ、神谷さん！」

思いもよらない強い口調。言った天野も神谷も、言葉を失ってしまった。二人は顔を見合わせ、互いに弱い笑みを零した。天野が「すみません」と謝る。

「で、お前は誰の特使で来たんだ？」

「……ばれてました？」

「当たり前だ。俺も、大島でのんびりさせてもらってるけど、勘まで鈍ったわけじゃないぞ」そうであって欲しい、と願いながら言った。

「じゃあ、メッセージを伝えます」天野が煙草を揉み消し、すっと背筋を伸ばした。「この事件の真相を探ることで、お前は失った物を手に入れる」

「何だ、それ？　ＲＰＧの呪文か何かか」

「茶化さないで下さい」天野はあくまで真顔だった。「この事件……自分たちの事件と似てるじゃないですか」

「ああ」それは認めざるを得ない。

「だから、神奈川県警の事件の真相を割り出せば、警視庁の方も——」

「それとこれとは関係ない」神谷は天野の台詞を最後まで言わせなかった。周囲を見回す。少ないとはいえ他の客もいるので、きな臭い話はまずい。背中を丸め、声を低くした。「それとも何か、お前は二つの事件の犯人が同じだとでも言うのか」

「実は自分、考えていることがあるんです」天野の表情は深刻だった。

「何だ」神谷は真面目に耳を傾ける気になった。天野はまだ若手だが、初めて会った時から、勘の鋭さには気づいていた。

「こっちの事件ですが、最後の一件が起きたのは二年半ほど前……二〇一一年の二月でしたよね？　柳原が逮捕されたのは、その年の四月」

「何がいいたい？」

天野が唇を引き結んだ。神谷は一瞬、この男の勘も鈍ったのだろうか、と疑った。東京の事件も、柳原が起こしたと言いたいのか？　あり得ない。自分たちの仕事を全面的に否定するようなものだ。

いや……神谷たちは最初からその前提に立って動いていたのだが、それが絶対だった保証はない。無罪判決は出たが、判決が真理を反映するものではない、というのは自明の理である。つまり、もしも柳原が東京の事件の犯人だったら、もう一度裁く機会が与えられるわけだ。神奈川の事件はあくまで神奈川の事件。東京の事件は別件と捉えられ、一事不再理の原則は適用されないだろう。

「真面目にそう思ってるのか」

「可能性ゼロとは思えないんです。手口もよく似てますし……」

「当時は、そんな話にはならなかったな」反論しながらも、確かに共通点はあると思った。

「神谷さんは、今まで考えたことはないですか」

「どうかな」神谷は曖昧に答えた。

「今はどう思います？」

「残念ながら、お前の勘を買うわけにはいかない。俺は基本的に、柳原はやっていないと思う。県警の捜査は、雑で穴だらけだった」

「そうですか……自分はまだ疑ってますけどね。単に県警の捜査が杜撰だっただけで、犯罪事実がなかったとは断言できないと思いますよ。もう一度、柳原が東京の事件を起こした可能性もあるという前提で調べてみたらどうですか？」

「あー、それはちょっと筋が違う」神谷は新しい煙草をくわえた。「東京の事件だったら、お前たちが——警視庁の人間が調べるべきだ。俺は今、その件には直接タッチできない」

「神谷さんも官僚主義なんですね」

「何しろ今、身分は警察庁職員だからな」

二人は軽い笑いを交わしあった。ふと、ずっと心を縛っていた緊張感が解けていくのを感じる。十歳以上も年齢の違うこの男が、自分にとっての精神安定剤になっていたのだ、とつくづく思う。人間関係は様々だ。この男のように、どんなに真剣に話していても相手をリラックスさせられる男がいる一方、凜のように、意識してか知らずか人間関係を緊張させてしまう人もいる。彼女のあの刺々しさの原因は何なのだろう……何かを背負っている。そして消化できていない。

影を背負った時、どう対処するかは人それぞれだ。泣き叫ぶ、誰かに愚痴を零す、「苦難を乗り越えるために」というようなマニュアル本を読む、忘れた振りをする……どうしようもなければ壊れる。神谷は忘れた。何もなかったことにして、呑気な毎日を送っている振りをしている。凜は壊れたのかもしれない。あるいは怒る演技をすることで、悲しみを忘れようとしているのか。

「それより、さっきのメッセージ、誰からなんだ?」

「まだ分かりません?」天野がコーヒーを一口飲んだ。

「クイズはやめようぜ。昔から苦手なんだ」

「橋元《はしもと》管理官に決まってるじゃないですか」

「橋元さんか……」神谷にすれば、懐かしい名前だった。

「今、警務部付きなんです」

「どういうことだ?」その情報は見逃していた。本土にいた頃の神谷は、人事の情報には人並みに気を遣っていた。誰の下で仕事をするか、自分とつながりの強い人間はどこにいるかを知っておくのは、仕事を円滑に進めるための基本だったから。だが、大島に異動になってからは、どうでもいいと投げ出してしまっている。知っても意味のないことを知る努力をする必要はない。それにしても……「警務部付き」は、様々なことを意味する。不祥事を起こして、どこかへ飛ばされるか馘になる前の臨時措置とか。だが、橋元がヘマをしたという話は聞いていない。それほどの問題だったら、さすがに神谷の耳にも入ってくるだろう。

「知らないんですか? 本当に?」天野が非難するように言った。

「知らない。どういうことだ」

「癌《がん》なんです。末期の胃癌」

神谷は、一瞬にして顔から血の気が引くのを感じた。そんな話は初耳……それに、橋元と癌を同じ文脈で扱うのは間違っている気がする。今年五十五歳になる橋元は精力的な男で、昭和っぽい表現で言えば「男っぷりがいい」。いつも顔色は艶々して健康そうだし、実際、健康診断でも一度も再検査に引っかかったことがないのが自慢だった。しかも忙しい合間を縫って、真剣にマラソンに取り組んでいる。自己ベストがサブスリー――三時間を切ったというのだから、市民ランナーの枠から出る一歩手前だったことになる。皆川とは気が合うのではないだろうか。

そんな男でも癌になる？　神谷は言葉を失い、コーヒーカップの取っ手をきつく握った。

「本当か？」辛うじて訊ねた声は、自分でも情けなくなるほどかすれていた。

「こんなことで、嘘は言いませんよ。自分、昨日も会ってきました」

「で、どうなんだ」

天野が首を振る。説明するのも辛そうだったが、何とか顔を上げて、ぽつぽつと話し始める。

「おかしいと気づいたのが、ほんの三か月前なんです。去年の健康診断では何もなくて……急に胃が痛み出して病院に行ったら、癌の診断だったんです。セカンドオピニオンを求めて他の病院にも行ったんですが、結果は同じだったそうです。今、入院して放射線と抗がん剤の治療を受けていますが……」

「手術は」

「手術ができる段階は過ぎてるそうです」

手遅れか……神谷は天を仰いだ。涙が溢れそうになり、ぐっと首を反らして堪える。ずっと指で挟んでいた煙草が潰れる感触があった。クソ、何でこんなことに。

「管理官本人の希望で、警務部付きになりました。しばらく治療に専念したい、ということなんです。でも、神谷さんをこの捜査に引き入れることだけは、必死で頑張って実現させたんです」天野が淡々と説明を続けた。

「何でそんなことを」様々な駆け引きがあったから、俺に連絡が回ってくるのが遅くなったのか、と思った。もしかしたら、橋元以外の人間は別の刑事を送りこむつもりだったのかもしれない。

「決まってるじゃないですか」天野がカップを握り締める。細い指が強張り、中のコーヒーが揺れた。「神谷さんに、元に戻って欲しいから。今回の調査は、渡りに船だったんですよ。神谷さんなら——あの事件を経験した神谷さんなら、神奈川の件で真相を探り出せる」

「俺は……」神谷はようやく煙草に火を点けた。フィルターが潰れているので、妙な吸い口になってしまっている。「橋元さんには会えるのか？　見舞いに行きたい」

「今は無理です。面会謝絶ではないんですけど、奥さんが怒っていて……癌になったのも、警察の仕事が厳し過ぎたからだ、と思ってるんですよ」

それは分かる。多くの警察官が経験する場面だ。「家族と仕事とどっちが大事だと思ってるの」既婚の男性警察官で、妻からこの非難を浴びせられたことのない者はいないだろう。

「お前は会ったんだろう？　だったら俺も会えるじゃないか」

「俺は、橋元さん本人に呼ばれたから会えたんです。それに今は……会わない方がいいと思います。病気って、残酷ですよね」

「そんなに変わったのか」

「残念ながら……どんな風かは言いたくありません」天野が説明を拒絶した。

神谷は、一服しただけの煙草を灰皿に押しつけた。今すぐにでも、見舞いに行きたい。橋元は特別な人間なのだ。あの事件で、神谷が特捜本部内で孤立する中、唯一庇《かば》ってくれたのが橋元である。しかし管理官という立場であっても、神谷のミスを庇いきることはできなかった。結局彼には、本土を後にする前日に挨拶しただけである。それも、ごく事務的な挨拶を。

橋元は諦めたのだろう、と思った。手は尽くしたが、どうにもならなかった、だったら自分の敗北を嚙み締めよう——彼は、それぐらい潔い男である。だからこそ、神谷が島へ渡ってから、一度も連絡をくれなかったのではないか。馴れ合いで人を慰めるようなタイプではない。彼の気持ちを慮《おもんぱか》って、神谷の方からも連絡を取らなかった。それでいい、と自分を納得させていた。こんなことになったら、そういうルールなど破るべきなのだが、無理に会いに行けば、奥さんに嫌がられるだろう。神谷は両手を拳に握り、そこに悲しみを押しこめるしかなかった。

5

棚上げ。

自分はいつの間にか、その術を手に入れた。都合の悪い事情を手の届かない場所へ置き、目を逸らしてしまう。そうしているうちに問題は腐り、処置する必要もなくなる。

だが橋元の問題は、心に棘のように刺さった。嫌な思いをされるのも承知で何人かの知り合いに電話をかけて容態を確かめたが、天野が説明してくれた以上に詳しい情報は得られない。その状況がまた、神谷の焦りに拍車をかけた。見舞いに行きたいと焦る気持ちを、迷惑をかけてはいけないと思う常識が押しとどめる。橋元を心配するあまり、常に不機嫌な表情になっているのに、自分でも気づいていた。

「どうかしたんですか」

さすがに凜でさえ、神谷の異変に気づいたようだ。天野に会った翌日、二人で被害者の一人――入院していて話が聴けなかった女性だ――に会いに行く途中、車の中で突然話しかけてきた。彼女がそんなことを言い出すのが意外だったが、思い切ってぶちまけてしまうことにする。過去を背負った時の対処法の一つ――誰かに愚痴を零す、だ。

凜は黙って聞いていた。話し終えると、「仕方ないですね」とぽつりとつぶやいた。

その淡々とした態度にむっとする。

「恩人が死にかけてるのに、仕方ないの一言で済ませられない」

「神谷さんに何ができるんですか？　医者じゃないんですよ」

「せめて見舞いに行きたいんだ」

「本人がそれを望まないんだから、余計なことはしない方がいいでしょう。自分の弱い姿を見せたくない人もいますよ」

神谷はハンドルを握る手に力を入れた。本当は、こんなことを話している場合ではない。これから精神集中が必要な事情聴取が待っているし、慣れない道路を運転する時には、あれこれ気をつけなければならない。だが、胸の中でもやもやと渦巻く不安は、無視できないほど大きくなっていた。凜に話したことが原因だ、と分かる。たぶん俺は、慰めの言葉や的確なアドバイスが欲しかったのだろう。返ってきたのがまったく違う言葉——そんなことは予想しておくべきだったが——だったので、ショックを受けている。

「橋元さんは、俺にとって恩人なんだ。いい仕事をして、それを見てもらいたい」

「人のために仕事をするんですか？」

「これは刑事の本筋からは外れているかもしれないけど、橋元さんは、部下が頑張るのを見れば喜んでくれるんだ。なあ、自分の恩人が死にかけていて、見舞いにも行けないのは辛いと思わないか？」

「私は、親の死に目にも会いませんでしたよ」

凜がさらりと言ったが、微妙な言い回しが違和感を残した。「会いませんでした」。普通は「会えませんでした」ではないのか？　刑事をしていると、どうしても途中で仕事を抜け出せないことはある。ましてや彼女の実家は東京で、普段は北海道にいるのだから、そう簡単にはいかないだろう。しかし「会いません」は、状況ではなく自分の意思を説明するものだ。

「会えなかったのか」

「会わなかったんです」

「あー、こういうことを聞くのは失礼かもしれないけど、仲違《なかたが》いしていたとか？」

「違います。亡くなった……母親とは、仲はよかったです」

単なる言い違えでは、と神谷は思った。仲がよかったなら「会わない」はずがない。何を差し置いても駆けつけるだろう。あるいは本当に突然の病気や事故で、間に合わなかったとか。

「親の死に目に会えない商売だとは、よく言うけどね」

「会わなかったんです」

「意味が分からない」にわかに不安になり、神谷はハンドルをきつく握り締めた。凜という女性の本音はまったく読めないが、胸の奥に何かどす黒い物を抱えているような気がする。

「会えない理由があったんです」

「どういうことかな？」

「どうしても外せない仕事、ありますよね」

「ああ」

「それに当たってしまって」

「そうか……何か、難しい特捜事件でもあったのか？」

「違います」

彼女は言葉のゲームを楽しんでいるのだろうか、と神谷は訝った。答えを当てさせるつもりか……ちらりと横を見て、神谷は仰天した。指を噛むように、口元に手を持っていっているのはともかく、目に涙が浮かんでいるではないか。見間違いか？　いや、もう一度見ると、確かに目が潤んでいる。神谷は一つ咳払いをして、前方の光景に視線を集中させた。だが脳裏には、すぐ隣で涙ぐむ凜の顔がはっきりと焼きついてしまった。この仕事では、女性の涙を見ることは少なくない。その都度、胸に細い針を打ちこまれるような痛みを感じるのだが、今回はそういうのとは根本的に違う痛みだった。彼女は被害者ではない。一時的な同僚とでも言うべき微妙な立場の人間であるが故に、距離を取りにくい。

「何か問題でも抱えているなら、話は聴くけど。こっちも愚痴を聞いてもらったから、そのお返しで」

「大丈夫です」

凜の声は震えてはいなかった。もう一度横を見ると、既に涙は引っこんでいる。見間違いだったのかと思うほど、普段と変わらぬきりりとした表情だった。

「そういう風には見えないかもしれないけど、元々お節介な人間なんだ」

「そう、ですか。私を心配してくれる人なんかいないと思いますけど」

「見えてないだけじゃないかな。誰も君を見捨ててないと思う。少なくとも、俺は」

突然こんな台詞を吐いてしまったのが、自分でも意外だった。凜の視線を感じる。ちらりと横を見ると、まだ泣きそうな表情で神谷を凝視していた。

「親の死に目に会わなかったことが、君に何か影響を及ぼしているか？」

「ええ」凜が認めた。「いい影響を」

親が死んだのに？　死に目に会えなかったのに？　訳が分からない。仲が悪かったならともかく、そうではないというわけで……神谷は、自分の想像力の貧弱さにうんざりしていた。大島にいる間に、そういう力が失われてしまったのか。

仮にそうなら悔しい。死にかけている橋元は、自分を気にかけてくれている。なのに恩返しできないのは、クズも同然ではないか。自分が結果を出せば、橋元もまた元気になるのでは、と甘い期待を抱いてしまう。

「誰かのために何かするのは、悪いことじゃないと思います」凜がぽつりと言った。

「そうだな」

「私は……」

「君は？」

「自分のため、というのはどうですか？　自分も『誰か』ではありますよね？」

神谷は口を閉ざした。凜が心を開きかけているのは分かったが、こんな抽象的な質問にどう答えていいのか分からない。何だか、人間としての基本的な力さえ落ちてきているようだ。それを取り戻すことができるのか……できる。「誰かのために」と決意を固めた時、人は強くなれるはずだ。そうでなければ俺は、ひたすら長い晩年を過ごすことになる。

捜査本部に戻ると、永井の姿はなかった。訊ねると、皆川が「病院です」と答える。

「風邪でもひいたか？」今朝顔を合わせた時には何でもなかったはずだが。

「胃の調子が悪いそうです」

「呑み過ぎか？」違うな……言った側《そば》から頭の中で否定する。永井は、夜のつき合いには顔を出さない。毎日遅くまで捜査本部に居残り、書類を確認している。そうでなければ、神奈川県警や警察庁との折衝。じりじりと押し潰されるような毎日のストレスが、胃にダメージを与えたのだろう。しかし、特に変わった様子は見えなかった。

「分かりませんけど、結構重症っぽく見えましたよ」皆川が答える。

神谷は凜の顔を見た。凜は「それ以上のことは分からない」と言いたげに、静かに首を振るだけだった。誰にも調子が悪いと告げていなかったのか、あるいは急に具合が悪くなったのか。

「午前中、県警の連中が来てましたけどね」

「何だって？」神谷は言葉を尖《と》らせた。「何か因縁をつけにきたんじゃないだろうな」

「そういうわけじゃないですけど……プレッシャーでしょうか」皆川が困惑したように言った。

あいつら……神谷は右手を拳に握った。永井も、こういう時は上に泣きつけばいいのだ。警察庁に報告を上げて、「余計なことをするな」と逆にプレッシャーをかけさせればいい。だいたい、調べられている立場でそういうことをするのは生意気だし筋違いだ。

「永井さんの調子が悪くなったのは、連中が来てからか」

「そんな感じでした。朝はずっと普通の様子でしたから」

「そうだったよな」神谷は自席についた。まあ、大したことはないだろうが……と自分を安心させようとしたが、永井の線の細さは気になる。

デスクに置いた携帯電話が鳴り出した。見慣れない携帯電話の番号が浮かんでいる。考えてみれば、携帯を持つのを拒否した大島での生活は楽なものだったな……二十四時間縛られない生活がどれほど自由か、それまでは知らなかった。

無視するわけにもいかず、電話を取り上げる。相手の声が耳に入ってきた途端、神谷はぞわぞわとした不快感が背中を駆け上がるのを感じた。話したくない相手――向こうもそうだろうと思っていた――だった。

「堅山《かたやま》だ」

「どうも」つい無愛想な声になってしまう。神谷が大島へ流される原因になった事件――その特捜本部に詰めていた係長で、本庁では神谷の直属の上司だった男である。今は……横滑りで、特殊班の係長になっている。

「面倒な仕事を押しつけられたそうだな」

「今さら何ですか。情報が遅いですね」

電話の向こうで、堅山のこめかみに青筋が浮かぶ様が目に浮かぶ。元々、堅山との関係はそんなに悪かったわけではない。そもそも神谷は、基本的に全方位外交を敷いていたのだが……しかし堅山との関係は、あの事件で最悪になった。正確に言えば、係の中で自分だけが孤立し、唯一庇ってくれたのが、複数の係を束ねる橋元だけだったのである。

「陣中見舞いと思って、わざわざ電話したんだが」

「これはどうもご丁寧に、ありがとうございます」抑えろ、と自分に言い聞かせる。堅山は基本的に鈍いところがあり、こちらがいくら言っても、当意即妙に切り返してこないので、常に神谷が言いっ放しになる。

「神奈川県警の阿呆どもがフレームアップした、という線で進めるんだろう？」

「裁判の結果を見れば、そうならざるを得ないですね」

「奴らは阿呆だ。昔から不祥事ばかり起こしてる。基本的なレベルが低いから、今回みたいなことが起きるんだよ」

「警視庁にも不祥事はたくさんありますよ」俺がしでかしたように。警視庁の場合、職員が四万人もいて「分母」が大きいから目立たないだけなのだ。

「今回の件は、ひど過ぎる……お前から見てもそうだろう」

「ま、同レベルですかね」

「いやいや、神奈川県警の場合は結果がひど過ぎた」

「まだ調査中ですよ」

「俺は事実を言ってるだけだ。しかし、この件は最終的にはお蔵入りか？」

「そうはさせませんけどね」

「ほう、神谷がいよいよ本気を出してきたか」

神谷は一瞬電話を耳から離し、間を置いた。いったい何が言いたいのか……さっぱり分からない。ここぞとばかりに自分にダメージを与えようとしているのだろうか。だとしたら、しつこ過ぎる。あの一件から二年半も経っているのだし、俺は島流しの憂き目に遭っている。今さら堅山が何か言わなくても、十分過ぎるほどダメージは受けている――いや、そうでもない。ダメージは、そうだと意識しないことでダメージではなくなるのだ。呑気な島の暮らしを全面的に受け入れてしまえば、罰とは思えなくなる。

「ま、空手で大島に帰るつもりはありませんよ」

「犯人の目星でもついたのか？」堅山が探りを入れるように訊ねた。

「どうですかねえ」

「この件は、本当に神奈川県警のヘマだと思うか？」

「そう言ったのは堅山さんじゃないですか」

「ヘマにもいろいろあるんだよ」堅山が嘲笑《あざわら》うように言った。「例えばだな、事件を詰め切れないことだ」

「今回の件がそうだと？」

「ヘマにもいろいろな種類がある」しつこく繰り返した。「せっかく目の前に事実があるのに、それを綺麗にパッケージできない馬鹿もいるだろう」

「なるほど……神奈川県警がそうだったと？」

「お前はどう思う」

「柳原が犯人だったと言いたいんですか」

「神奈川県警は、そういう詰めもできないほど間抜けなんじゃないか？　考えてみろ。あそこまでやる人間がどれだけいると思う？　変態野郎は、いくらでもいる。痴漢も下着泥棒も数え切れないほどいて、街の中に隠れている。だがな、強姦《ごうかん》して殺す、しかもそれを続けるような人間は多くない」

統計上は、堅山の言う通りだ。やはり「人を殺す」という一線は高く、簡単には踏み越えられないものである。そんな人間が何人もいないのは、その手の事件がそれほど多く発生していないことからも裏づけられる。

「柳原がやったと言いたいんですか」神谷は言葉を変えて質問を繰り返した。

「ま、俺の発言には何の責任もないけどな」

それはそうだろうよ、あんたは、自分から直接首を突っこむようなことはしないからな。何しろ積極的にならないことでヘマを避け、警部にまで昇進した男だ。何かことがあってから騒ぎ始め、「だから俺はプッシュしなかったんだ」と責任回避をする。厳密に言えば、止められなかった時点で上司としては問題なのだが、上は声の大きい人間の言うことはつい信用してしまう。

「責任がないついでに、もう少し無責任なことを言ってもいいんじゃないですか」神谷は挑発した。昨夜の天野の推理が脳裏に蘇ってくる。

「そんなこと聞いて、何になる」

「参考までに」

「へ、よく言うわ」

堅山が唇をねじ曲げて嘲笑う様が目に浮かぶ。実に嫌な表情で、初めて見た時には生理的な嫌悪感を催したものだ。だが神谷は、一つだけ堅山を評価していた。勘はいい。事件の筋読みが上手いというべきか、一緒に取り組んだ幾つかの事件で、方向性を間違えたことは一度もなかった。最後に一緒にやった事件では、堅山が読みを始める前に、神谷が暴走してしまっただけである。

「柳原が犯人だと思いますか」

「否定はできないな」

「例の……俺たちの事件はどうですか」

「下手なことを言うな」堅山が急に声を低くした。

「失礼。でも実際、どう思いますか。共通点は多いですよね」

「否定はしない」

「容疑者として考えたことはあったんですか?」俺が特捜本部から外され、島へ送られた後にでも。

「正式にはない」

「その理由は」

「件数が多過ぎる。しかも短期間に集中している」

「なるほど」

しかし、性犯罪者、それも凶悪な性犯罪者に対するデータは少なく、数字を見ても、統計的な有意性は疑わしいのだ。捜査員の単なる印象、勘に過ぎないことも多い。

「……と、当時は思ったな」

「今は?」

「再考を要するかもしれない」

「つまり、柳原がやった可能性もあると?」

「否定はできない。それで今、柳原の一番近くにいるのはお前じゃないのか」

「それは、まあ……実際に会ってますしね」

「どうだった？　印象は」

神谷は言葉を呑みこんだ。堅山は少しだけ踏みこみ過ぎている。柳原は仮にも無罪判決を勝ち取った人間であり、滅多なことは言えない。一事不再理……しかし別の事件なら……様々な思いが渦巻く。

「今は何も言えませんね」神谷は結局、無難な言葉を選んだ。

「ま、よく考えるんだな。時間はあるだろう……それに、自分がヘマした事件の犯人を、今になって逮捕できれば、最高じゃないか」

「いやあ、煽《あお》らないで下さいよ」神谷はわざと軽い調子で言った。そうしないと、気持ちがどんどん柳原の方へ向かってしまう予感がある。

「俺には何も言えんがね。今はあの特捜からも離れているし」

「そうですか……」堅山の言い分はもっともだった。警察だけの話に限らないが、かつて自分がいた部署の仕事にあれこれ首を突っこむのは、最も嫌われるお節介である。神谷は話を変えた。「ところで、橋元管理官はどうなんですか」

「うん……よくないと聞いている」堅山の声から急に勢いが抜けた。堅山と橋元は、神谷の処遇を巡り鋭く対立した仲ではあるが、こういう状況になれば話は別だろう。

「見舞いに行きたいんですけど……せっかくこっちにいるんだし」

「それは遠慮しておけ。俺たちも、ご家族に負担をかけたくないから、見舞いに行ってないんだ。顔を出さないのも礼儀だぞ」

「天野は別のようですが」

「管理官の方で、何か用事があったんだろう。あいつは、管理官のお気に入りだからな」

確かに……天野が橋元に可愛がられていたのは間違いない。周りは「使いっ走り」と揶揄していたが。

誰かの電話が鳴った。音を探して周囲を見回すと、島村がどこかからの電話を受けている。固定電話がなく、全員が携帯電話で仕事をしているのも、かなり変な職場環境ではあるな、と神谷は思った。相槌《あいづち》を打っているだけなのだが、途中から真剣な表情になり、眉間に皺が寄ってきた。極めて重要な用件であるのは間違いない。

心配になって、神谷はそそくさと自分の電話を切った。同時に島村が電話を終える。慌てて立ち上がり、周囲を見回した。永井以外の全員が揃っているのを見て、「永井理事官が入院する」と告げる。

「何ですか、それ」神谷は思わず甲高い声で訊ねてしまった。

「いや……今の電話は警察庁からだったんだが、病院から連絡があったそうだ」

何とね……神谷は呆れた。ここではなく、警察庁に連絡がいくとは。何となく、自分たちは余計者ではないか、という気分になる。肝心なことは、当事者から直接知らされることはない。

「胃をやられたそうだ。検査も含めて、少し入院することになる、という話だ」

何とひ弱な……と思う一方、神谷は神奈川県警に対する怒りも覚えていた。あの連中は、目に見えない形でも永井に圧力をかけていたのではないか？　胃というのはひどくデリケートな臓器で、ちょっとしたストレスでもすぐに穴が開く。

「どうするんですか？」

「当面、今ここにいる人間で何とかする。供述をまとめて報告書を上げる方針に変更はないから。だいたい、永井理事官が自分で事情聴取をするわけじゃないし……」

島村が言葉を切ったが、彼が言わなかった台詞は簡単に想像できる。「いてもいなくても変わらない」キャリアの理事官に対してひどい台詞だが、事実なのだから仕方がない。仲間内であっても口に出さなかったのは、島村なりの思いやりだろう。

「じゃあ、当面は島村さんがキャップで？」

「そうなるやろな。最終的に報告書の判子は永井理事官が押すことになるが、それまでは我々だけで頑張ろう」

島村が真顔で宣言した。だが、その顔にかすかに不安の色が過るのを、神谷は見逃さなかった。島村は酸いも甘いも知り尽くしたベテランだし、大阪人らしい図々しさと肝の太さもある。だが、警察庁の肝いりでスタートしたこのプロジェクトの責任を押しつけられるとは、思ってもいなかったはずだ。

ここは、階級的にも年齢的にも自分がフォローしていかなければならないだろうな、と神谷は思った。

ほんの一週間前には、自分がこんな前向きな気持ちになるとは思わなかったのだが。

第四部　撤収の日

1

永井は、神谷が想像していたよりは元気だった。顔色は蒼く、腕に繋《つな》がれた点滴も痛々しかったが、話はできる様子だったので一安心する。重要な局面にぶち当たった時には、判断も仰げるだろう。その判断が当てになるかどうかはともかくとして。

病室には、永井の妻も詰めていた。まだ二十代にしか見えない可愛《かわい》らしい女性で、神谷は少しだけ胸が痛むのを感じた。今のところ自分は健康だが、病気をしたらどうなる、と不安になることもある。かつては自分にも、かいがいしく世話を焼いてくれる人がいたのだが……。

永井の妻が、丁寧に挨拶して部屋を出た。病室には晩夏の夕日が長く入りこみ、部屋全体がオレンジ色に染まっている。永井の顔の下半分は、髭で暗くなっていた。

神谷は椅子を引いて座った。最近やけに病院に縁があるな……柳原との面会を嫌でも思い出す。

「面目ないですね」永井が苦笑した。

「俺が理事官の立場だったら、とっくに倒れてますよ」

「神谷警部補は、もっと図太いんじゃないですか」

「そんなこともないです」神谷は首を振った。「理事官は、板挟みみたいなものでしょう？　警察庁も神奈川県警もあれこれ言ってくる。両方捌《さば》くのは大変ですよ」

「しかし私は、それで給料を貰っているわけですから」永井が寂しそうに笑った。

彼は、この入院が自分のキャリアに及ぼす影響を懸念しているに違いない。それはそうだ。キャリア官僚の最高到達点は、警察庁長官か警視総監。前者は全国二十七万人の警察官を統括し、後者は首都の治安を任される。少々のことで倒れていたら、肝心な時に指揮が執れない。常に体力と胆力が問われるポジションなのだ。

「ま、養生して下さい。筋道はついてるんだし、何とかなりますよ」

「しかしね……」永井が渋い表情を浮かべた。「神奈川県警も必死なんですよ」

「必死になったって、どうしようもないでしょう」力の入れどころが違うんだ、と神谷は呆れた。過去の失敗を隠蔽《いんぺい》する努力をするなら、他にやるべきことはいくらでもある。この時点でも、何か事件が起きているかもしれないのだから。

「足元に気をつけた方がいいですよ」永井が深刻な顔で忠告した。

「というと？」

「連中は、私たちの弱みを握ろうとしている……個人的な」

「まさか」

冗談だろうと神谷は吐き捨てたが、永井はあくまで真剣な表情でうなずいた。

「単純かつ一番効果的な方法です。個人的な弱点を突かれると、誰でも弱くなる。調査に手心を加える気になってもおかしくはないですね」

「理事官もですか」

永井が唇を噛んだ。何かある……だが、彼の個人的事情をここで聞くべきかどうか、神谷は躊躇した。チームの防御壁を固めるためには、知っておく必要がある。だが知れば、「臨時に集められた仕事仲間」の枠を越えてしまうだろう。それでいいのか？

神谷はあの事件以来、他人と必要以上に近づかないようにしてきた。仕事でも私生活でも、そういう状況にならないように気を遣ってきた。しかし今、その原則を破らなければならないのか？

「どうなんですか？」と神谷はしつこく突っこんだ。

「話すようなことではないですよ」

永井の言葉に、神谷はむしろほっとした。知らずに済むならその方がいい。が、今後のためには確認しておく必要はある。

「恐喝の材料になるような事情があるんですか」

「それは、受け取り方次第でしょうね。よくよく考えてみれば、この件がばれたとしても、職場での私の立場が悪くなるわけではない」

「だったら、胃をやられるほどのストレスにはならないでしょう」

「胃は弱いんですよ……とにかく、私はどうでもいい。問題は神谷さんじゃないですか」

その瞬間、神谷は鈍い痛みを胃に感じた。確かに胃は弱い……拳を軽く捩《ね》じこむと痛みは遠のいていったが、気持ちは落ち着かなかった。自分の中で対処法はできているのだが、誰かに突っこまれることを考えると、心がざわついてしまう。それに今や、この一件の背景も分かっているのだ。自分が穴になったら、今病気と闘っている橋元にも迷惑がかかる。自分をこの捜査に押しこむに際して、彼はかなり無理をしたはずである。責任を取らせて左遷した男を、どうしてこんな重要な捜査に参加させる必要があるのだと、反対意見しかなかったはずだ。相当のせめぎ合いがあったのは、ぎりぎりのタイミングで自分が呼ばれたことからも想像できる。

「私は……自分の身は自分で守りますよ」それができるかどうか、自信はなかったが。

「あなただけじゃない」

「他の連中にも、何か弱みがあるんですか？」だとしたら、このチームはとんでもない人間の集まりということになる。問題児だけを集めたとか……そうだとしたら、警察庁の狙いがまた分からなくなってくる。

「そういうわけじゃないですよ」永井は弱々しく首を振った。「誰でも、ちょっとしたミスぐらいはします。別に問題にならないことでも、わざわざ指摘されれば嫌な気分になるでしょう？　それはプレッシャーです」

「保井もですか？」明らかに何かを隠している凜の態度は、ずっと気になっていた。

「彼女は……問題があるわけではない。警察のルール的には」

「他に何か？」

「私の口からは説明しにくいんです」永井が懇願するように言った。「本人も話しにくいと思います。無理に聞かないであげてくれますか？　簡単には話せないことですから」

「この状況だと、私は知っておくべきじゃないんですか」指揮官不在の状況では、代理の島村と一緒に様々な状況を把握しておかなくてはならない。

「どうしてもというなら、道警の然るべき人に話を聞いて下さい」

「残念ながら、北海道に知り合いはいないんですよ」

「だったら、諦めるしかないですね。彼女がうちのチームのウィークポイントになる可能性もある、と頭に入れておいてもらえたら、それでいいです」

それならますます、詳しく事情を知っておくべきではないのか？　だが永井は、この件に関しては強硬な態度を貫くと決めたようだ。真一文字に結んだ口が、彼の決心の強さを体現している。

「しかしクズですね、連中は」神谷は吐き捨てた。「どうします？　少し揺さぶってやりましょうか」

「それはやめていただきたい」永井が深刻な表情で首を振った。「余計な争いは……ことを面倒にするだけです。それに今回の件は、上に報告しました」

「ばれるとまずいことじゃないんですか……その、理事官の事情は」

「先に打ち明けてしまえば、弱点ではなくなるんですよ」永井が弱々しく笑う。「ま、こういう特殊な捜査に参加している時には、普通の常識では考えられないことも起きるんでしょうね。とにかく、このプロジェクトを潰すわけにはいかない。私は……多少のマイナスになるかもしれませんが、そもそもの原因は自分にあるんですから、仕方ないですね」

「理事官……」

「とにかく、神谷さんは十分注意して下さい」急に永井がしっかりした声を出した。

「あなたは少々気が短い。のんびり構えているように見えますけど、衣の下に剣が見えてますよ。絶対に、それを抜いたら駄目です。あなたにはまだチャンスがあるんですから。こんなことで潰してはいけない」

「チャンスなんか、どうでもいいです」本音とは違う台詞が口を突く。「それに立場上、俺には他のメンバーを守る義務もあると思いますがね」

「そう思うなら、狡猾《こうかつ》にやって下さい。上手く立ち回るんです。あなたにはそれだけの能力もあると思う……だいたいこの件は、我々がきちんとした報告書を上げれば勝ちです。あの情報提供者……山田さんの情報を上手くいかして下さい。彼が県警の人間だということは分かったんだから、情報の確かさは裏づけられたと思いますよ」

そう、皆川の尾行と監視で、山田が県警の職員だということは、ほぼ確実になっている。毎日、県警本部に出入りしているのが確認されたのだ。業者かもしれないが、それなら県警内の事情をあれほど詳しく知っているはずがない。

「分かりました」依然として罠である可能性も消せないが、今はそう言うしかない。

「身辺には十分気をつけて。そして怒らないようにして下さい」

うなずくしかなかった。ここで俺が激怒して、誰かを殴ったりしたら、調査自体が空中分解する可能性もある。狡猾に、か……それも面白いと思った。ゲームだったら、知恵を絞って勝てるかもしれない。

件名：連絡（神谷）

ＫＫＫ
至急確認したいことがあります。連絡を下さい。

短いメールを山田に送って、神谷はパソコンのモニターを睨んだ。そんなに早く返事はこないと分かっているが、念をこめてみる。

きた。驚いて、神谷はモニターをまじまじと見つめてしまった。送信ボタンをクリックしてから、三十秒と経っていない。パソコンの前にじっと座って、ひたすら連絡を待っている山田の姿を想像する。

件名：了解です（ＫＫＫ）
今から一時間後なら会えます。コスモワールドの、ワールドポーターズ側の正面入口まで来て下さい。

また同じ場所か。しかし中ではなく入口……あそこからどこかへ移動するつもりか。それはそれで構わない、と神谷は思った——話さえできれば。誰にも告げずに部屋を出る。永井の忠告が気になっていた。自分は脛《すね》に傷持つ身……凜にも何かある。もしかしたら皆川や桜内、島村も同じかもしれない。一度疑心暗鬼になると、心配になってくる。

結局、信用していいのは自分だけか。

みなとみらい地区までの短いドライブ。車を運転していると、余計なことを考えずに済むのだが、今日は様々な考えがもやもやと頭に入りこんできた。特に凛……彼女が抱えた闇の深さは何なのか。もちろん、単に意固地で他人と交わらない人もいる。最初は自分だけが嫌われていると思ったが、様子を見ていると、凛は他のメンバーとも必要最低限のことしか話さないようだった。三十になった女性があそこまで頑なになる裏には、間違いなく何か特別な事情がある。永井もそれをほのめかしていたし、単に性格の問題とは言い切れない。

左手でハンドルを握りながら、右手で顎を撫でる。剃り残した髭がちくちくと掌を刺激して、不快だった。

「誰でも裏の顔を持ってるってことか」一人つぶやいた言葉が、空しくフロントガラスに当たって砕ける。

何故、凛のことがこれほど気になるのか、自分でも分からなかった。あの一件があり、その後離婚を経験したことで、神谷はなるべく他人と深くかかわらないように気をつけてきた。仕事もそうだし、私生活でも……人間は所詮一人であり、どんなに深く理解し合っているつもりでも、本当は心の表面にしか触れていないものだ、と思ってしまったから。そして分かり合えないなら、余計な努力などすべきではない、と思う。

なのに何故か、気になる。

神谷はワールドポーターズの駐車場に車を停め、歩いてコスモワールドの正面入口に向かった。ゲートはそれほど大きくはないが、濃いピンクと青を基調にした看板がかかっているのでひどく目立つ。敷地全体を埋めるような淡いピンク色のジェットコースターの軌道は、間近に見ると巨大な内臓がうねっているようだった。今日は休園日で、人の姿はない。近くにホテルなどがあるので、歩いている人もいるのだが、先日の賑《にぎ》わいが嘘のようだった。顔を上げると、頭上には巨大な観覧車。あまりにも大きいので、入口付近にいても、真上に張り出している感じがする。ジェットコースターの軌道と併せて、針金が複雑に入り組んだ、巨大な芸術作品のようでもあった。

大観覧車越しに、高層ビル群が目に入る。不況を反映してか、どのビルも窓の半分ほども灯りが入っていなかったが、夜目で見ればそれなりに美しい。横浜で働き、休息を取る人がいる。自分は、ここではあくまで仮住まいだ。狭いウィークリーマンションの部屋を思い浮かべると、うんざりした気分になる。

約束の時間に五分遅れて、山田が姿を現した。高層ビルが建ち並ぶみなとみらい地区の方から、ゆっくりと歩いて来る。余裕があるというよりも、周囲に注意を払いながらなので、そのようにしか歩けないようだった。それほど神経質になる必要もないのに……釣られるように、こちらも周囲を見回した。見知った顔はない。こちらを凝視している目も、物陰に隠れた暗い顔も。どうやら山田との密会は、誰にもばれていないようだ。

ようやく到着した山田は、額に汗を浮かべていた。

「車を用意してあるんだ。そこで話さないか？　ドライブしながらなら、人目を気にする必要もない」

「そうですね……」山田の口調は歯切れが悪かった。

「嫌ならここでもいい」

「いや、車にしましょう。どこですか？」

「隣のワールドポーターズに停めてきた」

「そうですか」

山田が先に立って歩き出した。まるでここが自分の街で、仕切るのは自分である、と無言で主張するように。神谷は余計なことを言わず、彼の背中を追った。ただし、五メートルほど距離を置く。あくまで、一緒にいるのではないことにしなければならない。

ワールドポーターズは、奥に向かってやたらと広い造りの建物である。立体駐車場は正面入口の反対側にあり、そこまでたどり着くには、町中を一ブロック以上歩いて行く感覚になる。駐車場は屋上まで含めて十層もあり、神谷は一瞬、自分が車を停めた場所を忘れそうになった。

目当てのフロアに来ると、山田が「今日はコスモワールドが休みでよかったですね」とぽつりと言った。

「と言うと？」

「今はがらがらですけど、普段はこんなものじゃありません。特に土日は……ワールドポーターズへ買い物に来る人と、コスモワールドへ遊びに来る人で、駐車場に入るだけで一時間待ち、ということもあるんです」

阿呆か、と思ったが口には出さなかった。自分にもそんな人生があったかもしれないのだ。もしも子どもがいて、離婚などしなかったら、休日には家族を連れて、遊園地で長時間待ちのアトラクションに並んでいたかもしれない。

駐車場の外周は鉄柵で区切られているだけなので、オープンな感じが強く、その気になれば横浜の夜景さえ楽しめる。実際、神谷が車を停めた場所からは、左手に赤レンガ倉庫、さらに遠くにあるベイブリッジまでが望めた。右手に視線を転じると、県警本部が見える。何だったら、ここに車を停めたまま話してもいいな、と思った。運転しながらでは、どうしても質問が鈍くなる。そう提案すると、山田が一瞬考えた末に、「構いませんよ」と答えた。その目はまたもや、周囲を用心深く見回している。このフロアは、三割ほどが埋まっているが、神谷の車の両隣は空いている。人の話し声、足音も聞こえず、静かだった。車に乗りこむと、ほぼ完全な静寂が訪れ、内密の話をするには絶好の環境だった。

　山田の方で口を開く様子がなかったので、神谷はすぐに本題を切り出した。

「神奈川県警が、妨害工作に出ている」

　山田がぴくりと肩を震わせた。この男は……内通者になろうとする正義感はあっても、基本的には小心者のようだ。びくつかせてはいけない、と自分を戒める。

「俺たちの弱点を突いて、プレッシャーをかけてきた。担当者が一人、胃をやられて入院したよ」

「そう、ですか」関心のなさを装う台詞。しかし声の震えから、彼も脅威を感じているのが分かった。そこまでやるのか、自分も危ない……とでも感じているのかもしれない。

「俺は脛に傷持つ身だ。自分でそれを意識しているから、攻撃されても何とも思わない。ただ、他のメンバーがどう感じるかは分からない。もしかしたら、調査は途中で崩壊するかもしれないな」

「ええ」

「中心人物は、重原管理官なんだな？」

　無言。神谷はそれを、「考えている」間ではなく、「話していいかどうか検討している」間だと捉えた。

「もしもそうなら、こっちから逆襲できる。重原管理官の責任は、より重大になるしな。

柳原の一件でフレームアップをしただけではなく、警察庁の調査を妨害したことになるんだから」

「ちょっと考えにくいですね」

「どうして」

「そんなことをしても、ばれるでしょう。リスクがあるのが分かっていて、わざわざ妨害工作をするとは思えない」

「しかし、実際に被害が出ている」

「……そんな馬鹿なことを、本気でやっているんですか」

「そういうことだ。どう思う？　このまま放っておいていいと思うか？　それとも、責任を突きつけてやった方がいいんだろうか」

「私には判断できません。アドバイスなんか求めないで下さい」山田の声が強張った。

「……そうか。すまない」

「私にできるのは、断片的にでも情報を伝えることだけです」

「この件については……」

「調べてみます。まさか、そんな馬鹿なことをするとは思えませんけど、あなたがそう言うなら本当なんでしょう」

「ああ、そこは信じてもらっていい」自分が永井を信じているという前提での話だが。

そう考えると、この仮定がひどく危うく思えてくる。永井の思いこみではないのか？　そもそも神谷自身は、尾行はされていたものの、具体的に攻撃は受けていない。妄想ではなく事実だと確認するためには、他のメンバーにも話を聞く必要があるが、それは諸《もろ》刃《は》の剣になるだろう。プライベートな事情に首を突っこむと、今以上に関係がぎすぎすしかねない。

ふと横を見ると、山田が腿《もも》に置いた両手を硬く握り締めていた。額がてらてらと光り、未だに脂汗を流しているのが分かる。そんなに緊張しているのか……ひどく心配になった。この一件が無事に終わったとしても、山田は神奈川県警の中で生き残れるのだろうか。絶対に喋らないと決めて口を閉ざしていても、自分が所属する組織を告発し、裏切った事実は、この男を永遠に苛《さいな》むだろう。そこまでフォローしてやるのは、自分の立場では不可能だ。

「もう一度だけ、連絡をくれないか。重原管理官が我々の妨害工作を指示しているかどうか、それだけが知りたい。彼には、近く事情聴取することになる。その時に、事実をぶつけたい」

「いや……それは……」

「頼む。君の助けが必要なんだ」

「私にも立場があります」彼が、自分が県警の人間であるとほのめかすのは珍しい。

「分かってる。だけど、乗りかかった船じゃないか」

「……分かりました」山田の喉仏が上下した。

「一度だけでいい」神谷は、この男の危機も予感していた。「それ以上は、連絡を取り合わない方がいいと思うんだ。どうしてかは、分かってもらえると思うが」

「……ええ」

「身辺には十分気をつけて欲しい」

「分かりました」

それが、神谷が山田に会った最後になった。

2

永井が離脱したものの、警察庁は補充要員を出さない、と即断した。現場指揮は島村が執る。報告や相談は直接長官官房へ。異例のことではあるが、そもそもこの調査自体が異例である。それ故か神谷は、永井がいないことにもすぐ慣れてしまった。

神谷は、島村の尋問テクニックに舌を巻くことになった。とにかく効率的で話が早い。しかし粘る時は徹底して粘り、相手が音《ね》を上げるまで質問をぶつけ続ける。煙草を吸いながら尋問方法について訊ねたところ、「これは正式な事情聴取やないから」と苦笑交じりの答えが返ってきた。通常の捜査ならきちんとした調書を残さなければならないが、今回神谷たちが仕上げるのは「報告書」である。警察庁が神奈川県警を処分するための資料。そのための事情聴取は、普段のやり方とは違う、という意味だ。

「だから、適当でええんや。向こうが怒ったり、事情聴取を拒否したりしたら、それをそのまま書けばいいんでね……上の印象は悪くなるから、こっちにしたら好都合や。もちろん、普段はこんな風にはやらんけどね」そう言ってにやりと笑う。取り調べを進めるうちに、神奈川県警が心底嫌いになってきたようだ。

「ところで、何か変わったことはありませんか？」神谷は探りを入れた。

「変わったことって？」煙草の煙を噴き上げながら、島村が疑わしげに神谷を見据えた。

「県警の連中がおかしなことを言ってくるとか……」

「何の話や。あんたの方が、よほど変なことを言うとるわ」島村が声を上げて笑う。

「そうですかねえ」神谷も苦笑して誤魔化したが、不安は消えない。

「何かあったのか」島村の顔から笑みが消えた。

「いや、そういうわけじゃないですけど」曖昧に言うしかない。妙に鋭いところのある島村に対して、ほのめかすような発言はまずかった、と反省する。

「さて、午後からいよいよ本番やね」島村が両手を叩き合わせた。自信ありそうではあったが、改めて気合いを入れないといけない相手――重原との対決が待っている。

「軽く打ち合わせしておきますか」

「そうやな。重原管理官は相当の切れ者らしいから、しっかり理論武装しておかないと」

「じゃあ、戻りましょう。全員で情報をつき合わせましょうか」

「そうするか」

二人は部屋へ戻った。他の三人もいるのを確かめて、島村が声をかける。テーブルに五人……いつも一人分足りなくて、皆川が自分の椅子を引っ張ってきていたのを思い出し、神谷は永井を思った。

「じゃ、ここまでのところで、重原管理官を指している矢印についてまとめておこうか」慣れた感じで島村が切り出した。「まず、桜内警部補、お願いします」

「はい」桜内が立ち上がりかけ、「座ったままでいいですね」と苦笑しながら言って座り直した。それだけで場の空気が少し緩む。桜内は手帳を広げた。自分が得た情報を、できるだけ正確に伝えようという狙いだろう。

「捜査員からの事情聴取についてですが、今のところ最も重要な証言は、当時捜査本部にいた石本《いしもと》警部補から得られています。石本警部補は、捜査本部で現場の実務を取り仕切っていました。被害者家族の事情聴取をまとめていたのが彼です」

そして、調書をでっち上げた。「でっち上げでは」という指摘に対して、石本は激しく反発したのだが、「一ミリの違いもないのか」と桜内が突っこむと躊躇した。後で桜内からその話を聞いた神谷は、供述の内容よりも、彼の得意そうな顔つきが印象に残った。

「被害者の三組の遺族については、それぞれ担当の刑事が二人ずつつきました。フォローとして結構なことなんですが、調書に、実際には話していなかったことを忍びこませています。特に問題だったのは、森麻希子《もりまきこ》のケースです。ご存じの通り、森麻希子は瀕死の状態で発見されたのですが、家族に対して犯人を見たと証言したことになっていました」

これが柳原逮捕の直接の決め手にもなったのだった。犯人の特徴——大柄、長髪、そして緑色のTシャツ。それも蛍光グリーンで、サッカーのユニフォームでもなければ絶対にお目にかかれない代物だったという。後で分かったのだが——神谷は柳原から直接聴いた——当時柳原は緑色のTシャツに凝っていて、何枚もまとめ買いしていたらしい。捜査本部では動向監視でその事実を摑み、証拠に採用した。しかし今考えると、証拠としては明らかに弱い。

「石本警部補は、実際にはこれほど具体的な証言は得られなかった、と認めました。被害者は頭を強打し、首を絞められ、発見時には既に意識不明の重態でしたからね……家族は面会しましたが、話ができる状態でなかったことは、病院の関係者も証言しています。石本警部補たちは、犯人の目星がついていると言って、家族に嘘の証言をするよう、ほのめかしました。娘を失って動転していた家族は、犯人を憎む気持ちもあり、この話に乗ってしまったわけです。家族も、嘘の証言——警察側のシナリオに沿って喋ってしまったことを認めました」

クソ野郎どもだな、と神谷は頭に血が上るのを意識した。これは立派な犯罪ではないのか？　しかし島村は冷静だった。続いて皆川に報告を促す。皆川は生真面目な性格そのまま、自然に立ち上がってメモの内容を読み上げ始めた。

「捜査本部にいた、阪東啓介《ばんどうけいすけ》巡査部長の証言です。柳原のアリバイに関してなんですが、高裁でも焦点になった谷未来《たにみらい》の事件のアリバイに関して、やはり捏造の可能性が極めて高いことが分かりました。ほぼ、裁判で認められた通りの証言が得られています」

三人の犠牲者のうち、最初の一人だ。唯一の未成年で、合コンからの帰り道に柳原に襲われた、とされている。発生日時は、二〇一〇年九月十四日午後十一時二十分頃。拉致されたと見られる現場近くで遺体が発見されたのは、翌日の朝五時過ぎだった。新聞配達員が見つけ、一一〇番通報している。

「谷未来の行動は、捜査が行われた時にほぼ明らかになっています。友だちと別れ、家に『これから帰る』と電話を入れたのが、午後十時五十分頃。この時点で、既に自宅の最寄駅にいました。襲われた時刻は午後十一時から十一時半にかけてと見られていますが、柳原にはアリバイがないことになっていました。しかし、一審途中で出てきた柳原本人の証言では、当該時刻にはアルバイト先近くの牛丼屋にいた、ということです」

記憶の不思議さ……逮捕された直後ではなく、何年も経ってから、ある特定の日時に自分がどこにいたのか思い出すことがある。あまりにも間が空き過ぎるので、証言としての信憑性《しんぴょうせい》を疑われることもあるのだが、今回はこれが無罪の決め手になった。

「柳原はこの牛丼屋で、アルバイト先の同僚と一緒だった、と証言しています。控訴審でも主張し続け、裁判所も事実関係は認定しました。今回、この同僚にも話を聴いたんですが、犯行当日、一緒に牛丼屋に行ったことを証言しています」

「牛丼屋の滞在時間なんて、平均で五分ぐらいやないんか？」

島村が突っこんだ。確かに五分なら、「誤差」の範囲である。しかし皆川は、冷静に反論した。

「この店は二十四時間営業なんですが、午後十時を過ぎるとあまり混まないので、テーブル席で長居する客も少なくないそうです。アルバイト先の同僚は、十一時半ぐらいまでこの店にいた、と証言しています」

満足そうにうなずき、島村が立ち上がってホワイトボードの前に立った。事件が連続して発生した戸塚区と、柳原が当時住んでいた磯子区の地図が張ってあり、所々に赤いサインペンで「☆」マークがつけてある。事件に関係した重要ポイントだ。島村が磯子区の地図に顔を近づけ、「☆」マークの一つを指で叩く。ここが柳原の当時のアルバイト先で、牛丼屋もすぐ近くだ。国道一六号線沿いで、JR根岸、地下鉄吉野町、京急南太田、どの駅へ行くにも歩いて二十分はかかる。そして自宅までは、自転車で十五分ほどだ。単純計算でも、捜査本部が立てた「アリバイ不成立」が怪しくなる。

柳原が十一時過ぎ——アルバイトが終わった直後の時間だ——に牛丼屋に入り、五分で店を出たとしても、家に帰り着くのは十一時二十分頃。そこからすぐに車を出して犯行現場の戸塚駅方向へ向かったとしたら、到着は午前零時前になる。

「で、その同僚の証言はどこまで信用できる?」島村が先を促した。

「日記をつけていたので、ほぼ間違いないですね。現在二十八歳なんですが、高校の時から一日も休まず書いているそうなので、信憑性は高いと思います。またこの日は、職場でトラブルがあったそうで、二人で店長の悪口を言い合っていたこともあって、印象に残っていたそうです」

「そもそも、柳原が逮捕された後で、自分から警察に出頭した、という話のようだが」

そう指摘する島村の顔は、どこか嬉しそうだった。人の失態を調べることなど、本来ならやりたくもないはずだが、一度どっぷりと浸ってしまうと、彼にとってはやりがいのある仕事になったようだ。

「警察の方で門前払いしました」

「きたねえ」楽しそうに言って島村が揉み手をした。「こいつは、典型的なでっち上げの手順やな。積極的なでっち上げやなくて、消極的なでっち上げやけど……証言を採用しないことで、シナリオの修整を避けるわけや」

皆川がうなずいた。にこにこしている島村とは対照的に、表情は硬い。自分が属する警察という組織に対する信頼が、揺らいでいるのだろう。汚れた人間が仲間だと考えただけで、人は落ち着かなくなるものだ。

「で、今回、改めて証言してくれたわけだ」

「はい。裁判でも証言したんですが、無罪判決が出たので、相当怒っている様子ですね……警察に対する不信感があって、話してもらうまでにだいぶ時間がかかりましたが」

「よう聴き出した。粘り強いのはええこっちゃで」島村がさらりと褒めた。「で、その時阪東部長はどうした？」

「すぐに重原管理官に報告・相談したのですが、話を聴く必要はない、と言われたそうです。追い返すよう命令された、と。本人は、この件に関してはコメントも解釈も拒否していますが、そういう事実があったことは認めています」

「消極的にだが、こっちに協力する気になっとるようやな。結構ですな。次、保井部長」

凜は座ったままだった。知らぬ間に、神谷は彼女の横顔を見つめていた。向こうは神谷の視線に気づいていない様子だったが。

「五人の暴行被害者のうち、最後まで証言が取れていなかった樫村瑞樹《かしむらみずき》に、やっと話が聴けました」

「入院中やったんやな」椅子に座り、メモに視線を落としながら島村が指摘した。

「はい。内臓系の病気で手術を受けまして、事情聴取には耐えられないと、家族にずっと拒否されていました。ようやく許可が取れたんです」

「内容は？」

「自分を襲った犯人は柳原ではない、とはっきり証言しました。少なくとも、柳原のように大柄な——太った男ではなかった、という話です。当時は襲われたショックも残っていて、警察の言う通りに証言してしまった、ということでした。ただし、これは雑談レベルです。正規の調書への落としこみは拒否されました」悔しそうに凜が唇を嚙む。

「いや、それで結構、結構。メモで構わんよ。あくまでこれは、正規の捜査ではないことを念頭に置いてな。これで、五人の被害者は全員コンプリートやな？」

「はい」凜がうなずき、両手をテーブルに置いた。

「神谷警部補、何か追記事項は？」

「特にありません」気になっているのは、山田から連絡がないことだ。何度か連絡を取ろうとしているのだが、メールを送っても反応がない。決め手がないまま本丸と直接対決するのは気が進まなかったが、山田を追跡している余裕もなかった。

「了解。では、これらの情報を元に、重原管理官に対する事情聴取を進める。神谷警部補も同席してくれ」

「いいんですか？　俺は、県警の人間と接触してはいけないことになってますよ」

「構わんよ。今回は大詰めになるからね。あんたみたいな強面がいた方が、押さえが利く……それでやり方だが、この部屋全体を取調室だと考えてもらえんかな」島村が右手をさっと右から左へ動かした。「完全に密室にする。事情聴取にはこのテーブルを使うが、全員なるべくここに近い席に座って……仕事はしないで、こちらの話に集中して聴いている体《てい》を装って欲しい。プレッシャーをかけるんや」

　強引なやり方だが、五人の人間に取り囲まれているように感じたら、いかにベテランの捜査官でも平常心は保てないだろう。一種の拷問。だがそれで文句を言われても、突っぱねればいい。目には目を、ではないが、神奈川県警は文句を言えないようなことをやってきたのだ。

　そう考え、神谷は島村の作戦を受け入れようとしたが、一抹の疑念が頭に入りこんできた。

　全ての前提が間違っていたら。

神奈川県でのことはともかく、東京の事件……自分が頓挫させ、詰め切れなかった事件の犯人は誰なのだろう。もしも柳原が、重大な秘密を隠したまま被害者面をしているなら、自分たちは希代の性犯罪者を野放しにすることになる。

重原は、部屋に入って来るなり、異変に気づいたようだ。異変というか、部屋の中に満ちた異様な雰囲気に。刺々しい視線が突き刺さり、無言の圧力を感じているだろう。座る前に一つ咳払いをしたのは緊張の現れだ、と神谷は見て取った。

重原の正面は島村。神谷は島村の横に座った。何も言うな、と自分に言い聞かせる。ただ、斜め前から顔を凝視し、表情の変化を観察する。顔色、目の光、汗の具合……それで、心の内を読み取るのだ。

「どうも、お忙しいところ、すみませんね」島村が丁寧に切り出した。

「いえ」言質を取られないようにするつもりなのか、重原は言葉少なだった。

濃いグレーの背広に真っ白なシャツ、そしてえんじ色のネクタイ。街に溶けこんでしまいそうな無難な服装と色合いは、刑事のユニフォームのようなものだ。えらが張り出した顎は鋭角で、意思の強さを感じさせる。大きな目は、睨み合う相手を怯《ひる》ませるだろう。筋張った手を組み合わせ、テーブルに置く。ほっそりとした指は長く、何か触手のような動きを連想させた。

「前置きは……いらんでしょうな」島村が遠慮がちに言った。

「結構です。進めて下さい」

「高島啓《たかしまけい》さんという名前に心当たりは」

「ありません」即答。

「柳原のバイト仲間です」

「覚えがないですね」

「この男は、最初の犠牲者である谷未来さんが襲われた日に、柳原と一緒に、バイト先の近くの牛丼屋に立ち寄っています。犯行時刻の直前ですね。この話は知っていますか？」

「――控訴審でそんな話が出たそうですね」他人事《ひとごと》のような言い方。

「ここでゆっくり飯を食ったら、犯行時刻に戸塚の現場に行くのはほぼ不可能でしょう」

「その件は認知していません」

「そりゃそうでしょうな」島村が同意し、腕組みをした。ワイシャツの袖をめくっているので、太い腕がむき出しになっている。「高島は、柳原が逮捕された当時、警察に説明に行ったのに追い返された、と証言しています」

「警察に来たことは知りません」

「なるほど……あなたは会っていないでしょうからね」

「会っていない人に関しては、何も言えない」

「追い返すように指示したのは、あなただそうじゃないですか」

「覚えがないですね」

重原が両手を引き、腿の上に乗せた。背筋がすっと伸び、ぴりぴりとした緊張感が、神谷にも伝わってきた。反撃はあるのか？　この男が、十分に準備をしてきたのは明らかである。自分の首がかかっている時に、手ぶらで敵地に乗りこむような気楽な人間はいない。

「実際、そういう証言があるんですがねえ。我々も直接聴いています」島村の声に粘り気が増した。相手が音を上げるまでいくらでも攻め続けてやる、という意思が透けて見える。

「その証言とやらについては、関知していません」

「だったら、我々が聴いた証言は何なんですか？」

「それを判断するのは、私ではない」

話は、早くも迷路に入りつつあった。重原は一切言質を取らせない方針でこの場に臨んでいる。神谷は、背中から肩にかけて、ひどい凝りが生まれるのを感じていた。島村と重原のやり取りだけではなく、この部屋に満ちる重苦しい雰囲気が、肩にのしかかってくるようだった。

「さすがに、予習されてきたようですな」島村が軽いジャブを放った。

「何のことでしょう」

「口裏を合わせてきましたか？　それとも部下を締め上げて、ここでどんな証言をしたか、吐かせましたか」

「私は何もしていない」静かな口調だった。重原が張り巡らしたバリアには、まだ傷一つついていない。

「まあ、全員が真面目に蟄居《ちっきょ》しているわけやないでしょう」島村が急にラフな口調になった。「裏ではいろいろ話もするでしょ？　でも、壁はそれほど強固なもんやない。反省して、こちらにきちんと話をしてくれた人も、何人もいるんですよ」

「そういうことは知りません」

「まったく話もしないんですか」

「我々は、警察庁から要請があったから話をしているだけで、特に準備などしていませんから」

「ほう……まるで、どうでもいい話のようですな」

「裁判は時の運ではないですか。勝った負けたの話だ。必ずしも、真実が明らかになるわけではない」

「だったらどうして、検察は上告を断念したんでしょうねえ」島村がねちねちと攻める。

「真実がそこになかったから、やないですか。裁判所の判断が間違っているだけだと思ったら、検察は最後まで戦うでしょう。おたくら、検察にも見捨てられたんとちゃいますか」

　畳みかける島村に対して、重原は無言で応じた。完全密室。古いビルなので壁は薄く、普段は外を走る車の音や人の話し声さえ入ってくるのだが、この時は静まり返っていた。神谷は、自分が呼吸する音をはっきり聞いていた。

「――いったい、この調査に何の意味があるんですか」重原がいきなり反論した。

「さあ、ねえ」島村が惚《とぼ》ける。「我々は、上から命令されてここに集まっただけやから。何か疑問があるなら、警察庁の官房に直接訊いてもらうのが適切やね」

「馬鹿馬鹿しいと思いませんか？」重原の口調が急に変わった。反発でも拒絶でもなく、仲間に同意を求める口調。「警察だってミスはする。今まで、無罪判決になってしまったケースだって、いくらでもあるでしょう。それなのに、どうして我々だけが、犯罪者のような扱いを受けなければいかんのですか」

「そこも上の判断やからねえ」

「見せしめですか」

　神谷は、胸の中がざわつき出すのを感じた。重原の指摘は、神谷自身感じていた疑問だった。警察庁側は否定するかもしれないが、これが一種のアリバイ作りであることは分かっている。最近、警察の規律、捜査能力が落ちている。重大な事態だと判断し、警察庁としては、できるだけ客観的な調査に乗り出すことにした。そのために、当事者とは関係ないスタッフを集めた——お為《ため》ごかしだ。本気で調査するつもりなら、そもそも警察とは無関係の外部の人間を招集するだろう。それこそ弁護士とか。

もちろん、警察庁側の勝手な事情があったとしても、神奈川県警の失態は看過できるものではないが。

「ま、そういう話をここでされても困るんでね」島村の声には、戸惑いが混じっていた。「そもそも論」を持ち出されても、これ以上話が続かないのは分かっている。

「そうは言いますが、我々はこの調査を不当だと考えている」

「県警全体の総意として？　キャリアの本部長や刑事部長も、警察庁に逆らうつもりですか」

「やり玉に上がっているのは、我々下っ端の人間だけでしょう」自嘲気味に重原が言った。「あの人たちは傷つかない。あなたたちも、こんな仕事をしていると、現場の恨みを買うだけですよ」

「神奈川県警さんの恨みを買っても、別に困ることはないですなあ。これが終われば、我々は元の所属に戻る。おたくらがどんなに怒っても、どうにもならない」

「手は出しませんよ」重原が不敵に笑った。「我々は、正義と法のために働く警察官だ」

「ま、名目としてはねえ」島村も皮肉な笑みを浮かべる。

「名目だけじゃない」重原が今までに増して真剣な表情になった。「性犯罪者は、社会の脅威です。そういう人間を排除するのは、警察の大事な仕事じゃないですか」

「ちゃんとした容疑があれば、ね」島村がうんざりしている様子が、手に取るように伝わってくる。「とにかくでっち上げはいかんですよ、でっち上げは。だいたいあんた、一度捕まえた柳原をまた使おうと思って、チャンスを狙っとったんやないですか」

「失礼な」重原が顔を赤く染めながら反論する。「我々は正義のために——原理原則で仕事をしている」

「その原理原則が、世間の常識と反していることもままあるんでねえ」島村が耳を掻いた。「そこは、我々が調べなくちゃいかんところです」

「どうぞご自由に」重原が肩をすくめる。「そちらはそちらの価値基準で仕事をやっている。我々も普段通りの仕事をこなすだけだ……だいたい、このプロジェクトとやらに意味はあるんですか。警察官が警察官を調べる——あなたたちにその資質があるんですか」

重原がいきなり神谷を睨みつけた。その視線の鋭さに、神谷はかすかに体が震えるのを感じた。

「人を調べるなら、後ろめたいことがない人間にやってもらわないと」

「あんた、何が言いたい？」島村の声が鋭く尖った。

重原の視線は、依然として神谷に突き刺さったままだった。視線が痛い。かすかな吐き気を感じる。

「自分でも処分を受けたような人間は、他の警察官を調べることはできない――そんなことはすべきではない。良識ある人間なら、辞退するでしょうね。非常識だ」

「非常識なのは、そっちも同じだろう」

神谷は思わず口を出した。島村が「黙れ」と合図するように目配せしたが、無視する。この男は一線を越えた。確信はなかったが、どうしても重大な疑問をぶつけざるを得ない。

「あんたたちは、我々の調査を妨害している。おかげで永井理事官は入院した。個人的なウィークポイントを突いてくるのは、集団同士の喧嘩のやり方としては卑怯《ひきょう》だな」

「我々が妨害？　洒落にならないな」重原が鼻を鳴らし、腕を組んだ。「そんな馬鹿なことをする必要はない」

「だったら、永井理事官はどうして倒れた」

「我々が知るはずがない。そちらの問題でしょう」

「あなたたちから不当なプレッシャーをかけられたからだ」

「神谷警部補……」

島村が警告を飛ばした。それで神谷は一瞬だけ冷静になったが、重原は引く気がないようだった。

「適当なことを言って挑発しているつもりかもしれないが、レベルが低いな。そもそもでっち上げといえば、あんたの得意技だろうが」

重原が、人差し指を神谷に向ける。その指がどんどん伸びて、額に突き刺さる——神谷の頭の中で妄想が膨らんだ。重原が勝ち誇ったような表情を浮かべ、特命班の面々を見回した。

「皆さんも分かってるんでしょう？　この人は、警視庁の特捜本部事件で、適当な捜査で犯人をでっち上げようとした。思いこみで捜査をするような人間が、この調査に参加しているのが、そもそも間違いなんだ。だから、我々が調査の妨害をしているなどという妄想を口にする——」

神谷は瞬時に立ち上がり、テーブルに飛び乗った。その勢いを利用して、重原に襲いかかる。頭から突っこむと、脳天が胸に当たり、重原が吹っ飛んだ。神谷はすぐに立ち上がり、床に倒れたままの重原を見下ろした。胸ぐらを摑んで強引に引き上げ、そのまま押しこんで壁に背中を叩きつける。重原が鈍いうめき声をあげ、息が漏れた。すぐ目の前に、汗で濡れた重原の顔がある。煙草臭い息が漏れて顔にかかり、かすかな吐き気を覚えた。左手でネクタイを摑んで締めつけ、壁に押しつけ続ける。右手を思い切り引き、顔面を貫くパンチを繰り出そうとした瞬間、体がぐっと後ろに引かれた。

「神谷！　あかん！」島村の声が背後から聞こえる。一瞬力を抜くと、さらに強く引っ張られ、重原から引き剝がされた。二人の間に空いた隙間に、皆川が慌てて割って入る。今にも泣き出しそうな表情だった。

　心臓が激しく胸郭を打つ。神谷の目は、重原の顔に浮かぶ薄い笑みを捉えた。失敗……またやってしまった。よりによって、こんなところで。自分にチャンスをくれた橋元に対して申し訳なく思う気持ちが涌き上がってくる。だが、重原に対する怒りは、まだそれを上回っていた。こいつらは、自分たちを守るために、何でもやるつもりだ。挑発にまんまと乗ってしまった自分の間抜けさに嫌気が差す。

　チャンスを生かし切れない馬鹿な男……神谷はぼんやりと思った。

3

「つまり、挑発に乗ってしまったと」

「そういうことです」神谷はあっさり認めた。警察庁への出頭を求められた時、余計な言い訳は一切しない、と決めてきたのだ。何を言っても、自分が馬鹿だと意識させられるだけだから。だったら事実を全て認め、後は甘んじて処分を受け入れよう。

神谷は、清潔な素っ気ない部屋をさっと見回した。行政官庁である警察庁には、警視庁の庁舎のように厳しく重い空気は流れていない。この小さな会議室も、普通の会社の普通の会議室のようにしか見えなかった。ただ、相対している二人の男は、会社員には見えない険悪な雰囲気を発している。

主に神谷から話を聴いているのは、長官官房人事課監察官だった。普段なら——普通にノンキャリアの警察官として生きている限り、まずお目にかからない職種の人間である。こいつは滅多にないいい経験だな、と皮肉に考えたが、その気持ちはすぐに萎《な》えてしまった。警察庁の特命で集められ、身柄も一時警察庁に移っているから、この男が調べているだけである。報告は警視庁にも回り、新しい辞令が用意されるだろう。

そうなる前に、一つだけ言っておかねばならないことがある。

「神奈川県警は、我々の調査を妨害しています。永井理事官に対して嫌がらせをしたのもその証拠です」

「永井理事官は、そんなことは一言も言っていない」

「まさか」話が違う——神谷は顔から血の気が引くのを感じた。

「こんなことで、我々が嘘をつく意味はないと思うが」監察官は冷静だった。「君の勘違いではないのか」

「あり得ません」キャリア上のマイナスになると思って、永井は上層部に対して口をつぐんでしまったか……だとしたら、神谷に対して嘘をついたことになる。

「どこかで話が食い違っているな」監察官がうなずいて言ったが、その食い違いを追及する気はないようだ、と神谷は判断した。今、この男が問題にしているのは、外形的事実——神谷が暴行を働いたこと——だけである。

「とにかく、重原管理官に暴行した事実に間違いはない、と」

監察官は話を早くまとめたがっているようだった。それはそうだろう。既に夜十時。午後遅くにあの出来事があってから、数時間が経っている。何としても今日中に、ある程度の結論を出してしまいたいのだろう。彼らにしてみれば、まったく余計な仕事なのだ。

「そうです」だったらその思惑に乗ってやろう、と思った。どれだけ言い訳しても事実は消えない。

「結構です。追って連絡するまで、待機として下さい」監察官が早くも書類をまとめにかかった。

「それは構いませんが、うちのチームの安全だけは守って下さい」

「安全？　それは大袈裟では？　誰かの身に危険が及ぶとでも言うのかね」

「その可能性もあります」

監察官が神谷の顔を凝視した。馬鹿にするような、同情するような目つき……被害妄想だとでも思っているのだろう。冗談じゃない。状況を説明しようと思って、結局やめた。どう足掻いても、自分は島へ送り返されるだろう。もしかしたら、本土からもっと遠い島へ。そうなったら、いくら頑張っても特命班の手助けはできない。

そもそも臨時のチームに過ぎないのだ、と自分に言い聞かせた。メンバーを守る義理などないではないか。

「こういうことを言うのは失礼かもしれないが、妄言にしか聞こえないな」監察官が溜息をついた。

「だったら、永井理事官はどうして倒れたんですか」

「彼は昔から、内臓系が弱くてね。まあ、今回の件はいい療養になるだろう」

「そんな呑気な……」声を張り上げかけ、神谷は唇を引き結んだ。どうして俺はむきになる？　こんな風に監察官の心証を悪くしても、損をするのは自分なのだ。失うものなど何もないが、時に組織というのは、個人の想像を超えた行為に走ることもある。もしも自分だけでなく、特命班の他のメンバーに迷惑が及んだら、申し訳ない。

「正直に言おうか」監察官が目の前のファイルを閉じた。「どうしてこのプロジェクトに君が入ることになったのか、我々にはさっぱり分からない。警視庁の方で決まったことだとは言うが……」

「何かの間違いだったんでしょう」神谷は歯を食いしばった。橋元の厚意と期待を裏切った、という悔いは強い。「誰かの名前と書き間違えたとか。だいたい、こういう際どい事件を私にやらせようとするのは、間違っていますよ」

「自分で分かっているなら結構だ」監察官がうなずいた。「では、しばらく待機でお願いします」

「今後、調査はどうなるんですか」

「それは、あなたには関係なくなる」

「で、警察庁としては、適当な報告書を受け取って終わりですか……真犯人はどうするんです？　このまま危険人物を放っておいていいんですか」

監察官が上体を折り曲げ、両手をテーブルについた。神谷に顔を近づけると、柑橘系《かんきつけい》のコロンの香りが濃厚に漂い出す。神谷が大嫌いな臭いだった。

「それは、あなたが心配することではない」

「心配ですね、都民として」

「少なくとも、大島の治安には関係ないでしょう。このまま帰ってもらうことになります」

監察官が踵を返す。もう一人の男は、結局一言も発しないままだった。記録を取っていたわけでもなく、何のためにここにいるのか分からない。税金の無駄遣い、と頭の中で皮肉を吐く。そういう俺も税金泥棒か。どこから金が出ているかの違いでしかない。

桜田通りに出て、左へほんの二百メートルほども歩けば、桜田通りと内堀通りがぶつかる鋭角の三角形に面した警視庁の正面玄関に出る。かつて——二年半前には毎日通勤し、血なまぐさい日記を書いていた場所。

神谷は警察庁の入る合同庁舎前に立ち尽くしたまま、どこを見るともなく視線を漂わせた。桜田通りはこの時間になると交通量が少なくなり、向かいの裁判所の庁舎がよく見える。妙に肌寒い風が吹き抜け、思わず首をすくめた。この光景も見納めかもしれない。本土へ戻る可能性はほぼゼロになっただろうし、何だか全てが馬鹿馬鹿しくなってきた。警察は——自分が属している組織は、本気であの事件に取り組んできたのだろうか。神奈川県警は面子のために犯人をでっち上げ、無罪判決が出ても真犯人を追う努力をしない。警察庁も同様である。この調査はやはり、「きちんとやっています」というアリバイ作りに過ぎないのだろう。自分はそこに組みこまれた駒。もはやできることは何もない。

溜息をつき、両手をポケットに入れて踵を返す——霞ヶ関駅の方へ歩き出そうとした瞬間、声をかけられた。

「神谷さん?」

振り返ると、天野が目を見開いて立っていた。

「マサ……」

「何してるんですか、こんなところで」

「お前こそ」神谷は言葉を呑んだ。この男がここにいるのは当たり前ではないか。隣の庁舎で仕事をしているのだから。最も厳しく犯罪と対峙する最前線で。

「どうかしました？」

「何が」

「顔色がよくないですけど」

「そうかな」神谷は両手でゆっくりと顔を擦《さす》った。

「飯でも行きます？」

神谷は左手を突き出して腕時計を確認した。十時過ぎ……今から食事というのも面倒臭い。というより、誰かと一緒にいるのが面倒だった。

「いや、済ませた。そこまで行こうか」

そこまで、では済まないか……天野は確か、東横線の綱島に住んでいる。自分も横浜まで戻るのに東横線を使う。それなりに長い時間、天野と一緒にいると、気詰まりになるだろう。

「お前、確か綱島だったな」

「いや、引っ越しました」

「そうなのか？」

「大家が家賃を値上げしまして」

「引っ越す方が金がかかるだろう」

「気分転換ですよ。どうせ気楽な一人暮らしですし。今は、東高円寺にいます」

「丸ノ内線で一本か……独身は気軽なもんだな」

そういえば自分も独身だ、と気づいて神谷は苦笑した。もっとも大島だと、住める場所が限られてしまうので、引っ越しに悩むこともない。

「とにかく、駅まで行きましょうよ」

天野はまだ、神谷を心配している様子だった。顔に出るほどショックを受けているのかと、自信がなくなる。

天野は定期入れを取り出したものの、手の中で弄《もてあそ》んでいた。神谷よりずいぶん背が高いのに、上目遣いにこちらを見る。そんな、子犬みたいな真似をしても、俺はお前と話をする気はないからな——神谷は自分に言い聞かせ、すっと視線を逸らした。

「神谷さん、あっちの方はどうなんですか。本当の……」人に聞かれるとまずいと思ったのか、天野が言葉を濁す。

「何とも言えないな」

「そうですか」

「そう簡単な話じゃない」

「分かりますけど、神谷さんなら何とかしてくれると思ってますから」

「お前は、俺を過大評価し過ぎてる」

「本当に、何かあったんですか」

天野が心配そうに神谷の顔を覗きこむ。神谷は反射的に、また視線を逸らしてしまった。情けないとは思うが、今は天野の刑事としての本能が怖い。この男に突っこまれ続けたら、いずれ全てを話してしまいそうだ。

「何もない。ま、面倒臭い話だから、いろいろ悩むこともあるんだよ」

「今日は、隣に呼ばれてたんですか」彼から見て「隣」は、警察庁になる。

「ああ」

「こんな時間まで？」

「打ち合わせが長引いたんだ」

「せっかく来たんだから、うちに顔を出してくれてもよかったのに」

「子どもみたいだな、お前は」そんな簡単な問題ではない。今さらどの面下げて、警視庁へ行くというのか。

「すみません」天野が頭を下げた。「まだこっちにいるんですよね」

「ああ。いつまでかは分からないが」

「今度は呑みに行きましょうよ」

「そうだな」

「いろいろ相談したいこともあるんです」

「相談したいなら、相手が違うだろう」神谷は自嘲気味に言った。

「そんなことないです。自分は、神谷さんを頼りにしてるんですから」

「マサ、お前は相手を間違ってる」神谷は繰り返した。「人を見る目を養わないと、刑事としては大成しないぞ」

神谷は軽く頭を下げて、日比谷線のホームの方へ向かった。一度も振り返らなかったが、彼の視線は鋭く背中に突き刺さってくるようだった。そういえば、橋元の容態を聞き忘れた。それだけは気がかりだったが、今は戻りたくない。

ふいに、強烈な向かい風が吹いたように感じた。足が止まる。あるいは風ではなく、後ろから誰かに引っ張られているのかもしれない。それに逆らって歩き続ける。地下鉄の通路が、地獄へ続く洞窟のようにも感じられた。


二日後の午前七時半、神谷はウィークリーマンションの部屋を引き払い、特命班が使っている部屋に向かった。毎日持ち帰っていた資料を返さなければならない。高速船が熱海を出発するのは、午前十時十五分。新横浜まで出て新幹線に乗って……と考えると、あまり時間がない。資料は皆川に託そうかとも思ったのだが、いつもの二倍の量を持たせるのは申し訳なかった。資料は増え続けて、今では行き帰りにタクシーが必要なまでになっているのだ。

部屋には誰もいなかった。普段の集合時間よりも早いから当然だが、うすら寂しい。ここへ来てから二週間、季節は足早に秋に移りつつあり、朝など肌寒さを感じることもあった。今日は特に……一瞬身震いして、紙袋に詰めた資料を自分のデスクに置く。チームのメンバーには、外されたことを昨夜のうちに報告しているから、このまま立ち去ってもよかった。しかし何となくそれでは無礼な気がして、手帳を広げる。せめて、今チームの指揮を執る島村には、謝罪のメモぐらい残しておくべきではないか。

立ったまま、屈みこんでペンを手にする。何を書くか……「自分の暴走で迷惑をかけて申し訳ない」ということに尽きるのだが、それを上手く言葉にまとめられない。最初の一語「今回は」を書いただけで手が止まってしまった。

椅子に腰かけ、改めてペンを取る。だが、どうしても続きが書けない。情けない話だ……結局俺は、また挨拶もせずに逃げ出すことになるのか。しかし、こんなことで時間を潰しているわけにはいかない。大島へ行く方法は多くない。熱海からの高速船を逃すと面倒になる。

ドアが開く。神谷は反射的に手帳を閉じた。凜が部屋の中へ入らず、ドアを手で押さえたままこちらを見ていた。神谷は唾を呑み、ゆっくりと立ち上がった。今朝の凛は、胸元が少し開いた薄いグリーンのカットソーに、ベージュのジャケットを合わせている。秋より春に合いそうな色合いだった。

もはや、この部屋では何もできない。凛と話をするのも苦痛だった。

「資料はここへ置いたから」紙袋を二度叩く。必要なことは言ったから、もういい。早く部屋を出て行こう。

凛は依然として、ドアのところから動こうとしなかった。自分を倒してから行け、とでもいうつもりか。まさか……もちろん、彼女が怒るのは理解できるが。息をつき、ゆっくりとドアに――凛に近づく。横を通り抜けようとしたが、隙間が狭過ぎる。彼女の香りを嗅ぐどころか、体が触れてしまいそうなスペースしか空いていない。ドアの寸前で立ち止まり、彼女の顔から真意を読み取ろうとした。分からない。神谷の観察力が鈍ってしまったのか、凛が本音を隠すのが上手いのか。

「一つだけ、忠告してもいいかな」

「何でしょう」感情の感じられない声。

「誰かが――県警の連中が、俺たちをはめようとしている」

「神谷さんもはめられたんですか」

ある意味、そうだ。怒りに火を点け、暴走させるという、一番単純な方法で。しかしそうは言わなかった。それを認めると、自分が惨めに思えてくる。

「とにかく、県警が何かちょっかいを出してくる可能性がある。永井理事官も、その犠牲者だったんだ」

「どういうことですか」形のいい凜の眉毛が歪んだ。

「詳しいことは俺も分からない。理事官は話してくれなかったけど、プライベートな弱点を攻められたようだ。君も十分気をつけた方がいい」

「プライベートなこと、ですか」凜が顎を胸につけた。眉間に皺が寄っている。

「ああ。誰だって、突っこまれたくない秘密の一つや二つはある」

凜は反応しなかった。イエスもノーもなし。うなずきさえしない。むしろ神谷の一言が、彼女に過去を思い出させてしまったようだった。要するに彼女の私生活には、何か問題があるのか？　反応ができなくなるほど酷い過去が？

それ以上は訊けない。

「このまま尻尾を巻いて逃げるんですか」

「そうだよ」言い返す代わりに、あっさり認めることにする。「両手を縛られたら、何もできない」

「そうですか」凜が神谷の目を凝視した。強い気持ちがそのまま心に飛びこんできそうな視線。

「何が言いたい？」

「それでいいんですか」

「いいも悪いもない。俺にとってこの事件は、終わった」

「そう、ですか」

声がどんどん低くなる。不機嫌なわけではなく、単に元気をなくしている様子だった。期待していた物が手に入らないから……彼女は何を期待していた？　このプロジェクトの成功？　それに関しては問題ないだろう。神谷が引き起こしたトラブルは、全体の中では小さな小波《さざなみ》に過ぎないはずだ。調査は順調に進んでいたわけで、今さら頓挫するとは思えない。島村が上手くまとめるだろう。あるいは永井の体調が戻って、キャップとして復帰するかもしれない。

結局俺は、何もできなかった。そして、柳原は本当に何もしていないのか、という疑問だけが残っている。天野が強い疑念を呈していたせいもあって、東京の事件との関連は確かに気になる。しかしもう、手を出せない。大島に戻ってしまえば、捜査を続けるチャンスは消えるのだ。

「俺は島へ帰る」

「ええ」

「皆によろしく言っておいてくれ」神谷は何とか彼女の脇をすり抜けて廊下に出た。

「いいんですか」

凛の言葉が、神谷をその場に釘づけにした。「いいんですか」の裏には、別の意味がある、と悟る。果たして彼女が何を知っているかは……いや、もしかしたら俺の傷を知ったのかもしれない。あれだけの騒ぎがあったのだ、特命班のメンバーで話し合った可能性もある。永井は当然事情を知っているはずだし、目ざとい桜内や老獪《ろうかい》な島村は、伝を辿って簡単に事実を掘り出してしまうだろう。それを皆川や凛が知ったらどうなるか。

「俺と会ったことは、忘れた方がいいな。このチームでの仕事は、君のキャリアにはプラスになるかもしれないが、俺みたいな男とかかわったことは、絶対にプラスにならない」

「私は、プラスマイナスで仕事はしません」背中から彼女の声が追いかけてきた。

「だったら何のために仕事をするんだ？」神谷は前を向いたまま訊ねた。

「自分が納得できるかどうか、それだけが大事です」

「ずいぶん自己中心的だ」神谷は肩をすくめた。

「それが……私が刑事であることの存在意義ですから」

神谷は思わず振り向いた。凛は相変わらず決然とした表情を浮かべていたが、かすかに「揺れ」のような物が感じられる。強い言葉と裏腹に、気持ちがぶれているようだった。人は、人とのつながりの中でしか生きていけない。「自分のために」というのは、動機としてはいかにも弱い。他の誰かのためにと思えば、人は強くなれる。刑事の仕事など、その最たる物ではないか。金を儲けるわけではなく、被害者を一人でも救いたいと思っているからこそ、きつい仕事にも耐えられるのだ。

彼女の言葉の真意は何だろう。ふと、その考えに引きずりこまれそうになる。

駄目だ。今、立ち止まるわけにはいかない。俺はここから去る人間であり、彼女がどんなに悩んでいても傷ついていても、手助けはできないのだ。今この時、一瞬だけ優しい言葉をかけるぐらいはできるかもしれないが、それは単なる気休めだ。

歩き出す。ふいに、彼女が発していた引力のような物が消えた。言うべきことは言った、ということか……神谷は振り返らなかった。

4

高速船は元町港に接岸した。ここからだと、署までは歩いて行ける。顔を出す義務もないが、他に行く場所もなく、神谷はぶらぶらと歩き出した。

この辺りは、緯度で言えば対岸の稲取と同じぐらいである。熱海と比較しても、三十キロか四十キロほど南にあるだけ。それなのに、ずいぶん暖かい——夏の名残《なごり》が強い感じがした。巻き上げられたネクタイが顔を叩くほど風が強いのに、寒さはまったく感じない。

今日も、埠頭には釣り人が何人もいる。平日の昼日中から、気楽なことだ……二週間前の自分もここに交じっていたわけか。あんな風に時間潰しをしていたのは、良かったのか悪かったのか。

元町港から大島署までは、直線距離でわずか二百メートルほどしかないが、急な坂を上がっていかねばならないので、実際の距離よりもはるかに長く感じられた。いつも途中で歩くスピードが落ち、一度は立ち止まってしまう。途中で振り返って海の方を見ると、晴れ渡った空の下、対岸の伊豆半島がくっきりと見えた。この季節には珍しく、富士山もその姿を露にしている。二度と帰ることのない場所かもしれない。帰れるかもしれないと、スケベ心を出したのが悪かったのか。人間、欲が出ると自分を取り巻く状況が見えなくなるものだ。

古びた図書館を通り過ぎて、信号の手前で左折。道路の向かい側には、いつも使っているスーパーがある。そういえば、昼飯はどうしよう……二週間ぶりに、あのスーパーの弁当か。何とも情けない感じを抱いた瞬間、ふと口中に牛丼の味が蘇った。あんな安い食事を懐かしく思い出すとは。そういえば向こうでは、一度も美味い蕎麦を食べられなかった。

大島署の庁舎はまだ新しく——竣工《しゅんこう》は平成十四年だ——薄いクリーム色と白を基調

にしたカラーリングは、訪れる人に威圧感を与えない。だが今の神谷にとっては、非常に入りにくい場所だった。どの面下げて、などという言葉まで脳裏に浮かぶ。入口で突っ立ったまま、どうやって入っていこうかと考えていると、中からいきなり谷本が飛び出して来た。転がるような走り方だったので、事件だと悟る。

「あれ、係長」

谷本が立ち止まる。呑気な口調であり、神谷は「事件だ」という確信を撤回した。

「どうかしたか」

「いや、どうもしませんけど、係長こそどうしたんですか」

「別に……戻って来ただけだ」

「終わったんですか？」

「まあ、終わったかな」俺に関しては。

「じゃあ、こっちへ復帰ですか」

「そうなる……んじゃないかな」そう言えば、一時的に警察庁に移されていた身柄はどうなったのだろう。新たな辞令を貰ったわけではなく、このまま大島署で仕事ができるかどうかも分からない。

「じゃ、ちょっとすいません」谷本が腰を屈め、手刀を切るような仕草を見せた。掻き分けなければならない人ごみなど、どこにもないのに。「後で、向こうの話を聞かせて下さいね」

「聞かない方が身のためだと思うぞ」

神谷が首を振ると、谷本が不審気な表情を浮かべた。しかし、やはり急ぎの用事があるのか、それ以上追及はせずに、一礼して去って行く。

刑事課へ入ると、課長の遠藤が茶を啜っていた。今日も暇そうだ。神谷を認めると、遠藤は驚くでもなく、小さくうなずく。一応、挨拶しないと……課長席の前に立つと、遠藤は隣のソファに座るよう促した。

座った瞬間、遠藤が「やっちまったか」と低い声で言った。この男は……デリカシーがないというか、鈍いというか、時に露骨な突っこみをしてくる。あまりにも露骨過ぎて、怒るのも忘れるほどだった。

「聞きました？」

「簡単にな」遠藤がワイシャツの襟元に指を突っこみ、少しだけネクタイを緩めた。太っているわけではないのに、何故か首だけは太く、どんなシャツを着てもサイズが合わない——袖は長いのに首は苦しくなる。いったいどうしたら、こんな体型になるのだろう。「お前、もう少し気持ちに余裕を持てよ」

「今さら性格は変えられませんよ」

「年を取れば、多少は丸くなるもんだがね」

「まだそこまで年を取ってません」

「何も、自分から厄介事を背負いこむことはないと思うがね」遠藤が湯呑み——寿司屋で使う巨大な物だ——を引き寄せ、音を立てて茶を啜る。

「性分なんで、すみませんね」神谷は素直に頭を下げた。

この男と話すと苛々する。反応が鈍く、やる気が感じられないのだから、基本的にせっかちな自分と気が合わないのも当然だと思う。だが今は、生温い会話が心地好かった。要するに自分も、この男と同レベルに落ちているわけか、と自虐的に考える。

「取り敢えず、仕事復帰します」

「辞令は出ないようだぞ。あと二週間は、警察庁扱いのままだそうだ」

「それで大島署の仕事をしていいんですかね」

「まあ、いいんじゃないかな。人事の面倒なことは上がやるだろうし。お前は普通にしてろ」

「はあ」

「気は長くもってな」

「この島で、気が急くようなことは一つもないじゃないですか」

「実際にそうであることを祈るがね」

遠藤がにやりと笑い、椅子を回してデスクの正面に位置を取る。話は終わり、の合図。

相変わらず呑気なことだ。自席に行くと、二週間席を空けても、書類が溜まってはいない。それほど事件が少ない所轄なのだ。だったら、パトロールにでも出かけるか。一日中ここで座っていると、時間の流れが遅い。

「ちょっと回ってきますね」

「あいよ」

遠藤がひらひらと手を振った。部下が何をしていようが、一切気にしない男。これでも大島署の刑事課は問題なく回っているのだから、組織の管理に必要なことはいったい何なのか。


そうしてあっさりと、日常——捜査に取り組む時間が戻ってきた。

帰って来たその日の夕方、島内では数少ないスナックで客同士の喧嘩が起き、一人が意識不明の重態になった。しかも、殴った方が逃走。署を挙げての捜索が始まり、横浜での不快な出来事を思い出す暇はなくなった。

大島で犯人を捕まえるのは難しくない、とよく言われる。空港と港を押さえてしまえば、外へ逃げるのはほぼ不可能だからだ。そして島を一周するメーンの道路で検問を徹底すれば、島内にも逃げ場がなくなる。しかし実際には、そう簡単にはいかない。島の住民なら、一周道路以外の毛細血管のような道路も把握している。

検問場所を車で回りながら、昔、大島は自殺の名所——三原山に投身自殺する人が多かったのだと思い出した。戦前の話だが、その頃ここの治安を守っていた先輩たちは大変だっただろう。火口からいちいち遺体を引き上げていたわけではないだろうが……最近はそういうこともなく、刑事課の出番といえば少額の窃盗事件や喧嘩沙汰がほとんどである。

しかし今回は、面倒なことになりそうだった。事件が起きてから五時間後、午前零時過ぎに、意識不明だった被害者が死亡したのだ。喧嘩の果ての出来事で、「殺人」ではなく「傷害致死」容疑だが、人が一人死んだ事実に変わりはない。

警戒しながら、大島一周道路を二周。署の近く、町役場の側に設けられた検問場所に戻って来て、神谷は谷本に声をかけた。本来、検問は刑事課の仕事ではないのだが、ここは小さな所轄である。こういう事件の時は、総がかりで取り組むしかなかった。そんなことは分かっているはずなのに、谷本はむっつりとしている。

「だいたい、もう島の外へ逃げたに決まってるんですよ」

「船で、か?」

「だって、船を持ってるでしょう?」容疑者は漁師だった。船は小さな漁船だが。

「船が係留してあるのは確認したよ。まさか、泳いで逃げるわけにもいかないだろう」

「分かりますけど……」谷本がぶつぶつと文句を言った。「こんな目立つ所に来るわけないと思いますけどねえ」

役場前といえば、一応大島の目抜き通りなのだが、実際には寂しい光景が広がっているだけだ。銀行の出張所、郵便局……他には民家が固まっているぐらいである。それに、容疑者が真っ先に立ち寄る可能性のある自宅はここではなく、波浮港《はぶみなと》近くだ。

「ま、居眠りしないで頑張れよ」神谷は谷本の肩を威勢よく叩いた。

「立ったまま居眠りできるわけないじゃないすか」

またぼやく谷本を残して、神谷は波浮港へ向かった。

歌にも歌われた波浮港に対して、神谷は最初、過大な期待を抱いていた。どれほど情緒溢れる場所なのか、と。しかし初めて自分の目で見た時、あまりにも寂れた光景に、間違った場所へ来てしまったのではないか、と疑った。天然の入江が港になっているのだが、ごくささやかなもので、小型の漁船などがぽつぽつと係留してあるだけだ。すぐ側に山の斜面が迫っており、外界とは隔絶された場所、という印象が強い。港の東側に、民家や飲食店が固まった細い通りがあり、そこだけは多少趣があるのだが……石畳の道路は、車もすれ違えないほど細く、古い建物が並んでいる様は、昭和三十年代の日本をイメージさせる。自動販売機だけが、現代のアイコンだ。

容疑者の自宅はこの一角にあり、既に何人もの警察官が張りこんでいる。自宅の捜索も行われたが、年取った母親と妻がいるだけで、二人を悲しませるだけの結果に終わった。普段から酒癖が悪いことは分かったが、それは容疑者がこんな事件を引き起こしたのを見れば、わざわざ聴かなくても明らかである。

気を長く持て、と神谷は自分に言い聞かせた。どうせ見つかる。見つからなければ、「自殺した」と判断していい。自分の船以外で逃げ出すことはできないし、隠れるのも難しい離島なのだ。

神谷はふと、自分の立場とこの容疑者の立場を重ね合わせていた。似たようなものではないか。逃げ場をなくし、結局は落ちる所へ落ちざるを得ない。動き回っていても余計なことは考えるもので、もやもやした気持ちを抱えたまま朝を迎えた時には、げっそり疲れてしまっていた。終《しま》いには腹が立ってきた。たかが傷害致死の犯人に、こんなに振り回されてどうする。そう考えた後には、人が一人死んでいるのに「たかが」という形容詞を思い浮かべてしまった自分にも腹が立った。いつから俺は、人の死に軽重をつけるようになったんだ？

意外にも、容疑者の捜索は長引いた。それこそ、戦前の自殺ブームではないが、三原山の火口に身を投げたのでは、などという憶測さえ出るようになった。馬鹿馬鹿しい……最初にそれを口にしたのが自分だということも忘れ、神谷は谷本に悪態をついた。完全徹夜の谷本には嫌な思いをさせたようで、辛そうな笑みを浮かべていた。

犯行翌日の午前九時、遠藤が捜索の人員を再構築した。刑事課の全員が出払ってしまったら、他に事件が起きた時に対応できない。三班に分け、第一班は捜索を続行。第二班は署で待機、第三班は非番休憩、となった。以降、四時間ごとにこのローテーションを繰り返す。

第三班に入った神谷は——本来は係長として出ずっぱりで指揮をした方がいいのだが、そんな元気はなかったので、久しぶりに自宅へ戻った。昨日も署へ直行して、そのまま夕方の事件に巻きこまれたので、家に戻っていなかったのだ。とはいっても、戻ってもやることがあったわけではない。短い仮眠を取るなら、署の宿直室ではなく自宅の方がましだろう、と考えただけである。だいたい、署までは歩いて十分もかからないので、帰宅しても時間のロスは少ない。

神谷は、署の近くに家を借りている。マンションやアパートではなく、倉庫の上にある2LDKの住居。どうしてこんな場所に家があるのか……大家である建設会社の社長は、「場所が遊んでたから」と説明したが、奇妙な造りではあった。ただし、住んでしまえばそれなりに快適ではあった。一人暮らしでこれだけ広い家に住んだことはなかったので、スペースは持て余している。引っ越した時に運びこんだ段ボール箱が、そのまま開封もされずに残っていた。どうしてきちんと整理しなかったのか……見る度に、二年半前の自分の気持ちを思い出す。あの時は、すぐに戻れるのではないかという期待が、わずかながらあった。そうなれば荷物を片づける必要はなかったが、今では甘い期待だったと認めざるを得ない。

しかし依然として、荷物を開ける気にはならない。もしかしたら意地かもしれないが、本音は自分でも分からなかった。

溜まっていた郵便物——ダイレクトメールの類しかない——を郵便受けから引っ張り出す。新聞は、販売店の方で気を利かせて停めてくれていた。人間らしい生活などないに等しい生活……ダイレクトメールの束を抱えて階段を上がりながら、神谷は自嘲した。

二週間以上空けていた部屋は、どこか埃《ほこり》っぽい感じがした。ずっと着ていた背広——横浜で買った物だ——を脱ぎ捨て、ジャージに着替える。窓を全て開け放ち、空気を入れ替えた。思い切り空気を吸いこんでも、潮の香りがするわけではない。ここは、海からは数百メートル離れており、普段その気配を感じることはないのだった。波の音が聞こえるわけでもないし……さて、どうするか。洗濯物は溜まっているが、これに手をつけたら四時間だけの非番はあっという間に終わってしまうだろう。冷蔵庫の整理……二週間の間に賞味期限が切れた食べ物が結構あるはずだが、いちいち確認するのも面倒だ。風呂に入って、少しだけ横になるか。しかし、眠気はほとんどない。午前四時頃から、署の自分のデスクで少しうとうとしただけだったのだが。

何かが頭に引っかかっている。

寝室に使っている六畳間の真ん中に腰を下ろし、胡坐《あぐら》をかく。俺はまたヘマをした。

すぐにかっとなる性格は今更直しようもないが、大きな失敗をしても学習しなかったのは情けない限りである。子どもじゃないんだから……いや、子どもの方がまだましだろう。子どもなら、痛い思いをすれば二度と同じ失敗は繰り返さない。

畳の上に横になり、両手を頭の下にあてがった。天井の木の模様が、迷路のように見える。見ているうちに、次第に意識が遠のいていくような……様々な考え、後悔が入り混じり、次第に頭の中が灰色一色に染まり始めた。

その中で、ふいに具体的な姿を結んだのは、凜の顔だった。

彼女は間違いなく、何か事情を抱えている。それも、一筋縄ではいかない複雑な事情を。彼女自身は触れて欲しくないと思っているだろうが、どうにも気になる。気になったからといって、自分に何ができるわけでもないのに、どうしても……何なのだろう。神谷は、現在の自分はそれほどお節介な人間ではないと思っている。人の悩みの相談に乗り、積極的に介入してやろうなどという気持ちは、基本的にない。だが何故か、彼女のことは気になる。凜の抱える闇は図抜けて深そうだ――例えば神谷自身が抱えた問題よりも、はるかに。考えてみれば自分の「闇」は、既に明るみに出されている。何をしでかして、その後どんな風に処分されたか、多くの人は知っているのだ。神奈川県警のヘマの縮小版、という感じである。連中のように致命的と言えるほどではないが、問題の質は同じだ。

凛の場合は違う。彼女の問題は、仕事上のヘマではなく、私生活にかかわることに違いない。それも極めて重要で、人生が折れ曲がってしまうような……男だろうな、と思った。仕事でなければ、それしか考えられない。しょせん人間は動物で、オスとメスしかいない。異性の問題は、常に大きくのしかかってくるのだ。俺にしても、離婚を何とか忘れようとしている。

グレーは常に、黒に塗り潰される。

凛との出会いは偶然であり、二人の人生が再び交わるとは思えない。向こうは北海道。こちらは伊豆大島。二人の間を隔てる距離は、物理的なそれをはるかに超えて長い。

そう思っても、彼女の存在が自分の中に長く居座るだろう、という予感はあった。大きな疑問符を自分に植えつけた女。

そんな女は、かつて自分の人生に一人も存在しなかった。

傷害致死事件は、発生の翌々日に片がついた。

容疑者、自殺。それも、大島一周道路の名所の一つである、筆島《ふでしま》近くでの自殺だった。

筆島は、島というより海に突き出た「岩」なのだが、背後の断崖絶壁と見事なコントラストを成しているせいもあり、観光客は必ず足を止めるポイントである。筆島見物のために、大島一周道路に小さな駐車スペースも設けられているほどだった。

容疑者はそこに自分の車を停め、中で首を切って死んでいた。頸動脈を切ったせいで車内は血塗《ちまみ》れになり、現場経験の少ない谷本などは、顔面を蒼褪めさせていた。神谷にしても、車の中で自分の首を切って自殺、というケースは扱ったことがなかったので、それなりの衝撃を受けた。

はっきりしない幕切れではあったが、事件としてまとめるのは難しくはない。店内での出来事で、目撃者は何人もいたからだ。書き置きが車内に残されて、そこには「申し訳ない」という言葉もあったから、これを告白、そして遺書と判断できる。被疑者死亡のまま送検して捜査は終了し、面倒なことは何もなさそうだった。

ただ、この男を死なせずに済んだのではないか、という悔いは残る。大島のような離島では、車で逃げ回るには限界があるのだ。簡単に見つけ出せたはずなのに、神谷たちは失敗した。いったいどこに隠れていたのか……どうやって検問をくぐり抜け、こんな目立つ場所で自殺したのか。謎は残ったが、今さら調べる意味もないことだった。

現場検証が終わり、遺体と車も引き上げられた。現場ではすることがなくなったが、神谷は少し残ることにした。事件はいつも綺麗に解決するわけではなく、中途半端に断片を残して終わることも多いのだが、今回はその典型である。一人になって考えたかった。こういう閉塞的な小さな島にいると、一人になるのが難しい。仕事をする仲間は常に同じ顔ぶれだし、どこへ行っても知った顔に出くわす。だが今は勤務中なので、自分の家に帰るわけにもいかない。

風が強い。寒さを感じるほどではなく、顔を叩く風の感触はむしろ心地好かったが、煙草に火が点かないのにはまいった。一度車に戻り——早朝に呼び出されたので自分の車を運転してきていた——火を点けてから外に出る。

筆島付近の海は凪いでいるのに、海岸の近くでは波が白く砕けていた。海面までかなり距離があるせいか、風向きのせいか、潮の香りは鼻先まで届かない。

確かに絶景ではある。人の気配が感じられない断崖絶壁を背景にそそり立つ筆島は、自然の力の大きさを感じさせた。高さは三十メートルほどのはずだが、その数字よりもずっと大きく見えた。ごつごつとした岩は、波の侵食を受けているせいか、下の方が少し抉れたようになっている。天辺にわずかに見える緑……あんな過酷な環境でも、植物には関係ないようだ。この辺ではサーフィンをする人間の姿も目立つのだが、今日は平日なので一人も見当たらない。少し視線を右側に転じると、対岸の風景が目に入った。あれは房総半島の南端、館山《たてやま》辺りだろう。それを見れば、大島が決して離れ小島ではないのが分かる。しかし神谷にとって、実際の距離よりも、心情的な距離ははるかに遠かった。

風に煽られ、煙草の火が飛び散る。危ないな、と思って携帯灰皿に押しこんだ。手すりに両手を預け、海に向かって体を乗り出してみる。ほぼ百八十度広がる海が眼前にあった。雄大な光景だが、それで心が癒されるわけではなく、何故か今回の事件の暗さが身に染みてくるだけだった。どうして狭い島で、こんなことが起きるのか。死ななくていい人間が死んでしまった。

　この辺が潮時かもしれない、と思う。はっきりと疲労を感じた。

　この島にいる間に、刑事としての自分の腕は鈍る一方だろう。こんな腑抜けた状態では、本土に戻って仕事をすることなど考えられない。いっそのこと、遠くない将来に、自分から身を引いてしまうべきではないか。不況のご時勢とはいえ、仕事ぐらい何とかなるだろう。選ばなければいいだけだ。養う家族はいないし、金に対する執着もない。

　ふと、車が近づいてくる音がした。大島一周道路は生活道路でもあり観光のための道路なのだが、この辺は元町港付近に比べて交通量が少ない。気になり、ふと振り返ってみると、一台のタクシーが駐車場に入って停まるところだった。おいおい……ここはさっきまで、現場検証が行われていた場所だぞ。邪魔になるわけではないが、呑気に観光するには相応しくない。

　ドアが開く。

　二度と会うこともないだろうと思っていた相手が姿を見せた。

　凜。

5

凜の長い髪が、強風に煽られて顔の前に広がった。何とか右手で押さえつけようとするが、気まぐれな風には敵わない。結局は、強引に髪を後ろで束ねた。

タクシーは、凜を降ろすと走り去った。何なんだ？　彼女の行動の意味が読めず、神谷は戸惑うばかりだった。大股で近づいて来る凜の視線は、真っ直ぐに神谷を捉えている。

「摑まえにくい人ですね」

開口一番、そう言って神谷を苛立たせる。

「どうして俺を摑まえる必要がある？」

凜が首を横に振った。ラフに束ねた髪が、頭の後ろで撥《は》ねる。距離は二メートルほどだが、風のせいで声が聞き取りにくい。

「座ったら」

神谷は、一・五メートルほどの間隔を置いて並んでいる、小さなスツールのようなベンチを指差した。手すりの近くには、二人で並んで腰かけられるサイズのベンチがあるのだが、一緒にそこに座るのには、やや抵抗感があった。

腰を下ろすと、風の音が急に低くなる。凜は、白いブラウスに例のベージュのジャケットという格好だった。観光客には見えず、場違いな雰囲気だ。神谷は、自分から口を開くつもりはなかった。頭の中で多くの疑問が渦巻き、どれを最初に持ち出していいか、分からなかったからだ。

「あれは何ですか」

凜が、右手の方に視線を向けた。やや下方……この駐車場に来て、最初に目につくのは、筆島ではなく、むしろ彼女が見ている十字架かもしれない。場違いなその真っ白い十字架は、人工物のないこの場所では、異質の存在に見える。天辺に止まっている鳥は、強い風に煽られているはずなのに、元々そこにある彫刻のように微動だにしない。

「オタイネの碑、とかいうらしい」

凜が首を傾げる。神谷は、急に鼓動が早くなるのを感じた。彼女の表情は、仕事の場では見せたことのない柔らかさ――幼ささえ感じさせる。今まで、彼女の顔をまじまじと見たことはなかったが、非常に透明感のある美しさだと分かった。警察の仕事は、濁った水の中を泳ぐようなもので、そこにいる人間の顔も、しばしば環境の影響を受けてどんよりする。仕事を離れて今見せているのが、本当の凜の顔ではないかと思えた。

「江戸時代に、ここへ流されてきたクリスチャンの女性がいた……それを記念する十字架だよ」聞きかじりの知識だった。

「そう、ですか」

神谷はまだ混乱していた。彼女がここにいる理由がさっぱり分からない。

「で、どうしたんだ」やっと一番肝心なことを訊けた。というより、すべき質問はそれしかなかった。「仕事は終わったのか」

「報告書のまとめに入っています」

「だったら、こんなところで遊んでいる暇はないだろう。それとも、一足先に解放されたのか？」

もしもそうなら、彼女は北海道へ帰る前に、ちょっとした休暇で見知らぬ土地を楽しむ気になったのかもしれない。彼女は元々東京生まれだが、大島へ来たことがあるとは限らない。東京で生まれた人の多くは、一生大島へ渡ることもないだろう。しかし、わざわざ一人で訪れる場所とも思えない。

「仕事はまだ終わってません。もっと大事なことがあるんです。ここへは仕事で来ました」

どうも要領を得ない。神谷はゆっくりと首を振った。煙草が恋しくなったが、火を点けるのが難しそうだ。また強い風が吹き抜け、耳に轟音を残していく。駅のホームで特急電車の通過を見送った後のようだ。

「俺には関係ないと思うけど」

「山田さんが自殺しました」

　一瞬、その名前を理解し損なう。次の瞬間には、目眩を感じた。両手で額を支え、上体を倒す。目の前が真っ暗になり、軽い吐き気がこみ上げてきた。まさか、自殺者まで出るとは……。

「山田、ではなく、本名は新島剛《にいじまつよし》。県警の巡査部長です」

　ふいに、後悔の念が激しく突き上げてくる。山田――新島には、重原の動きを教えてくれるよう、要請していたのだ。だが結局連絡はないまま、神谷は重原と直接対峙して失敗してしまった。その後、あの男のことは、完全に頭から抜けていた。自分の面倒を見るので精一杯だったから。

「どういう状況だったんだ?」声がかすれる。

「一昨日、自宅で首を吊っているのが見つかりました。神谷さんがこっちへ戻った直後です」

　皆川が尾行していったあの家か……クソ、どうしてもっと気を配らなかったのか、と今更ながら悔いる。新島は決死の覚悟で自分たちに情報提供しようとしていたのだ。

「昨日の夕方、我々宛に遺書が届きました」

「内容は?」

「彼が知っていること全部……三年前、捜査本部でどんな会話が交わされていたか、どんな密談があったか。報告書をまとめる上で、大きな参考になります」

「そうか……で、自殺の方はどうなるんだ」

「自殺として処理されました」

怒りが涌き上がってくる。顔を上げ、凜を真っ直ぐ見つめた。いつもの表情――感情を窺わせない、無色透明の顔つきだった。

「自分のことについて、遺書には何か書いてないのか」

「あります。県警の幹部に圧力をかけられた、と」

「だったら、自殺教唆《きょうさ》で立件できる」

凜が弱々しく首を振った。後ろで束ねた髪が揺れ、さらに吹き抜けた風に流される。

「自殺教唆の立件が難しいことは、神谷さんならよくご存じでしょう」

神谷は無言でうなずいた。自殺は極めて個人的な死で、そこに至る過程を明らかにするのは難しい。ましてや他人が絡んでいたかどうかなど、証明しようもないのだ。いくら自殺者が遺書で指弾しても、当の相手が事実関係を認めなければどうしようもない。まさに、死人に口なし、だ。

「どうするつもりだ?」

「分かりません」

「自殺教唆で捜査しないのか」立件できるかどうかはともかく。

「誰が捜査するんですか?」

いわれてみればその通りで、管轄権の壁が立ちはだかる。自分たちは、神奈川県警のミスを捜査していたわけではない。強制捜査権のない調査であり、仮にこの一件に絡んで起きた自殺であっても、首を突っこむことはできないだろう。もちろん、神奈川県警の自浄作用になど期待できない。特命班にできるのは、報告書に織りこむことだけで、後は警察庁の判断に委ねることになる。

新島は、同僚からの重圧に負けたのだろう。もしかしたら、自分たちに情報提供していたことが、県警側に漏れたのかもしれない。もっと気を遣ってやるべきだった。守る方法はあったはずなのに、自分たちは――自分は甘かった。正義感で動いていた若い警官を、むざむざ犠牲にした……唇を噛み締め、海に視線をやる。急に波が高くなって、海の色は変わっていた。不安そうにしていた新島の顔を思い出す。彼は彼なりの正義感で、必死に我々に協力しようとしてくれたのだ。自分は、彼を守ってやれなかった。明らかにミスで、悔やんでも悔やみ切れない。

「実は、遺書にもっと重要な情報があったんです」

「何だって?」神谷は顔を上げた。凛の顔が歪んで見える。

「当時、捜査本部の中で、別の人間を犯人だとする説があったんです。重原管理官の強硬な柳原犯人説に押し切られたらしいんですが」

「その容疑者は？」

「それは分かりません」凜が首を振る。「新島も、具体的には聞いていなかったんじゃないでしょうか。捜査本部の中にいても、若手の刑事は単なる駒ですから。捜査会議で出る話以上の話を知らなくても、不思議ではないでしょう」

毎日行われる捜査会議は、情報共有の場だ。ただしそこで、抱えている情報を全部吐き出す刑事はいない。最後まで自分一人で、あるいは少人数で検討して捜査を進め、最後に重大な手がかりとして爆発させる——そういうやり方を好む刑事は少なくない。劇的な効果を狙う目立ちたがり屋か、その逆で、あくまで慎重に、裏を確認してからではないと話さないタイプの人間もこれに当てはまる。

「別の犯人がいた可能性は、どれぐらいあるんだろう」

「分かりません。ただ、無視していい話ではないと思います」

「俺たちが捜査していいのか？」

「それを判断するのは私たちじゃないですけど……」凜が唇を噛む。口紅も塗っていないので、肌の色と変わらないほど白くなった。「一つ、考えました。私たちの身柄はまだ、警察庁にあります。仕事は、神奈川県警のミスを証明すること。その関連として、真犯人を見つけ出す捜査をやっても、許容範囲じゃないですか？　それに真犯人が見つかれば、神奈川県警の責任を厳しく追及できます。島村さんも乗り気になってますし、永井理事官も同意してます」

「永井さん、退院したのか？」

「間もなく」凜がうなずいた。「退院したら、戻って指揮を執るそうです。神奈川県警の相手をするより、犯人を捜す方がストレスは溜まらないんじゃないでしょうか」

「ああ……で、君は？」

「私は真犯人を捜します。そのためには、どんなことでもするつもりです」

「どうしてそこまでむきになる？」

「性犯罪者というのは……クソ野郎だからです」

彼女の口からいきなり下品な言葉が飛び出したので、神谷は驚いて顔をまじまじと見た。静かな怒りが目に宿っている。

「それは当然だけど……」

「そういう人間が野放しになっているのは許せません。絶対に、逮捕して然るべき処罰を受けさせないといけないんです」ひときわ厳しい表情になり、声を落とす。「あるいは、殺しても構わないと思う」

「それは言い過ぎだ」

「そうは思いません」

「どうして」

凛が一瞬唇を引き結んだ。泣き出すのではないか、と思ったが、次の瞬間には意外に強い口調で言葉が出た。

「私自身が被害者だからです」


筆島は、元町港のちょうど反対側にある。小さい島だから、大島一周道路を三十分も走れば元町に戻れるが、神谷は敢えて島の中央部を突っ切るコースを選んだ。こちらの方が道は悪く、時間もかかるが、何となく凛に三原山を見せておきたいと思った。

車中で、凛は終始無言だった。緩くカーブを描いて山中を登っていく道中、ずっと身を硬くしたまま助手席で大人しくしていた。話しかけるのも憚《はばか》られる……性犯罪の被害者だという告白は重かった。

都道二〇七号線の行き止まりが、御神火茶屋《ごじんかぢゃや》——三原山観光の拠点だ。禿山《はげやま》のような三原山が、目の前に広がっている。過去の噴火の激しさを物語る光景で、神谷はここを見る度に、何故か物悲しい気分に襲われる。

二人は、山頂への遊歩道の入口に当たる展望台に向かった。側に喫茶店があるのだが、人気《ひとけ》はない。誰かに聞かれる心配がない場所だ。

「日本じゃないみたいな光景ですね」強い風が二人を煽る。凛は髪を手で押さえながら、ぽつりとつぶやいた。

「ああ。俺も初めて見た時にはそう思った。どこの光景に似ているかは分からないけど」

「全体に黒っぽいですね」

「見てると侘しくなるよ」

神谷は、手すりに腰を預けた。凛と正面から向き合う格好になる。近い……車に同乗している時、それに最後に特命班の部屋を出た時以外に、こんなに距離が近づいたことはなかった。

「話す気はあるか」

凛がうなずき、「そのために来ました」と答えた。頤《おとがい》を上げ、一瞬三原山に視線を投げてから、神谷の顔を見据えた。その顔には悲しみや後悔はなく、決然とした表情が浮かんでいる。既に乗り越えたのだろうか。

「私は東京生まれですけど、大学は札幌に行ったんです」

そういうことか。これで、彼女と北海道のつながりが理解できた。神谷は煙草を箱から引き抜いたものの、口にくわえずに掌の上で転がした。

「三年生の時でした。ゼミの会合で遅くなった帰りに……」口をつぐむ。

「そこを詳しく話す必要はない」神谷は、喉が詰まるような気分を味わいながら、彼女の言葉を遮った。「警察には？」

「届けましたけど、きちんと対応してくれたとは言えません。実は、犯人は分かっていたんです」

「どういうことだ?」

「以前からストーカーされていて、相談はしていたんです。でも警察は、積極的には捜査してくれなかった。被害者にも責任がある……あからさまには言われませんでしたけど、そういう目で見られました」

「それはクソみたいな怠慢だ」神谷は厳しく指摘した。

「それで……」

再び顔を上げる。神谷の目には、彼女の白い喉がはっきりと映った。

「私は警察官になろうと思ったんです」

「それは……極端過ぎるんじゃないか」神谷は呆気に取られた。この事件に関して、凜は間違いなく被害者である。それが、捜査する立場になろうとするとは。

「分かってます。でも、私は一時、ひどい精神状態になりました。これは、男の人には絶対に分からないと思います。一人だけ、警察で親身に相談に乗ってくれる人がいて、その人に助けられました。女性なんですけどね」その救世主のことを思い出したのか、凜の表情が少しだけ柔らかくなった。

「ああ」

「定年間近だったんですけど、ずっと性犯罪被害者の相談に乗ってきた人です。その人の勧めで、警察官になることにしたんです」

一種のショック療法だろうが、強烈過ぎる。あるいは、犯罪者に対して絶対的に有利な立場に立つ「警察官」になることで、恐怖を乗り越えさせようとしたのか。

「自分の中で折り合いはついたのか？」

「まだついていないかもしれません」凜が寂しそうに笑う。「でも、生きていれば、誰でも同じじゃないですか？　矛盾はたくさんありますよね？　神谷さんもそうじゃないですか」

「そうだな」

「とにかく私は警察官になって……周りの見る目は冷たかったですね。どう扱っていいか、分からない様子でした。でも私は、無視しました。やることがあったからです」

「犯人を逮捕する」

「ええ……その男は、稀《まれ》に見るクソ野郎だったから」

「もしかしたら、他の女性も被害に遭っていた？」

凜がうなずく。性犯罪者の最大の特徴は、何度でも同じ行為を繰り返すことだ。性欲という、人間の根源にかかわる犯罪であるが故に、簡単には止められない。だからと言って、許されるものではなく、情状酌量の材料にもならない。

「罠をかけたわけじゃないですけど、尾行と観察を続けていたら、行動が丸見えになりました。幸い……幸いと言ったらいけないかもしれないけど、女性を襲おうとしたところを、上手く取り押さえることができたんです」

「それがいつのことだ？」

「交番勤務の終わり頃です」

「ということは、通常の業務以外に仕事をして、そいつを監視していたのか」

「ええ……あの頃は休みも取らなかったし、ほとんど寝てなかったと思います。松井《まつい》さん……恩人の協力がなかったら、とてもできなかったですね」

「君が手錠《わっぱ》をかけたのか」

「当然です」

その時ふいに、以前彼女が言ったことを思い出した。

「もしかしたら、お母さんが亡くなったのは、その頃？」

「ええ」

親の死に目に会う以上に大事なこと……彼女にとっては、自分を取り戻すために、どうしても必要な行為だったのだ。

「向こうは、君が……自分が襲った人間だと認識してたのか」

「ええ」凛の唇が皮肉に歪んだ。「だから、拳銃を頭に突きつけてやりました」

「それは……」やり過ぎだ。警察官による暴行事件として訴えられてもおかしくなかった。日本においては、拳銃の取り扱いは厳しく制限されている。

「何もなかったですよ」神谷の懸念を読んだのか、凜が微笑んだ。「脅しは、思い切ってやれば効果的なんです。何しろこっちは、向こうの素性から何から、全部摑んでいたんですから。しかも警察官という立場です。それで、『いつ辞めてもいい。いつでも殺せるから』って言えば、向こうは観念するしかないんです」

彼女の行為は間違っている。完全な私怨で、警察官失格と言われても仕方がない。だが神谷は、責めることができなかった。彼女の復讐《ふくしゅう》が、一人の性犯罪者を社会から隔絶したのは事実なのだから。

「そいつは今、どうしてる」

「服役中です。私の分も含めて五件が立件されて、懲役二十五年」

「ぎりぎり、上限か」

「ええ」

「それで満足したのか？　いずれ出てくるぞ」

「出てくれば、監視しますから。最後は……」

殺すか。もちろん、物理的に抹殺するわけにはいかないが、社会的に、生活できなくなるまで圧力をかけ続けることはできる。札幌は都会だが、東京とは住民の質が違う。

近所の人の目も厳しいだろう。北海道に住んでいる限り、周りの人の視線に耐えながら暮らしていかなければならない。最終的には、慣れ親しんだ街を出るしかない。その後の生活は立ちゆかないだろう。

「犯人を逮捕した後で、松井さんは定年退職しました。その跡を私が継いだんです。松井さんが推薦してくれました」

「そういう仕事はきつくないか？」

「きついですけど、自分と同じように苦しんでいる人を助けるのは、大事な仕事だと思います。一生をかける価値があると信じています」

「君自身は乗り越えたのか？」

凜が黙りこむ。顎に拳を当て、少し考えこんでいる様子だった。それを見ただけで、犯人を逮捕しただけでは、全てが過去になったわけではないと分かる。

「初めて……それがこういう形だったら、男性不信になるのは当然ですよね。だから、普通の女性のようにはいきません」

「そこまで詳しい事情を話してくれる必要はない」こういう事情に刑事として慣れてはいるが、面と向かって話を聞くのは辛い。

「……そうですね。とにかく私は、性犯罪が許せないんです」

「ああ」

「今回も、毎日苛立ってました」凜が髪を解いた。強い風が髪をなびかせ、顔が一瞬隠れる。「この件で特命班を作るという話が入ってきた時に、すぐに手を上げました。もちろん私は性犯罪事件の専門家ですから、捜査するのに適した人間ではあるんですが、とにかくこの件はどうしても許せなかったんです。神奈川県警の失敗もそうですし、真犯人がまだどこかで隠れているのが、何より我慢できなかった。自分の管轄で起きた事件ではないですけど、ここまで悪質な事件は多くないですよ」

「そうだな」犯して殺す……そこまで行き着いてしまう犯人は、確かにそう多くはない。

「それに、柳原が犯人じゃないとなったら、被害者の遺族も浮かばれないじゃないですか。憎むべき人間が分からないまま、恨みを抱いて生きていくのは辛いです」

「ああ」

「だから私にとって、神奈川県警に対する調査は二の次なんです。上の指示とは違いますが……今回、個人的にもいろいろ調べてみました。まだ、犯人の影も見えませんけど」

「できるかもしれない」

「神谷さんも、やるべきじゃないですか」

「どうして」

凜が口をつぐむ。それぐらい、自分の口から言わせないでくれ、と目で頼みこんでいるようでもあった。神谷はかすかにうなずき、彼女の意見を受け入れた。過去を乗り越えるための方法はいくらでもある。凜の場合は極端過ぎるが、憎むべき対象に直接復讐するのが、一番効果的だろう。俺の場合、どうすればいい？　簡単だ。仕上げられなかった事件、中途半端に終わっている捜査を動かし、真相に辿り着けばいい。今も警視庁の中にいたら、そんなことをするのは不可能だろう。特捜本部から追い出された人間が、一応は捜査が続いている事件を勝手に調べ始めたら、大問題になる。だが自分の身柄は今、警察庁にある。神奈川県警の一件を調査する「ついで」としてあの事件を調べるのは——かなり無理はあるが——可能だろう。

もしかしたら、橋元はそこまで見越して、俺を特命班に押しこんだのか？　だとしたら俺は、彼の努力を無にしてしまったことになる。神谷は思わず唇を嚙み、拳を握りしめた。自分のミスは仕方がない。甘んじて処分を受け入れるだけだ。だが、誰かの厚意を無にしてしまうのは、絶対に許されない。ましてや橋元は、必死で病気と闘っている身である。

これ以上、彼の期待を裏切るわけにはいかない。もちろん、復帰すれば、様々な軋轢《あつれき》が生じるだろう。警察庁の意向にも逆らうことになる。

ふいに、「凜を守らなければならない」という気持ちが涌き上がる。彼女は大きな傷を乗り越えるために、また小さな傷を負うかもしれない。彼女が信じた再生の方法かもしれないが、いつかより大きな傷を負って倒れるのではないか。彼女にはブレーキが必要だ。神谷がそうなれるかどうかはともかく。

目の前の凜は、無理に強い自分を演じているように見える。本当は傷つきやすく、誰かの助けを必要としているのではないか。自分に名乗りを上げる資格があるかどうかは分からないが、彼女が未だにはまっている泥沼から引っ張り上げたい。

「行こうか」

神谷は腰を上げた。凜が、期待をこめた目で見つめてくる。

「午後のフェリー、何時かな。まだ時間はあると思うけど」

「大丈夫だと思います」

二人は展望台を離れ、駐車場に戻った。ここは元町港側で、はるか下に市街地を見下ろすことができる。わずかな平地に家が密集していた。港の埠頭の形も、くっきりと見える。視線を少し遠くへ転じれば、伊豆半島が視界に入る。その先に、再び自分が取り組まなければならない事件があるのだ。

「いい景色ですね」凜の口調は柔らかだった。心に引っかかっていたことを話してしまい、少しは楽になった様子である。

「たまに来るにはいい場所だ。でも、外から来て住むのには辛い」

「趣味が釣りやサーフィンでない限り」

「ああ」神谷の釣りは、あくまで時間潰しである。もうあんなことをする必要はない、と思った。これから始める捜査がどんな風に動こうが。そう思うと、一つだけ疑問が残っているのに気づいた。

「ところで君は、どうしてわざわざ大島まで来たんだ」

「神谷さん、携帯を持っていないから」

「署に電話すれば、連絡は取れたはずだ」

「電話で話して、納得してくれましたか？　引き受けてもらえましたか？　ここまで来るしかなかったんです。神谷さんの助けが必要なんですよ。あのチームの中で、性犯罪に対して特別な思いを持っているのは、私と神谷さんだけだから」

「そうだな。でも、君なら一人でもできるんじゃないか」傷の深さを探ろうと、神谷は訊ねた。

「仲間はいた方がいいです」

　凜がぽつりと言った。それだけで、道警における彼女の立場が理解できたような気がする。自分を犯した男に制裁を加えるために警察官になった女を、周りが持て余しているであろうことは容易に想像できる。警察不信から警察官になるというのも、規格外の話だ。もちろん彼女は突っ張り通して自分のトラウマを解決しようとし、今は同じような立場の女性を助けようと頑張っている。それでも、道警の中で微妙な立ち位置なのは間違いないだろう。将来について、不安を感じているかもしれない。もちろん、この事件の犯人を逮捕したからといって、彼女の明日が開ける保証はない。

だが、人には走らなければならない時がある。

「それに、神谷さんも……乗り越えるべきじゃないですか」

「そうかもしれない」曖昧なことしか言えない自分が情けなかった。凜がここへ来てくれたことの意味を考える。傷を負った者同士、と彼女は思ってくれたのかもしれない。あるいは、もっと別のこと……女性としての感情があるかもしれない。だが神谷は、図に乗るな、と自分を戒めた。もしかしたら自分は、それを求めているかもしれないが。

風が下から吹き上がってくる。神谷は思わず目を細めた。凜は堂々と風に立ち向かい、髪が流されるままにしていた。

「髪、縛ってくれないかな」

ふいに、言葉が口を突いて出る。凜は意味が分からない様子で、小首を傾げて見せた。

「いや……その方が似合うと思う」

言ってしまってから、急に気恥ずかしくなった。俺は何を……男と女の関係は、予想もしていない一言、行動であっさりと変わる。こんなわざとらしい言葉に、凜が心を動かされるとは思わなかったが、実際のところは分からない。神谷自身、久しぶりに鼓動が高鳴るのを感じた。四十を過ぎた男が、高校生みたいなやり取りで動揺するとは情けない――。

その胸の高鳴りは、凜が黙って髪を後ろでまとめ始めたことで、頂点に達したのだった。

第五部　逆襲の朝

1

夕方、神谷は横浜へ帰着した。気恥ずかしい思いがあったが、特命班の部屋に永井がいたことに驚き、そんな気持ちは吹っ飛んでしまった。

「大丈夫なんですか」思わず訊ねる。

「ま、何とか」苦笑しながら、永井が胃の辺りを摩《さす》る。全快という感じではなかったが、ここにいるということは、覚悟を決めたのだろう。「よく戻って来てくれましたね」

「歓迎してもらえるとは思えなかった」神谷は肩をすくめた。

「連中は、一線を越えました」永井の声は静かだったが、以前にはなかった強い芯が感じられた。「報告書では、徹底して糾弾するつもりです。今、刑事事件に持っていけないかどうか、情報を精査しています」

「それは、我々の本来の仕事とは違う」永井は個人的な恨みで暴走している、と神谷は危惧《きぐ》した。キャリアにとっては致命的になりかねない。

「悪は撲滅しなくてはいけないんです」

いつの間にか、永井は人が変わってしまったようだった。入院すると、人は誰でも弱気になるものだが、彼は逆に強く生まれ変わったのだろうか。あるいは神谷が知らぬ間に、警察庁の方で事情が変わったのか。この件については、警察庁の対応もいい加減過ぎる。もしかしたら、内部で暗闘があるのではないだろうか。この件をはっきりさせようとする一派と、曖昧に誤魔化そうとする一派の争い……。

「私は、真犯人を捜しますよ」神谷は宣言した。

「結構です。それが、神奈川県警のミスを裏づけることにもなる」

「もうお分かりかもしれませんが、東京の事件との関連性を疑っています」

永井がうなずいた。真剣な表情であり、それに呼応するように、神谷は声を張り上げていた。

「これは、自分自身に対するけじめでもあります」

「分かりました。全部言う必要はありません」永井が慌てて神谷を止めた。

神谷は、この場で全部打ち明けるつもりになっていたのだが、反射的に口をつぐんだ。この件に関して、様々な噂が流れていることは知っている。中には、尾ひれがついて大袈裟になったような話もあるだろう。せめてここにいるメンバー——この調査だけで一緒に仕事をする人間たちには、真相を知ってもらいたかった。だが永井は、敢えてここで話す必要はない、と判断したようだ。

「一つ、教えて下さい」

「何ですか」永井が身構えた。

「保井のことですが……大島まで来たのは、命令ですか？」

「彼女自身の意思です。私は許可しただけです」

神谷は曖昧にうなずいた。凜の本当の狙いは何だったのか知りたい。大島からの帰途でも、彼女はその話題については敢えて避けていた。

「今日は、中締めとして食事に行きたいと思います」

永井の意外な提案に、神谷は目を見開いた。特命班はこれまで一度も、全員で食事、あるいは呑みに行ったことがない。そんな話が出たことすらなかった。普通、最初に顔を合わせた時にそういう会合が開かれるもので、気の利かない男だと思っていたが、永井は永井なりにけじめを考えていたのかもしれない。スタートの段階では、どこへ向かうか見当もつかなかった調査である。ある程度見通しがつくまで、酒の入る会合はやらない、と決めていても不思議はない。

「理事官、胃は大丈夫なんですか」

「もちろん」永井がにやりと笑う。これまで見せたことのない、ラフな表情だった。

「せっかく横浜にいるんだから、中華街にしましょう」

「中華なんか、一番胃に良くないですよ」油と香辛料。入院していた人間の胃には、負担が大き過ぎるはずだ。

「皆川部長が、いい店を紹介してくれました。薬膳中華というやつがありましてね。これなら体にいい。それに、中華料理が体に悪いなら、中国の人は体調を崩した時にどんな料理を食べるんですか」

ごもっとも。いつも自信なさげなこの男の口から、こんな気の利いた切り返しの台詞が出るとは思わなかった。

「君もよく、こんな高い店を知ってたな。学生時代なんて、金がないだろう」

「いやあ、うちの駅伝部は……ＯＢがしっかりしてますから」皆川が、照れたように言った。

「栄養費、か」

「そんな感じです。先輩からよく奢ってもらいました」

「なるほど」

何故か、数日間のギャップがまったく感じられない。神谷は真っ白なクロスがかかったテーブルで、久しく感じていなかった感覚を思い出していた。緊張と弛緩の程よいブレンド。ビールも美味い。決して会話が弾んでいるわけではなかったが、リラックスした空気は、この会合の成功を予感させた。しかも永井は個室を予約していたので、店員の目と耳を気にすることなく、突っこんだ話ができる。

料理は一人一皿ずつ出てくるスタイルだった。中華で宴会と言えば円卓を回す、というのが神谷のイメージだったので、多少身構える。これではフランス料理ではないか。もっとも使うのは箸とレンゲだけだから、マナーで困ることはなかった。

前菜から、中華としては少し気取った料理が並ぶ。くらげには胡麻を使ったソースが絡まり、チャーシューは醤油《しようゆ》だけではなく香辛料が淡く効いていた。クコの実と百合根の炒め物。かすかに薬臭さが漂うスープ。魚の蒸し物には陳皮《ちんぴ》が合わさって、かすかにフルーティな味わいになっている。全体には、中華特有の油っぽさはなかった。これなら永井も安心して食べられるだろう。さすがに酒は控えているようだった。

神谷はまず、謝罪から始めた。数日前、暴走して島へ追い返されたことは、特命班にとって明らかにマイナスだったはずだ。戦力ダウンになるし、神奈川県警側にも、言い訳を与えてしまう。

微妙な空気が流れたが、島村の一言によってそれはすぐに解消された。

「まあ、いい年してやんちゃはいい加減にしような」

軽い笑いが漏れ、神谷はそれですっと気が楽になるのを感じた。ふと凜を見ると、彼女も微笑んでいる。そんな柔らかな表情を見るのは初めてだった。彼女も自分の過去を打ち明けたことで、少しは仲間意識が芽生えたのだろうか……そもそも、ここで仕事をしていること自体が、彼女にいい影響を与えているはずだ。何かと周りの目が気になる北海道では、やはり肩身の狭い思いをしているのではないだろうか。道警の中で、未だ「異質」な分子と捉えられている可能性もある。

目が合う。凜は、神谷にしか分からないよう、かすかにうなずいた。少なくとも自分にだけうなずきかけてくれた、と神谷は信じた。

中華料理は出てくるのが早い。テンポ良く食事が進み、デザートになった時、永井が切り出した。

「遺書の件は重要です」

それが合図になったように、皆川が背広の内ポケットから折り畳んだ紙片を取り出した。神谷に差し出しながら忠告する。

「コピーです。取り扱い注意で」

うなずき、紙片を受け取る。テーブルの上で丁寧に広げ、目を落とした。字がひどく乱れている。新島は元々丁寧な字を書く几帳面な男のようで、その片鱗《へんりん》は遺書の字にも窺えたが、震えているようで一部は判別できない。

警察庁特命班の皆様

私の行動は県警に筒抜けでした。残念です。もっと用心すべきでした。もう逃げられません。厳しく追及されて、この手紙を書くのがようやくです。

県警は今でも、事態を隠したいと思っています。その中心にいるのは重原管理官で、捜査一課長も黙認しています。当時捜査に関係していた人は、全員が口をつぐむつもりです。

県警はあの時、別に犯人を想定していたようです。私は具体的に聞きませんでしたが、別の犯人を探っていた一派がいました。その説は、柳原犯人説に押されて採用されませんでしたが、一つの可能性だったとは思います。もしかしたらその男が本当に犯人だったかもしれません。その説を追っていたのは、五島《ごとう》警部補だったと思いますが、既に退職しました。

県警の追及は厳しいです。私を追いこんでいます。このまま真実を知らないまま行くのは辛いですが、精神的にもう持ちそうにありません。皆さんに接触できる機会もなさそうです。メールも電話も監視されています。残念です。

文章の最後に、濃い灰色の染みのようなものがある。顔を上げて、そこを無言で皆川に指し示すと、彼は表情を歪めた。

「オリジナルでは血痕でした」

「血判のようなものか？」

「ええ。本人が書いた証拠として、ＤＮＡ型の鑑定ができるように、血痕をつけたんだと思います」

「で、確認は？」

「間違いありませんでした。遺族から、対照品の提供を受けて確認しました……神奈川県警には極秘で」

一瞬、暗い沈黙が満ちる。神谷はすぐに口を開いた。今は、立ち止まるべきではない。彼に対する追悼の思いは胸に秘めたまま、歩き続けなければならない。

「俺は、メールを送るように頼んだんだ。結局返事はこなかった」神谷は唇を噛んだ。

「つまり、その時点ではもう、県警の監視がついていると本人は分かっていた。動きようがなかったんじゃないですか」桜内が合いの手を入れた。

「その可能性が高い。もしかしたら、軟禁されていたかもしれない」

「手紙はどうやって出したんでしょうね」皆川が疑問を口にした。

「万が一の時のために、誰かに託していたのかもしれない。消印は？」

「そう言えば、川崎でした。自宅の住所とは違いますね」皆川が言ってうなずく。

「メールや電話なら追跡は簡単だけど、手紙を調べるのは難しい。実は一番安全にメッセージを届けられる手段なんだ」

「命がけで届けてくれたメッセージやね」島村がしみじみと言った。「これは大事にせないかんよ」

「この五島警部補っていうのは、実在の人物なんですか」

「それは確認した」島村が応じる。「去年退職して、今は悠々自適の生活のようやね」

「働いてないんですね」神谷は念押しした。

「ああ」

「だったら、いつでも会えるわけだ」神谷は立ち上がり、椅子の背に引っ掛けていた背広を手にした。全員の視線を引き寄せてしまったのを意識する。「何も、明日の朝まで待つ必要はないでしょう」

「私が車を出します」凛も立ち上がった。「呑んでませんから」

「分かった。頼む」

「人をこき使う男やねえ」島村が苦笑した。

「島村さんには、待っててもらう必要はありませんよ」

「何言ってる。動き回っている刑事がおるのに、無視して引き上げられんよ。これでも一応、チームなんやから」

チームか……警察におけるチームとは、同じ釜の飯を食べ、苦楽を共にした、同じ課なり所轄なりの仲間のことである。俺たちは違う。特別な任務のために集められた、特別な集団——いってみれば、国際試合における日本代表のようなものか。

そう考えると、かすかに誇らしくなった。

またしばらく、凜と二人きりになれるのだと考えると、さらに表情が緩む。


凜の運転は穏やかだった。横浜の道路にまだ慣れていないせいもあるだろうが、気持ちの余裕が、そのまま運転ぶりに反映されているのかもしれない。

五島の自宅は大和《やまと》市にある。駅で言えば、小田急線の大和だ。県警本部へ通勤するには、ここから相鉄線を使って横浜へ出て、みなとみらい線に乗り換えたのだろうか。都市部で警察官をやっていると、通勤は深刻な問題だ。凜たちは、あまり心配することがないかもしれないが。

余計なことは話さないようにしよう、と決める。自分たちはあくまで仕事をしているので、プライベートな話題は、集中力を削ぐ。

地図で見れば、大和市は横浜市に隣接しているのだが、車だと横浜市の中心部からは微妙に行き辛い。凜は少しでも時間を節約しようと、新山下から首都高を使い、保土ケ谷バイパスに入った。既に午後九時近く、比較的道路が空いていたので、一気に二俣川《ふたまたがわ》の近くまで至る。ここから厚木街道《あつぎ》に入り、後はずっと西を目指すだけだ。厚木街道も、基本的に片側二車線の広い道路で、さほど混んでいない。これなら十時前には着けるだろう。人を訪ねるには遅い時間で、電話も入れないのは礼儀に反しているのだが、今回ばかりは仕方がない。むしろ、心の準備ができていない状況で急襲して、相手の反応を見てみたい、という気持ちもあった。

自説を却下される……よくある話だ。大概の事件は、刑事が知恵を絞るまでもなく解決するが、時に犯人の見当がまったくつかない事件にぶつかることもある。そんな時、容疑者が何人か浮かぶと、それぞれの説の潰し合いになる。時には、「誰が犯人か」という本質から外れ、面子のための戦いになったりする。馬鹿げているが、誰でも自分の説にはすがりつきたいものだ。

五島はその争いに負けたのだろう。もちろん、彼が追っていた容疑者の線が弱かっただけかもしれない。だがあの捜査本部では、柳原犯人説を強引に——無理に推し進めた。五島が証拠を揃えられなかっただけではない、という感じがする。実際にはいい線だったのかもしれないが、全体の流れに逆らうのは、難しいものだ。こういう時、ストッパー役の大事さをつくづく感じる。「ちょっと待った」と疑義を呈する人間がいれば、ごく当たり前の間違いに気づく。だが、全刑事が参加する捜査会議では、捜査方針について話し合われることはない。そういうのは、情報を集約して、ごく一部の幹部が決めて、捜査会議では結果が示されるだけである。五島も警部補という幹部警察官の一人であったが、捜査本部の方針を左右するほどの立場ではなかっただろう。

もう一つ気になっていることがある。

東京の事件についてだ。

柳原が犯人かもしれない——天野が指摘していた説は、未だに頭の中に引っかかっていた。実際、手口の共通性は否定できない。

「先に連絡しなくていいですか」

凜に声をかけられ、神谷ははっと我に返った。

「いや、やめておこう。いきなり行って、びっくりさせたい」

「もう寝てるかもしれませんよ」

「退職したばかりの人が、そんなに早寝するとは思えない」

「でも、警察官は元々、早寝早起きじゃないですか」

確かに。その習慣は、警察官になった途端に体に叩きこまれる。朝の始まりも午前八時台と早いし、それに合わせるために、寝るのも早くなる。酒を呑む時でさえ、「さっさと呑んでさっさと酔って早く覚ませ」である。要は、常に意識を鮮明に保ち、全力で動けるようにしておけ、ということだ。

「どういう経緯で自説を引っこめたんですかね」

「それはまだ、考えたくないな。想像するより、本人に聴かないと」

「そう、ですね……」凜が拳を口に押し当てる。必死で何か考えている様子だった。

「予断は持たない方がいい」神谷はちらりと横を見た。凜はひどく真剣な表情をしている。そういえば、大島からずっと、髪は後ろでまとめたままで……うなじのほつれ毛が、やけに鮮烈に目に飛びこむ。色が白いせいもあるが、漆黒《しっこく》の髪色とのコントラストがくっきりしていた。

「分かりました。本人に会うまで、考えないようにします」

「その方がいいな」

神谷は煙草を取り出してくわえたが、火は点けなかった。吸いたい気持ちはあるのだが、吸わない凜のことを考えると火を点けられない。いつの間に、こんな風に他人に気を遣うようになったのか……絶えて久しい感情だった。

五島の家は、大和駅と桜ヶ丘駅の中間地点、線路沿いにある一戸建てだった。古いようだが、綺麗にメインテナンスされているのは、夜目にもはっきり分かる。窓から灯りが漏れているので、起きている人がいるらしい。第一関門を突破した気分になり、神谷は迷わずインタフォンを押した。しばらく待っていると、妻らしい女性の声で返事があった。短い「はい」の中に、明らかな戸惑いが感じられる。

「夜分申し訳ありません。警視庁——警察庁の神谷と申しますが、ご主人はいらっしゃいますか?」

「はい?」

不審がるのも当然だろう。元警察官とはいえ、今や五島は警視庁にも警察庁にも関係がないのだから。

「警察庁の神谷です。ご主人にお話をうかがいたいのですが」

「検察庁、ですか?」

「警察庁です」

よくある聞き間違いだ。神谷自身、ずっと警察庁ではなく検察庁に縁のある生活を送ってきた。警察庁など、自分にはまったく関係ない上級官庁、という意識しかない。

ようやくドアが開き、五島本人が顔を出した。小柄。瘦せぎす。髪はほぼ白くなっているが、顔に皺は目立たない。白いシャツを、袖口だけまくり上げて着ており、下は年季の入ったコットンパンツだった。まだ風呂に入っていないようで、髪は綺麗に七三にセットされたままである。人間は、退職しても急にだらしなくなるものではないのだ、と神谷は感心した。

「警察庁?」目が合うなり、怪訝そうな表情で質問をぶつけてくる。

「原籍は警視庁です。神奈川県警の事件で……」

「ああ、例の特命班か」

噂はＯＢの耳にまで入っているのか。警察のネットワークは、退職したぐらいでは切れないし、実際、今回の件では事情聴取を受けたＯＢもいる。五島はたまたま、その網から外れていたのだ。

「一時出向しています。こちらは、道警の保井部長」

五島が、頭を下げる凜にちらりと目をやった。

「全国各地から集まって来てるっていう噂は、本当だったんだね」

「夜分遅くに申し訳ないんですが、お訊きしたいことがありまして」神谷はあくまで下手に出ることにした。

「まったく、遅いな」五島が苦笑した。「風呂に入ろうかと思ってたんだが」

「三十分ほど先延ばしにしてもらえますか」神谷は指を三本立てた。「すぐに終わりますので」

「そんなに簡単な話なのか？」

あんたがすぐに喋ってくれれば。その言葉を呑みこんで、神谷は素早くうなずいた。

「駄目だって言っても、どうせ手を替え品を替えて攻めてくるんだろう？」

「五島さんが現役時代にやっていたのと同じですよ」

五島がにやりと笑う。少なくとも、話が通じない相手ではない、と神谷は判断した。

凜の顔を見ると、彼女も少しだけほっとした表情を浮かべている。

「よろしいですか？　ちょっとだけ時間をもらってもいいですよね」神谷は念押しをした。

「ま、しょうがないね」五島が髪を丁寧に撫でつけた。「帰れって言ったって、帰らないでしょう」

「そのつもりです」

「じゃあ、どうぞ」

五島が一歩引いた。神谷は先に玄関に入り、古い家の臭いをはっきりと嗅いだ。いい匂い、というわけではないが、どこか安心する。家庭の匂い。靴箱の上には、月めくりのカレンダーと、小さなサボテンの鉢が二つ。

通されたのは、玄関脇にある四畳半の部屋だった。応接間ではなく、五島の書斎のようである。実際、壁の三方は全て本で埋まっていた。窓際にデスクが押しつけて置いてある他には、二人がけのソファがあるだけ。本好きには理想の空間だろう。

「狭くて申し訳ないね」五島が、本当に申し訳なさそうに言った。

「すごい本の数ですね」凜が感嘆の溜息を漏らした。

「本ってのは、捨てられないもんでねえ」五島が、椅子を回してソファの方に向き直る格好で座る。二人にソファを勧めながら、「高校生の頃に買った本が、まだ残ってるぐらいだから」

「何冊ぐらいあるんですか」ソファに浅く腰かけながら凛が訊ねる。

「数えたこと、ないな」五島が苦笑する。「とにかく、床が沈んできて困ってるよ。本がここまで重いとは知らなかった。知ってれば、この家を建てる時に、予め床の補強工事をしたんだけど」

「電子書籍にでもしないと、床は沈む一方ですね」凛が話を合わせる。今までの彼女とは明らかに違った。重荷を下ろしたように軽やかな口調であり、愛想のよささえ感じられる。これまでは、事情聴取のために、冷たく硬い口調で相手に相対することが多かったのだ。

「それも試してはみたんだよ」恥ずかしそうに言って、五島がデスクの上のタブレット端末を持ち上げた。「でも、何か馴染めなくてね。本っていうのは、文字を読むだけじゃないっていうのがよく分かった。質感っていうのが大事なんだな」

神谷も、室内を一瞥《いちべつ》した瞬間から、本の数に圧倒されていた。いったい何千冊あるのか。整理という観念はないようで、単行本、文庫本、著者の区別なく、ばらばらに本棚に突っこまれている。小説もあれば実用書もありと、内容もバラエティに富んでいるようだ。一日一冊読んだとしても、読破にいったいどれだけの時間がかかるのだろう。

「とにかく、困ったもんだよ。でも、これが唯一の楽しみだからね」

「分かります」

神谷は同意してうなずいた。すぐに真剣な表情を作ると、五島も真面目な顔つきになった。戦闘開始、を了解している。

「あの事件の関係でお伺いします」

「話せないこともあるよ」機先を制して五島が宣言した。

「守秘義務でしたら、気にしないで下さい。これは正式な調査ですから」

「とはいえ、忘れてることも多いしな」

「嫌な記憶だから、ですか？」

「おたくらが調査に入って来たからね。失敗を突かれたら、誰でもいい気はしないだろう」

「五島さんが直接痛みを感じることはないと思いますが」

「いや、俺だって、あの捜査本部にいたんだよ。引退したからって言っても、つい二年半前のことは忘れられない」

「五島さんは、柳原が犯人だと信じているんですか」

「それが捜査本部の——県警の公式見解だけどな」

微妙な言い方だ。わざわざ「公式見解」と言うからには、「裏の」見解があるのでは？　勘ぐりかもしれないが、神谷は五島の顔を凝視した。まだ現役の厳しさが残った表情。しかし、ゆっくりと弱さが滲み出るのを意識する。

「五島さんの説とは違う犯人だったんですよね」

「何の話だ」五島が、小さな目を大きく見開き、神谷を見つめた。

「五島さんは、別の人間を犯人だと考えていたんじゃないですか」

無言。しかし五島の目は、神谷の顔を捉えたままだった。人は痛い所を突かれた時、普通は目を逸らす。しかし中には、相手を凝視することで、上手く本心を隠す人間もいるのだ。

「古い話だな」

「刑事は、自分が手がけた事件は忘れないものですよね」

「一線にいれば……あるいはもっと上の幹部ならな。目の前のことだけに集中している人間か、逆に全体を見られる立場の人間なら、忘れられないよ。でも俺のような中間管理職は、中途半端なところしか見えない」

「当時、誰を犯人だと——」

「犯人は柳原だ」神谷の言葉に被せるような断言。が、すぐに力なく首を横に振った。

「裁判の結果はともかく、な」

「柳原は犯人ではありませんでした。判決でここまではっきり否定されると、実際に犯行はなかったとしか考えられません」

「まあ……それは、俺がどうこう言えることじゃない」途端に、五島の口調は歯切れが悪くなった。

「これでいいんですか？」神谷は身を乗り出した。「犯人が分からないままで、悔しくないですか？　五島さんが想定していた人間が、真犯人かもしれないんですよ」

「俺には、何か言う権利はないよ」

五島の一言に、神谷も黙りこむ。現役時代の手柄や失敗を、積極的に話したがる刑事もいる。だが概してそういう刑事は、大きな成功も失敗もしていないものだ。五島の場合は——というより彼が参加していた捜査本部は、致命的な失敗を犯している。気軽に当時の状況を話したり、自分の推理を披露する気にならないのだろう。

「話してくれませんか」

「やめておこう」

「真犯人がこのまま野放しになっていてもいいんですか？　相手は危険人物ですよ。また同じような犯罪を繰り返す恐れもある」

「それは、あんたら現役の警官が何とかしてくれないとな……おっと、とはいっても、元々警視庁の人には関係ないか」

五島はあくまで、惚ける方向で対処するようだった。その真意は分からない。秘密保持のつもりなのか、あるいはさらに深い、喋れない事情があるのか。

「柳原の犯行と目される事件が起きたのと同じ頃、東京でも同様の事件が起きました。

覚えてませんか？　やはり女性が暴行され、殺された事件です。手口が非常に似ているんです。私は、その事件の特捜本部にいました。当時、神奈川県の事件との類似性も疑っていたんです」

「ほう」五島がようやく顔を背ける。緊張に耐えられなくなったのか、あるいは……。

「私は、その事件でヘマをしたんです。ある人間を容疑者だと判断して、締め上げました。しかし、その男は結局犯人ではなかった。逮捕はできなかったんです」

「よくあることじゃないか」五島が軽い調子で言った。

神谷はすっと息を呑んだ。凜は、この件をどこまで正確に知っているのだろう。いつかはきちんと話さなければならないと思ってきた。もっとゆっくり語り合える場所で、静謐《せいひつ》な精神状態で話すべきではないか……だが、五島の証言を引き出すための材料として、この件はまさに今、話さなければならない。

「残念ながら、俺はちょっとやり過ぎました。強情な男で……手が出たんです」

「ああ、そいつはまずかったな」五島の顔が歪んだ。

「結局、その後で俺は飛ばされました。読みを間違えたことも問題だし、暴行なんてもっての外ですからね。ただし、警視庁は神奈川県警とは違う。ずるさにおいてはるかに上なんです」

「というと？」

「事実を隠蔽しました。相手を上手く言いくるめたんです。その見返りというか、納得させるための材料が、俺を飛ばすことでした。今は、伊豆大島にいます」

五島の眉根がぐっと寄った。初めて見せる深刻な表情。神谷はそれに負けじと、表情を引き締める。二人の間にぴりぴりとした空気が漂い出すのを、神谷ははっきりと感じた。

「警視庁も、結構酷いことをするな」

「そうしないと、秘密が表に流出するからですよ」

「その事件の犯人は捕まっていない」

「残念ながら」

神谷はうなずいた。この男は、近県の事件には注目しているのだろう。神谷が失敗したあの事件も、当然記憶に残っているはずだ。自分たちも、同じような事件に取り組んでいた最中であるし……。

「あんたが疑っていた男が、本当に犯人だった可能性はないのか」

「それは……」いつしか、考えることをやめてしまっていた。捜査の現場を離れてしまえば、何もできないからだ。警察には明確に「管轄権の壁」がある。稀に、一つの事件に固執するあまり、異動を拒否して同じ捜査本部に居座り続ける人間もいるが、そういう執念深い人間は減りつつある。ましてや神谷は、ヘマをした。あれは誰にも言い訳できない。だがあの男は、本当に犯人だったのではないか。もしも俺が、のらりくらりとした態度に激怒して、手を出すようなことがなければ、落とせていたかもしれない。あの男はほっとして、今でもにやにや笑っているのではないか……いや、実際にアリバイは成立したのだから、今さら犯人だと考えるべきではない。

「その事件、うちが見てないと思ったか」

「見てたんですよね？　こっちも神奈川の事件は見てましたし」

「しかし、犯人が同じじってことはないだろうなあ」五島が立ち上がり、神谷の右手にある書棚の前に立った。どこに何が入っているかは完全に分かっているようで、すぐに何かを引っ張り出してくる。

地図だった。地図というか、首都圏の路線図。ばさばさと音を立てて広げると、二人の前に示す。

「こっちの事件は戸塚。何故か戸塚なんだよな」

「どうして戸塚だったかは、柳原も供述していませんでしたよね」

「ああ。あの状況なら……」

五島は口を閉ざす。要するに、無理矢理でっち上げた犯人が、ありもしない「動機」は供述できない、と言いたいのだろう。だが自分の口から、それを認めるわけにはいかない……彼の考えは手に取るように分かった。これは落とせる、と神谷は確信した。しかし今は、無理して突っこまない。物事には適切なタイミングがある。

「東京の事件は？　確か大森付近だったな」

「ええ、二件とも」

「つまり、東海道線でつながってるわけだ。犯人の行動パターンとして、地理的な問題は当然考慮すべきだよな」

「当時、神奈川県警が描いていた構図では、柳原は車で動き回って、女性を襲っていましたけどね」

「だから、それは――」五島が苦しそうな表情を浮かべた。「今言われても困るよ」

「同じ犯人だったとして、東海道線を使って、二つの現場を行き来していた可能性もある、ということですね……でもそれは、あくまで可能性の話ですよ。犯人が車を使っていた事実を否定することにもなる」

「分かってる。ただし、いろいろ考えるのは悪いことじゃないだろう」

「五島さんだって、あの事件を気にしてるんでしょう」

五島が神谷の顔を一瞬見た。ゆっくりと地図を畳み、書棚に戻す。ちらりとそちらを見ると、きちんと整理された本の中で、五島の焦りを象徴するように、地図だけが少しはみ出していた。

「刑事なら誰でも、積み残した事件は気になるわな」

「五島さんの場合は、とんだ積み残しですね」

「辞めてから、『あれは間違いでした』と言われても、どうしようもないよなあ」苦笑しながら髪を撫でつける。

「だから、真犯人を捜しましょうよ。まだどこかに潜んでいるんですよ」

「俺はもう、警察官じゃない」

「知恵を貸して欲しいんです。我々が足になって動きますから」

「管轄が滅茶苦茶だな」五島が指摘する。「俺は神奈川県警のOB。あんたたちは東京や北海道から来ている。しかも今は、警察庁預かりの身だ。本当は、捜査はできないはずだよな」

「理屈の上では」神谷はうなずいた。緊張感は頂点に達し、煙草が吸いたくてたまらなくなっていた。

「かなりまずいんじゃないか」

「管轄がどうのこうのというより、犯罪が解決していないことの方が問題です」

「まあ、な……」五島が頬を掻いた。

迷っている。喋っていいかどうか、必死で考えているのだろう。だが、少しもったいぶり過ぎているのではないかとも思えた。彼にはもう、責任はない。守秘義務の問題はあるにせよ、ここで出た話を表に出さない――ネタ元を明かさないぐらいの良識が神谷たちにあるとは思わないのだろうか。

「自殺者が出たのは、ご存じですか」

神谷は声を低くして告げた。五島の頰がぴくりと動く。うつむき、何かを必死で計算している。新島が自殺したことは、既に耳に入っているに違いない。報道されることではないが、警官同士のコネクションで、自然に伝わってくるはずだ。どこまで事情を明かしていいか、神谷は迷い、結局五島の読みと勘に頼ることにした。

「その男は、極めて重要な情報を握っていました。我々はたまたま、その内容を知ることができたんです」

「新島は、県警を裏切ったのか」五島の声が震える。「新島」を出して、事情を知っていることを明かしてしまった。

「組織の面子を取るか、真相を取るか、どっちが大事でしょうね」神谷は両手を組み合わせた。「比較できるものではないと思います。真相を探る方が、はるかに大事だ。でも、残念ながら、神奈川県警にはそういう感覚を持った人が少ないようです……あなたも、ですか」

「俺は現役じゃない」

「一人の人間として、どうなんですか」

「そういうことを言われても困る」

「自殺と言いますが……実質的には、自殺に追いこまれたのではないかと思います」唾を呑むと、喉が痛む。緊張で喉が細くなってしまった感じだった。

「滅多なことを言うもんじゃないよ」五島は声を落とした。

「それが事実です。遺書の中でも、彼は仲間によって追いこまれて、精神的に参っていた様子を我々に訴えています。しかし我々は、何もできなかったんです。守れなかった……こんなことを続けていると、また犠牲者が出るかもしれませんよ」

五島が腕を組む。深くうつむいたが、がっくりとうなだれているようにも見えた。神谷は、彼の頭の天辺辺りが少し薄くなっているのに気づいた。色々苦労もしてきたのだろうが、今は追及の手を緩めるわけにはいかない。追及というか、懇願を。

その後は凛も加わり、執拗《しつよう》に五島に話を聞き続けた。しかし五島は、あくまで話さないと決めたようで、まったく埒《らち》が明かない。気づけば十時半になっていた。話を聞き続けるにしても限界がある。神谷は、今夜は諦めることにした。

腰を上げると、五島がほっとしたように表情を緩める。のらりくらりを繰り返していたが、やはり相当緊張していたのだろう。そんなに緊張するぐらいなら、思い切って喋ってしまえばいいのに。彼が隠し続ける理由がどうしても理解できない。現役の後輩たちに気を遣っているのだろうか。

それでも五島は、玄関まで送るだけの礼儀をわきまえていた。靴を履いた二人が、改めて向き直ってお辞儀をすると、一瞬躊躇《ためら》った後で、「知らない方がいいこともあるわな」とぽつりと言った。

「どういうことです？」

「今言った通りだ」

「意味が分かりませんが」

「よく考えてくれ。世の中の事件の裏側を、全て明らかにすべきだと思うか？　知らなければ知らない方がいいこともある」

「全部知らないと満足できないんですが」

「それは贅沢だ。刑事は、手に入れた物で満足した方がいいんだぞ」五島が苦笑する。その苦笑は、神谷の反論を拒絶していた。

2

「まいったな」

神谷は、五島の家を出た途端に煙草に火を点けた。立ち上がる煙は、すぐに空気に溶けていく。凜は煙を避けるように、少し距離を置いて歩いていた。

「五島さん、何か知ってますよね」凜がぽつりと言った。

「ああ。知ってると認めたも同然だ。あんな風にもったいぶって言わなくてもいいと思うけどなあ。最後にあんなことを言われたら、気になって仕方がない」

神谷は、まだ長い煙草を携帯灰皿に押しこんだ。車の助手席に座ると、すぐに永井の携帯電話を呼び出す。事情聴取の様子を説明し、五島は今後も要注意だ、と告げた。

「別の人間が話を聴くのも手ですよ」と永井が提案した。

「あー、そうですね。人が替われば、状況も変わるでしょう」本当は自分で五島を落としたかったのだが、「手を替え品を替え」というやり方は確かに効果的だ。当たりの柔らかい皆川か、ねちねちと攻める島村にやり直してもらうのも手だろう。事件の前では俺の面子など小さな物だ、誰かに頼るのは悪いことではないと、自分に言い聞かせる。

凜が車を発進させた。かすかな振動と排気音を排除するために、右耳に指を突っこみながら永井と話し続ける。

「それより、もっと深い事情がありそうなんですよ。捨て台詞みたいに、『知らない方がいいこともある』と言ってましたからね」

「意味深ですね」

「そうなんです。ま、おいおい攻めていこうと思いますが」

「何か手を考えましょう。五島さんは逃がしてはいけません」

「ええ」

「今日はご苦労様でした。大島から戻って来たばかりで疲れたでしょう。引き上げて下さい……あのウィークリーマンションの部屋は、もう一度確保しましたから」

またあそこか。狭苦しく、居心地の悪い部屋。だが今度は、そういうことは気にならないだろうと思う。やるべきことがあるのだから、一時を過ごす場所の文句など言っていられない。

車に乗っている間、地下鉄で帰る間、二人の間に会話は少なかった。それでも神谷は、むしろ心地好い空気感を味わっていた。刺々しい雰囲気がなくなり、凜はいかにも女性らしい柔らかさを漂わせている。

マンションに戻り、廊下で別れる間際、凜が一瞬神谷の顔を見た。何か言いたそうにしている。仕事の関係ではなさそうだ。神谷は顎を引いて、余計なことを考えるな、と自分を戒める。プライベートな問題が絡んでくると、仕事はたいてい失敗するものだ。それに彼女は、この件が終わったら北海道へ帰る。

どうしようもないではないか。

凜に向かってうなずき、神谷は自室のドアを開けた。前と同じ部屋で、まだ自分の生活の臭いが残っているような気がする。ドアを閉め、背中を預けた——誰かが開けるのを邪魔するように。開ける可能性がある人間は、凜だけだが。

煙草をくわえる。火は点けず、真っ暗な部屋の中を見回した。カーテンが細く開いていて、そこから街の灯が遠慮がちに部屋に入ってくる。ネオンの誘いは強烈だったが、呑みたいような呑みたくないような……自分でもよく分からない。

煙草をパッケージに戻し、思い切ってドアを開ける。

凛はまだ廊下に立っていた。表情からは、心中は読み取れない。神谷は口を開きかけたが、言葉を失ってしまった。

「ちょっといいですか」

「ああ……」躊躇いが先に立つ。いくら何でも、部屋でというのは……まずい。「呑みに行こうか」

「いえ。もう遅いですから」

「……分かった」

彼女は何の時間を気にしているのか……想像は先走るが、十分気をつけなければならない。おそらく彼女は、まだガラスのような心を抱えている。指を触れただけで壊れてしまうかもしれないのだ。

神谷はドアを大きく開け、彼女を部屋に導き入れた。ドアを閉めながら、照明のスウィッチに手を触れようとした瞬間、凛の指が神谷の指を押さえる。ドアが自然に閉まり、二人は暗闇の中に取り残された。神谷は、次第に鼓動が高まるのを感じた。凛の指に指を絡め、ゆっくりと引き寄せる。彼女は特に抵抗しなかったが、身を硬くするのが分かった。棒を抱いているような……シャンプーの香りとかすかな汗の匂いが入り混じり、神谷は久しぶりに女の肉感を味わった。

凜が少しだけ離れる。もう一度引き寄せようとしたが、強引に思われるのを恐れ、彼女の行動に任せた。外から部屋に入ってくるかすかな灯りに、凜の顔がぼんやりと照らし出される。不安なようであり、満足しているようであり、本音は読めない。それ故、神谷は自制した。

「誰かを好きになろうとしたこともありました」凜がぽつりと言った。「いつまでもそういうことができないと、ろくな人生にならないと思ったから」

「結果は?」

「上手くいかなかったです。相手に悪いと思ったり、勇気が出なかったり……傷物ですから」

「傷物なんて言うな。君が悪いわけじゃない」神谷はかすれた声で言った。「俺を実験台にしてくれてもいい」

「どうなんでしょうね」凜が曖昧に言った。からかっている様子ではなく、本人もどうしていいか分からない感じだった。「それは悪いと思います」

「俺は、そうは思わない」誰かの——彼女の役に立てれば。

神谷は手探りで照明を点けた。まるで誰かに見つかったように、凜がぱっと離れる。

手だけはまだつながっていたが、神谷が力を抜くと、彼女の腕も自然に落ちた。照れたような表情を浮かべ、一瞬目を逸らす。

「飲み物は、水しかないんだけど」途中のコンビニエンスストアで仕入れてきたミネラルウォーター。

「喉は渇いてません」

「そうか……座って」

とはいっても、この部屋にはデスクに椅子が一つ、後はベッドしかない。ベッドに腰かけられたら、また厄介なことになる。心配したが、凜はすぐにデスクについた。ほっとして、神谷はキッチンからコップを持ち出した。ミネラルウォーターを開け、二つのコップに注ぐ。一番シンプルで無駄がない飲み物で、この場の雰囲気には合っていない。だったらどんな飲み物がいいかと言われても、分からないのだが……コーヒー、緑茶、アルコール、どれも合わない気がする。

コップを受け取った凜が、水を一口飲んだ。ほっとしたような笑みを浮かべ、神谷に向かって頭を下げる。神谷は、自分の中で燃え上がり始めた炎を消そうと、一気に水を飲み干した。

神谷は、壁に背中を預けて立ったままいることにした。自分がベッドに腰かけても、事態は単純にはならないと思う。凜の顔をじっと見ているうちに、かすかに残った炎が完全に消えるのが分かった。

「神谷さん、あんな所で話してしまってよかったんですか?」

「俺の事件のことか?」

「ええ」

「五島さんは、知ってたんじゃないかな。首都圏の警察では、結構噂が回るんだ……今時、容疑者に手を上げるなんて、流行《はや》らないだろう」自嘲気味に言ってしまう。

「神谷さんが、かっとしやすい性格なのは間違いないですけど……警視庁の処分もひどいと思います」

「ま、やってはいけないことをやったのは間違いないんだから」神谷は肩をすくめた。

「どうしてそんなに気楽に言うんですか? 本当は気楽じゃないんでしょう?」

「いや」神谷は煙草に火を点けた。「困ったことがあった時、人によって対処の仕方は違う」

「神谷さんは、何もなかったことにしている」

ずいぶんはっきり言うな、と神谷は苦笑した。

「君は正面からぶつかって、突破しようとした。後は、傷が癒えるのをゆっくりと待つだけだな」

「時間がかかるかもしれない……まだ、無理です。私の私生活は、相変わらず砂漠みたいなものですよ」

　男に抱かれる気にはならないか――それも当然だと思い、神谷はうなずいた。彼女が俺を実験台にしようとしているなら、それはそれで構わない。問題は俺の方か……一瞬だけはっきりと味わった彼女の体の感触を忘れないだろう。

「分かった」待つ、と言うべきだろうか。だがそんな台詞は、彼女に重荷を背負わせるだけかもしれない。彼女とは一回り年齢が違うのだ。しかも自分は一度結婚に失敗している。誰かの人生を引き受けるのは、正直怖い。

　何を先走った考えを。神谷はコップに水を注ぎ足した。一口飲むと、今度はすっと気持ちが鎮まる。

「俺の事情は、いつ知ったんだ?」

「神谷さんが大島へ戻っている間に」

　それを知って、迎えに飛んできたのか?　どうしてそこまでする必要がある?　仲間はいた方がいいと言っていたが、彼女にとって俺は「同類」なのか。

「そうか……仕事の話でもしようか」

「ええ」凜の顔も急に引き締まった。「一つ、確かめていいですか」

「ああ」

「柳原が犯人ということはないんでしょうか……東京の事件でも」

それは——今でも可能性ゼロとは言えない。だが、その筋を積極的に追うだけの理由はなかった。敢えて言えば、天野がその線を強烈にプッシュしていたことだが、それとて根拠のある話ではない。

「今、その線を気にする必要はないと思う」

「真犯人については、やっぱり五島さんの情報が必要ですかね」

「ああ。それにしても、五島さんがあそこまで頑《かたく》なになるのはどうしてだろう？」神谷は首を捻った。

「五島さんは、今でもその線が正しいと思ってるんでしょうか」

「それだったら、もっと普通に話しそうなものなんだが……むしろ、ざまあみろと考えていてもおかしくないと思うんだ。自分の説が却下されて、逮捕された犯人は冤罪《えんざい》だった——どうして自分の説を採用しなかったんだって思うはずだ。それを俺たちにぶちまけても、おかしくない」

「県警に対して、あくまで義理を通しているんですかね」

「俺だったら、喜んで話すけどな。自分から進んで電話を入れるかもしれない」

そう言ってから、はっと思い当たった。自分から話した男……新島は自殺に追いこまれた。五島もそれを恐れているのではないか。

その可能性を話すと、凜が小さくうなずいた。しかし、納得はしていない様子である。

彼女のそんな態度を見て、神谷は逆に五島の身の上が心配になった。監視をつけるべきだろうか。だがそれだけの人数はいないし、まだ報告書を仕上げる仕事が残っている。

「何だ？」

「もう一つ、あります」凜が遠慮がちに言った。

「神谷さんがターゲットにしていた容疑者、今は何をしてるんでしょうか」

「分からない」正直に答える。

「アリバイが成立したって言ってましたよね」

「ああ」

「それ、神谷さんが自分で調べたんですか？」

「いや、俺はもう捜査から外されていたから。他の刑事たちがチェックして――」そこまで言って、神谷は言葉を呑んだ。凜が何を言いたいのか、ようやく分かったのだ。もしかしたら、あの男が真犯人かもしれない――柳原とは逆のケースだ。神奈川県警は真犯人をでっち上げたが、警視庁は見逃した。

「東京と神奈川の事件、よく似ています」

「まさか、そいつが犯人だっていうのか？」

「警視庁だからって、他の県警より優秀ということはないと思います。見逃していることも多いんじゃないですか」凜が遠慮がちに言った。

「確かに、警視庁も大したことはないな。俺みたいな人間を抱えているんだし」

「神谷さん」凜が立ち上がる。表情が一気に真剣になってきた。「一つ、お願いしていいですか」

「何だ？」その真剣さに神谷は押され、より強く、背中を壁に押しつけた。

「自分を卑下するのはやめて下さい。こんなこと言う資格、私にはないかもしれないけど、神谷さんは逃げてるだけだと思います」

神谷はうつむき、手の中のコップを凝視した。水面が細かく震えている。震えを抑えつけ、顔を上げた。

「逃げるのが一番簡単だからな」

「そんなことはないです。何かに背中を向けて、いつも追われる恐怖を味わうことになるんですよ」

「大島では、追われてる感じはなかったな」

「ふざけないで下さい！」

凜が声を張り上げ、一歩前へ進んだ。異様な迫力が、神谷を萎縮させる。だが、彼女が心の底から自分を案じてくれているのに気づき、ふっと笑みが零れる。

「私、真面目に言ってるんですけど」

「分かってる」

「この事件の捜査は……私が過去を乗り越える役に立つかもしれません」

「こんなことをしなくても、君は問題なく過去を乗り越えると思う。そもそも、こんな状況に身を投じようと考えたのが、君が強い人間である証拠だよ」

「そんなことはありません」

「普通なら、わざわざきつい状況に身を置こうとは思わない」

「荒療治も必要なんです」

「俺もか？」

「……たぶん」

「君は厳し過ぎる。自分に対しても他人に対しても」神谷は思わず苦笑した。

「神谷さんは？」

「俺は、自分に対してだけは甘いなあ」神谷はまたコップの水面を見つめた。震えは何とか停まっている。「だいたい、乗り越えてどうする？　四十過ぎてから、新しい人生をやり直すのはきついぞ」

「そんなこと、ないと思います。何歳になっても、生きている限りやり直せるのが人間じゃないんですか？　私は、これから何とかします。二十代の十年は……なかったことにしてもいいと思っています」

「一番大事な十年だぜ？」

「神谷さんのこれからの十年も大事ですよ。人生で、大事じゃない十年なんか、ないんです」

「どうして、そんなに俺に構う?」

「放っておけないんです。余計なことかもしれませんけど、傷ついた人を見ると、何とかしないといけない、と思うんです」

「君は、本当に警察官に向いている」

「神谷さんは、向いていないかもしれません。ナーバス過ぎます。適当に振る舞っているのは、それを隠すためでしょう」

まさか、自分より十二歳も年下の女性に本質を見抜かれ、説教されることになるとは……久しぶりに正面から人と向き合い、神谷は戸惑うばかりだった。一つ咳払いをして、口元を引き締める。これを恋愛感情だと受け取ってはいけない。男と女ではなく、彼女はあくまで仕事の人間関係で動いているのではないか……。

「あの男をもう一度調べる意味はあると思うか?」

「完全に疑いが消えるまでは」凜がうなずく。

「分かった……やってみよう。だけどその前に、明日の朝、やるべきことがある」

「何ですか?」

「宣戦布告だ」

「神奈川県警に対しては、とうに宣戦布告していると思いますけど」凜が首を傾げる。

「個人的な宣戦布告だ。俺は、連中の罠にはめられたようなものじゃないか。今度は、連中を痛い目に遭わせないと、借りは返せない。だから、そうだな……気合いを入れてもらうわけにはいかないかな？」我ながら下手な台詞だ。というか、スケベなオヤジが酔っ払って考えなしに吐くような言葉。

凜がゆっくりと神谷に近づく。互いの息遣いが感じられるほど近くで立ち止まると、すっと手を伸ばし、神谷の頰を人差し指で撫でた。神谷が呆気に取られている間に、脇をすり抜けてドアを開けた。

慌てて振り返ると、体半分部屋から出ていた凜が、悪戯《いたずら》っぽい笑みを浮かべている。

「もう少し、ゆっくりでいいですか？」

彼女は恋愛に縁がなかったはずだ。本当に？　俺はこんなに心を揺さぶられているのに。

3

朝七時。ターゲットがここへ来る保証はないが、神谷は信じて待ち続けた。警備の制服警官に追い出されないよう、県警本部の敷地内には立ち入らず、少し離れた場所に停めた車の中で待機する。

車の中で一人時間を潰すのは、久しぶりだった。時間の流れが次第に遅くなるような感覚……集中していなければならないので、携帯を見たりラジオを聴いたりするわけにはいかない。こういう時は、人を観察して時間を潰すのが有効だ、と思い出す。

朝七時台だと、行き交う人の姿も少ないが、街は確かに目覚めつつあった。マイペースでジョギングする年寄りの横を、脂肪を限界まで削ぎ落とした若者が走り抜けて行く。上半身にぴったり張りつくウエアとスパッツ。シューズも蛍光色を多用した派手な物で、本格的な競技用だろう。修行僧を思わせるストイックな顔は、本格派のランナーのように思えた。追い越された年寄りは、あくまで体調を整えるために走っているようで、抜かれたことを気にする様子もない。橋元も、こんな風に毎日走っていたのに、と胸が痛んだ。

早々と登庁してくる県警の連中もいる。始業時間よりも早めにデスクについて、面倒な雑務を先に片づけてしまおうというのだろう。庁舎へ入る人の流れは、八時を過ぎると大河のようになるはずで、その中から重原を見つけ出すのは難しい。だが、朝の出勤ラッシュがピークに達する前、七時四十五分に重原は姿を現した。しっかり背筋を伸ばし、遠くを見据えるように顔を上げて歩いている。左手に提げたブリーフケースのハンドルのところに、丸めた新聞を挟みこんでいた。地味なグレーのスーツ姿と相まって、普通のサラリーマンにしか見えない。刑事の中には、ヤクザと見分けがつかないような、とんでもないファッションセンスの持ち主もいる。

神谷は車のドアを押し開け、早足で歩き出した。重原とは反対方向から、歩道を歩き出す。重原が左へ折れて敷地内へ入ろうとした瞬間を狙い、「重原管理官」と声をかけた。

重原も脇が甘い。無視して中へ入ってしまえば面倒なことにはならないのに、つい足を停めたのだ。神谷は小走りに彼に近づき、にやりと笑って見せた。

「お元気ですか」

「島へ戻ったと聞いていたが」さほど驚いた様子はなかった。神谷が戻って来たことを、どこかで聞いたのかもしれない。

「人の噂を収集するのは得意みたいですね。事件がなくて暇なんですか」

重原が目を細める。だが、言い返さないだけの我慢強さは保っているようだった。足を軽く広げ、その場に仁王立ちして、神谷を凝視している。

「ま、警察が暇なのはいいことですよね。世間が平和な証拠だ」

「何が言いたい」

「ご挨拶、というところですかね」神谷は軽く頭を下げた。

「あんたに挨拶してもらう義理はない」

「不意打ちは卑怯ですからね。戦争でも、正式に宣戦布告しないと始まらない」

「戦争をしかけるつもりか?」重原の目つきがさらに厳しくなる。

「戦争は大袈裟かもしれませんが、無駄に防御壁を高くしている人がいますから」神谷は、頭より高く右手を挙げ、掌をひらひらと動かした。「そいつをぶち破ってやろうと思います」

「警察庁の調査のことを言ってるなら――」

「そんなものはどうでもいい。俺は、あんたたちがどれだけ無能だったか、証明します」

「何だと?」

「真犯人が分かったら、どうなりますかね。あんたたちは、まともな捜査もできなかったと、恥をかくことになる」

「下らん脅しは通用しない」

「脅しじゃなくて、宣言ですよ」

神谷はぱたりと手を下ろした。もう一度にやりと笑うと、手を差し出す。重原が、鬱陶しそうにその手を見下ろした。

「フェアプレーを誓って、握手でもどうですか」

「下らん」怒りに目を細くしながら吐き捨てる。

「そう言うと思ってました。あんたたちの頭に、フェアプレーなんて概念はないんでしょうね」

「捜査にフェアもクソもない。大事なのは真実を探り出すかどうかだ」

「それで、あんたたちは失敗した。ものの見事に」

　重原の頰が引き攣るように動く。神谷はそれを確かめてから踵を返した。一太刀浴びせ、少しは傷をつけることができたか。それが動揺を誘い、また余計なことをしてくるのを期待した。俺も、何度も失敗は繰り返さない。今度県警がしかけてきたら、逆にそれを利用してひっくり返してやるつもりだった。

「おい」

　呼ばれて振り返る。捨て台詞を吐くつもりかと思ったが、神谷の目に映った重原の顔に、表情はなかった。

「本気で犯人を捜すつもりか」

「それが、あんたたちの失敗を証明する一番いい方法だから」

「世の中には、知らない方がいいこともある」

「はあ？」

「知れば、もっと大変になるかもしれない。これぐらいのことは何でもないんだ」

「どういう意味だ」

神谷は再び重原に近づいた。この台詞、昨夜も聞いた……神奈川県警は、まだ何か秘密を隠しているのだろうか。

「それだけだ」

重原がふいに歩き出し、敷地内に入って行く。その気になれば追いかけることもできたのだが、神谷はその場で固まった。俺たちはまだ、何も知らないとでもいうのか？

真相はどこにある？

あの男——酒田《さかた》を見るのは、二年半ぶりだった。最初に任意で呼んだ時に、やたらと寒かったことを思い出す。三月で、暖かい日が続いていたのに、その日だけは急に雨が降って気温が下がっていた。仕事へ出かけようと自宅を出たところで捕捉された酒田は、取調室でコートを脱いだ瞬間、大きく身震いした。

あの腕……コートを脱いだ時に見えた腕はやけにほっそりとして、筋肉などついていないようだった。それを見た瞬間、この男が女性を襲えるだろうか、と疑念が頭をかすめたことも思い出す。暴行事件には、力の強い者が弱い者を制圧するという一面があるのだ。そう考えれば、暴行事件の容疑者としては疑問符がつく。

だが酒田には、前歴があった。十年前、成人した直後に、バイト先から帰る女性を自分の車に引っ張りこんで乱暴し、逮捕されていたのだ。相手の女性は大柄で、酒田よりも体重があったにもかかわらず、酒田はその時、スタンガンを使っていた。今考えると、これも柳原と同じ手口である。武器があれば、体格も体力も関係ない。

神谷がやけに緊張しているのを見て取ったのか、皆川が気楽な調子で声をかけてきた。

「何も、今日逮捕しようってわけじゃないでしょう」

「ああ」肩を上下させ、緊張を逃してやる。彼の言う通りだ、と自分に言い聞かせた。逮捕するどころか、声をかけるのも避けるべきだろう。警視庁は、神谷を左遷させることで、酒田を納得させて騒ぎを封じこめた。それを今になってまた、こちらからまた接触すれば、さらに面倒なことになる。そして有体《ありてい》に言って、酒田を積極的に追及する材料は何一つない。

ただ気になるだけだ。

二人は車の中に座り、酒田が勤める会社の前で待機していた。酒田は今、物流会社の倉庫で働いており――あの問題が起きた時とは別の会社だった――九時五時勤務の決まりきった毎日を送っている。倉庫の管理は二十四時間なのだが、事務職なので、夜勤などはないらしい。彼が犯人ならいい職場を見つけたものだな、と皮肉に考える。これなら夜は自由になるわけで、女性を狙って街を彷徨うこともできる。だが最近、あの頃と同じ手口の暴行事件は起きていない。女性が被害に遭わずに済んでいるのはいいが、抜本的な解決にならない。やはり犯人を捕まえないと。それに、犯人は馬鹿ではないだろう。あの頃とは、やり方を変えているかもしれない。いつまでも同じ手口で犯行を重ねると、そこから足がつく。

「頭でも痛いんですか？」皆川が不思議そうな口調で訊ねる。

「どうして」

「さっきから頭ばかり振ってるじゃないですか」

「あー、いや……」神谷は苦笑した。「余計なことを考えたんで、ちょっと反省してみた」

「余計なこと？」

「俺はどうしても、酒田を犯人にしたいみたいだな。虚心坦懐《きょしんたんかい》に臨まなくちゃいけないんだけど」

「執着、ですよね」皆川が、人差し指の第二関節で眼鏡を押し上げる。

「そうだな」

「完全否定できない限り、こだわるのは普通だと思います……飯、食べますか」

「ああ」

ダッシュボードの時計を見ると、いつの間にか十二時になっている。神谷はラジオを点けて、NHKの定時のニュースに合わせた。一人でいる時には、集中力を削がないためにラジオも点けないようにしているのだが、二人なら問題ない。

神谷は、皆川が差し出したコンビニエンスストアの袋を受け取った。カレーパンを取り出し、袋を破る。これ、油っぽいかけらが零れて服が汚れるんだよな……と思いながら齧《かじ》りつく。案の定、細かいパン屑《くず》がズボンに降り注いだ。

目の前の倉庫は四階建ての巨大な建物で、一階部分が車寄せになっている。トラックが直づけして、荷物の積み下ろしができる仕組みだ。倉庫の右端には事務所。事務職員の出入りは基本的にそこだけのはずで、あちこちに注意を払う必要はなかった。昼になったので、職員たちがぞろぞろと出て来る。グレーの作業服を着ているのは、倉庫内で荷物の保管や積み下ろしをする作業員たちだろう。他に、背広姿の連中がちらほら……こちらは事務を担当する社員と見える。

酒田はなかなか出て来なかった。カレーパンを一つ食べて腹が膨れたので、缶コーヒーを啜りながら監視に戻る。

「弁当でも持ってきてるんじゃないですかね」握り飯をあっという間に二つ食べてしまった皆川が、ぽつりと言った。

「奴は一人暮らしのはずだ——少なくとも当時はそうだった。弁当を作るようなタイプでもない」

「そこまで調べてたんですか？」

「捜査対象については、表から裏から、全部調べるんだよ」

「なかなかそこまでできませんけどね……あ、あれじゃないですか」

神谷は出入り口を凝視した。途端に鼓動が早くなる。間違いない。二年半前に対峙し、俺の人生を狂わせてしまった男が、のんびりした足取りで会社から出て来る。二年半という歳月は、彼にまったく影響を与えていないように見えた。ひょろりとした頼りない体型、耳が被るほどの長さに伸ばした髪、顔の中心で存在感を主張する大きな鼻。ワイシャツにネクタイ姿で、ぶらぶらと歩道を歩き始める。会社の真向かいに停まっている神谷たちの車には、気づいていない様子だった。

「行くぞ」声をかけてドアに手をかけたが、皆川は既に歩道に降り立っていた。「先に行ってくれ」と指示し、皆川が十メートルほど進んでから歩き出す。さらに左右を見回してから、急いで道路を渡った。神谷は酒田の真後ろを、皆川は斜め後ろを尾行する格好になる。尾行のやり方としては磐石《ばんじやく》だったが、そこまで気を遣う必要はなかった。酒田は、会社から五十メートルほど離れたタイ料理屋に入って行った。もっとも、「店」というほどではない。ビルの外にテーブルを出し、上にビニール製の屋根を差しかけただけである。座れるのは数人だけで、何人もの客が並んでいたが、メーンは持ち帰りの弁当のようで、行列はすぐに短くなっていく。

酒田は、若い女性の後ろに並んだ。おい、少し距離が近過ぎるんじゃないか……神谷は一瞬、その女性が心配になったが、真昼間、こんなところで手を出すとも思えない。

考え過ぎだ、と自分を戒め、少し先に進んだ。見ると、皆川は道路を挟んで、店のほぼ正面で待機している。目が合うと、かすかに肩をすくめて見せた。

それにしても……匂いが強烈だ。エスニック料理特有のニョクマムとシャンツァイの香りは、歩道にまで遠慮なく漏れ出している。その手の匂いが苦手な神谷は、なるべく口で息をするようにしながら待った。幸いなことに、酒田は五分ほどで店から出て来た。ぶら下げたビニール袋ががさがさ音を立てるのが聞こえるほどの近距離。高まる緊張を、尾行に集中することで何とか抑えつける。

酒田は会社へ戻らなかった。匂いがきついから、狭い事務所で食べると嫌われるとでも考えているのかもしれない。神谷の予想通り、倉庫の前を通り過ぎて近くの公園に向かう。

二年半前のあの日と違い、今日は寒くもなく暑くもなく、過ごしやすい陽気である。酒田は木立の中に並んだベンチに座り、ゆっくりと食事を取り始めた。公園の中には他に人影はなく、匂いを気にする必要もない。

「呑気なもんですね」皆川が呆れたように言った。

「まあ、昼飯の時は、あんなもんだろう」

「どうするんですか？　このまま監視を続けます？」

皆川の声には、少しだけ不満が入りこんでいた。一日事務所に籠りきりで仕事している人間を監視するほど、効率が悪いことはない。昼間は外へ出るようなこともなさそうなので、夕方、もう一度ここへ来ればいいのではないか……もっとも、その後も自宅まで尾行して、帰宅を確認する以外にやることはない。本格的に監視するなら、もっと大人数で時間をかけるべきだが、そうすることの意味は、今は見出せなかった。

「無駄だな」

「だったら、周りの人から話を訊いてみますか？　よく言い含めておけば、本人には伝わらないでしょう」

「そうするか……」神谷は腕時計を見た。十二時半。会社が終わる夕方まで、ひたすら待つしかないだろう。ここは立川の外れで、横浜まで往復していると、それだけで時間がかかる。「今日一日だけ、無駄にしよう。会社が終わるまでここで待って、誰かに話を聴く。それでどうだ？」

「いいですよ」面倒臭がることもなく、皆川はほっとした口調で言った。「書類仕事が優先っていうのは分かってるんですけど、ちょっと疲れますよね」

「外の仕事の方がいいか」

「もちろん」

「しかも福岡と違って、こっちの外の仕事は安全だ」

神谷の言葉の意味を瞬時に摑んだのか、皆川の顔色が蒼褪める。福岡で今、外仕事というと、銃弾を浴びる危険さえあるのだ。日本中で、あの街だけ暴力団の抗争が盛んなのである。

「福岡は相当大変なんだろう？」

「今のところ、暴力団の最後の砦《とりで》みたいなものかもしれませんね」

「連中も、生きていくためには、どこかにいなくちゃいけない」

「住民からすれば、ゴミの最終処分場みたいなものですよ。自分のところじゃなければ、どこでもいいみたいな」

「違いは、最終処分場は必要だけど、暴力団は必要ないことだ」

「ええ」

気楽な会話を交わしているうちに、酒田が食事を終えた。弁当の容器をビニール袋に突っこんで口を縛り、立ち上がる。そのまま腰に手を当て、残りのお茶を一気に呑み干した。

奴は孤独なのだろうか。誰にも相手にされないから、こうやって外で一人で食事を取らざるを得ない？　いや、そういうわけではないだろう、と自分を納得させる。匂いを気にして、外で食べていただけなのだ。そう思って酒田を見てみると、怪しい気配は微《み》塵《じん》もない。あの時どうして疑ったのか……性犯罪の前科者だから、というのが頭にあった。警察は、そういう人間をずっとチェックし続ける。そして犯行当時のアリバイがはっきりしなければ、まず引っ張ってみよう、となる。その時の酒田の、事実を誤魔化すような曖昧な喋り方と、どこかこちらを馬鹿にしたような態度は、神谷の怒りに火を点けた。だがそれは、神奈川県警が柳原に対して取った態度と同じようなものである。俺は、あの連中と同レベルだったのだ。今さらながらその事実に気づき、がっかりする。

だが今は、がっかりしている暇はない。これは、俺にとって挽回のチャンスなのだ。


五時過ぎ、酒田が事務所を出て帰途に着いた。声をかけてみたいという欲望は強かったが、何とか気持ちを落ち着け、話を聴くべきターゲットを捜す。できれば、酒田の直属の上司がいい。普段の生活をよく知る人間から話が聴ければベストだ。

酒田が去った後、二人は車を降りて、事務所の前で堂々と待機を始めた。順次出てくる社員を品定めし、適当な人間に目星をつける。

「あの人、どうでしょうね」皆川がぽつりと言った。

彼の言う「あの人」が誰なのか、神谷にはすぐに分かった。きちんと背広を着こんでネクタイを締めた、恰幅《かっぷく》のいい四十代後半の男。堂々とした態度を見る限り、管理職のようだった。もしかしたら社長かもしれないが、それはそれで構わない。他の社員と一緒でないのも、タイミングがよかった。

神谷はすっと近づき、男の脇に立った。最初は気づかない様子だったが、皆川もやって来て、両脇を挟みこまれる段になって異変に気づく。立ち止まることはなかったが、歩みを緩めて二人の顔を順番に見た。

「警察です」

一気に顔色が蒼くなった。今まで、交通違反以外で警察とかかわったことのないタイプのようだ。

「ちょっと話を聴かせてくれませんか？　あなたのことでも会社のことでもありません」

「それはどういう――」

「おたくの会社にいる、酒田さんのことです」

「酒田君が何か？」

「最近の様子を知りたいんです。ここでは何ですから、ちょっと場所を移して」

「構いませんけど、彼が何かしたんですか？」左腕を持ち上げて、ちらりと時計を見た。この仕草は、誰がやっても相手にプレッシャーをかける。「時間がない」というのは、あらゆる事柄に対する万能の方便になるのだ。だが、唯一警察にだけは通用しない。

「お時間は取らせません。いいですね？」

「はあ、まあ」

気乗りしない様子の男を、車まで連れて行く。神谷は男を後部座席に座らせ、自分はその横に陣取った。皆川は運転席。

「警察庁の神谷と言います」念のためにバッジを見せる。これは警視庁のバッジだが、普通の人は警察庁と警視庁の違いなど分からないだろう。「失礼ですが、お名前は?」

「総務課長の……そこの倉庫会社の総務課長の水本《みずもと》と言います。あの、私が誰だか知っていて声をかけてきたんじゃないんですか?」怪訝そうな表情が広がる。

「誰でもよかったんです」神谷は肩をすくめた。「そちらの会社のことについては、何も調べていません。どんな人がいるかも分からないんです。話を聴けそうな人なら、誰でもよかったんですよ」

だが、総務課長なら都合がいい。それほど大きな会社ではないだろうし、社員の事情も把握しているはずだ。

「酒田さんは、三年……二年半前から、こちらに勤めているんですよね」

「ええ」

「どういう事情でこちらに来たかは……」

「紹介がありましてね」水本は慎重な口調だった。

「紹介」

「ええ。前の会社を辞めて……辞めざるを得なくなって、その後ですね」

「どうして辞めざるを得なくなったかは、ご存じですか」

「無実の罪で警察に疑われたとか」運転席のヘッドレストを凝視したまま、水本が言った。本当は、神谷たちを睨みたいのかもしれない。「何度も取り調べを受けて、結局何でもなかったんですけど、そういうことがあって、会社にい辛くなったんじゃないですか」

知っていたか。しかし神谷は、この件についてさらに深入りするのを避けた。自分に跳ね返ってこないように。

「最近はどんな具合なんですか」

「もちろん、真面目にやってくれていますよ。経理を任せているんですが、よく勉強もしてます。元々、そっちは専門でもなかったんですけど、今は安心ですね」

「会社の同僚との関係はどうですか」

「普通です」

「普通というのは？」

「普通は普通ですよ」苛立ったように水本が言った。「同僚とはまったく普通につき合っています。一緒に酒を呑むこともあるし、会社の行事にも普通に参加してるし。何か疑ってるんですか？」

「そういうわけじゃありません」

「だったら何で調べているんですか？　社員のことをそんな風に訊かれると、いい気分はしませんね」

「それは分かりますが……」

「何か容疑があるんですか」

「そういうわけではありません」

「だったらどうして、こんなことを訊いているんですか」水本の声には、次第に怒りと熱が入りこんできた。「何もないんだったら、わざわざ警察の人は来ませんよね」

「夜とか休日はどうなんですか」水本の質問を無視して訊ねる。

「プライベートなことは分かりませんよ。今時、そういうのを詮索するのは流行らないでしょう」

「だったら彼が、プライベートな時に何をしているかは分からない、と」

「そういうことは、奥さんにでも訊いて下さい」

「結婚してるんですか?」神谷は、目の前にすっと幕が降りるのを見たような気がした。

「ええ、一年前にね。ずいぶん長いことつき合ってて、ようやく結婚したそうで。どうです? いきなり奥さんを訪ねて、不安がらせてみたら……警察というのは、平気で人を不安にさせるんでしょう? 前回のことだって、因縁みたいなものですよね。彼の人生を滅茶苦茶にしたんだから、ちゃんとした謝罪があって然るべきだと思いますけどね」

実際には、謝罪以上のことがあった。人生を捻じ曲げられたのは、酒田だけではない。だが、そんなことを彼に説明しても仕方がない。

神谷は早くも敗北を意識した。恋人がいても、捻れた性癖を他で発散していた可能性もある。だが何かあれば、一番身近にいる恋人や妻はすぐに気づくはずだ。普通に恋人がいて、結婚もした以上、何もない――酒田は何もしていないと考えるべきだ。それでも過去の容疑が完全に消えたわけではないが、神谷は自分の読みの間違いを認めざるを得なかった。このことを、どうして二年半前に調べなかったのだろう。二重三重のミスを犯していたのだ、と意識する。

性犯罪者の中にも、更生する人間はいる。酒田はその中の一人、ということか。

「外れましたかね」皆川があっさりと言った。元々この男は、酒田犯人説に特別な思い入れを持っていたわけではないから、神谷の気持ちと違うのは当然だろうが。

「まあ……仕方ない」神谷は指のささくれを弄《いじ》った。期待していなかったと言えば嘘になるが、そんなに簡単に物事が動かないのは、経験から分かっている。

二人は車の外に出て、水本を見送った。遠のく彼の背中は、「嫌な目に遭わせやがって」と無言で抗議しているようだった。水本は、この件を酒田に話すだろうか……話せば、酒田は嫌な思いをするだろう。「ふざけるな」と警視庁に抗議してくるかもしれない。

「帰りますか」

「そうだな」巻き直しだ。現時点で、容疑者はゼロと言っていい。敢えて言えば柳原だが、あの男を調べ直すのは、酒田を調べるよりも大変だろう。それにあの男が犯人となれば、結果的に県警を利することになる。誰が得をするとか、そういうことを考えてこの仕事をするわけではないが。

自分は例外である。

刑事には、社会に奉仕するという名目はあるにせよ、実際には仕事のエンジンは自分の心の中にしかない。給料を稼ぐ手段と割り切っている者、犯人を合法的に追うことに快感を感じる者、小さな権力を行使するのを生きがいにする者……様々だ。凛はその事実を素直に認めている。

車のドアに手をかけた瞬間、「神谷さん?」と声をかけられる。驚いて顔を上げると、こんなところにいるはずのない人物が、びっくりした表情を浮かべて立っていた。天野。

天野は、前方から小走りに近づいて来た。一人——ということは、仕事ではないのかもしれない。刑事は基本的に、二人一組で動く。

「どうしたんですか、こんなところで」顔には不審そうな表情が浮かんでいた。それはそうだろう。神谷が島へ送り返されたことは、当然知っていたはずだ。

「ちょっとな」戻って来たとは言わずに、神谷はさらりと答えた。「お前こそ、こんなところでどうしたんだ、マサ」

「ああ、打ち合わせがあって」

「こんな場所で？」

「こんな場所って……八方面本部のすぐ側じゃないですか」天野が指摘した。

「お前一人で、か」

「そうですけど、何か変ですか？」

「いや……乗っていくか？　駅までは遠いだろう」

ふと、疑問が芽生えた。神谷たちがずっと張りこんでいたこの場所は、多摩都市モノレールの立飛《たちひ》駅近くである。八方面本部の最寄駅は、一つ立川寄りの高松、ないし立川。八方面本部での仕事を終えて電車で都心へ帰ろうとする時に、わざわざ立川から遠ざかるのはおかしい。

「大丈夫ですよ。天気もいいし、歩きます」

「そうか？」疑念がさらに膨らんでいく。いったいどこへ歩くというのか。ずいぶん時間に余裕があるものだ……天野は、歩くのを面倒臭がるタイプだった。以前膝を怪我して、全快するまで長くかかったせいかもしれない。

「どうですか、犯人の方は？」

「そんなこと、ここでは話せないな」神谷は周囲を見回した。人通りは少ないが、何となく話すのは憚られる。この男は、どうしてこんなに犯人のことを気にするのだろう。今は、あの捜査には絡んでいないはずなのに。

「ま、そうですよね」天野が真剣な表情でうなずく。

「こっちはこっちでやってるから、心配するな」

「すみません。何だか、いろいろ気になりましてね」

「お前は、何にでも首を突っこみたがるタイプだからな」

苦笑して、天野が頭を下げる。そこで初めて皆川に気づいたように、さっと目礼した。皆川もうなずき返したが、どこかぎこちない。しかし天野は、大して気にする様子もなく、もう一度神谷に一礼して去っていった。

皆川がすぐに運転席に乗りこむ。神谷が助手席に座ると、「今の人は？」と訊ねた。

「例の捜査本部にいた時の後輩だよ」

「今は？」

「今も本庁の捜査一課にいるけど……それがどうした？」

「いや、どうした、は神谷さんの方なんですけど」

「俺がどうした」神谷は煙草を取り出し、火を点けた。この男が案外勘がいいことを忘れていた。

「何だか、胡散臭そうに見てませんでしたか」

「そんなことはない。大事な後輩だ」

「そうですかねえ……」

露骨に疑念を口にすることはできないが、確かに神谷は疑っていた。「八方面本部に用事」というのはあり得ない話ではないが、神谷たちが張り込んでいたこの場所に姿を見せたのは、不自然だ。まさか、ずっとこちらの動きを見張っていたとか？　だとしたら……。

「俺たちは、警視庁も怒らせたんだろうか」神谷はぽつりと言った。

「どういうことですか？」

「例えば、この事件を改めて引っ掻き回されたくない人間がいたらどうなるだろう」

「でも、警視庁の特捜本部は相変わらず動いてるんでしょう？　女性が暴行されて殺された事件なんですから、そう簡単に手を引くはずがないですよね」

「特捜ができてから、三年近く経ってるんだぜ」神谷は指を三本上げて見せた。「三年も経てば、どんな特捜本部でも干からびるよ。具体的な容疑者もいなかったんだし」

「そうですか」皆川が顎に拳を押しつけた。

「それは、全国どこでも変わらない」

「うーん……自分にはよく分かりませんけど」

「ま、気にすることはないさ。帰ろう」

気にすることはない……そう、皆川は。ただ、俺は気にしないわけにはいかない。何かある。何か、特別な事情が……。

4

「そうですか、上手くいきませんでしたか」永井が溜息をついた。

「まだ本人に直当たりしてませんから、諦めたわけじゃないですよ」

神谷は反発したが、それが形だけであることは分かっていた。かすかな疑いは消え、自分の手元には何も残っていない。

午後八時。部屋にいる人間は、皆弁当を食べていた。警察は軍隊と同じで、兵站《へいたん》部門が重要である。飯さえ食わせておけば、たいていの兵士——刑事は文句を言わずに動き回る。永井もようやく、食料調達に本気を出し始めたようだ。もっともこんなことは、本来は庶務担当の人間がやる仕事である。キャップ自ら弁当の手配をしているのかと考えると、情けない気分になった。

神谷は、テーブルに積み上げてあった弁当を摑み、自席で広げた。中華弁当……昨夜も中華だったな、と思いながら箸をつける。期待もしていなかったが、味は上々だった。冷めているのにチャーハンはまだぱらりとしており、箸に乗らないほどである。全体に濃い味つけだが、さすがに中華街を抱える横浜ならではの弁当と言えた。

「で、どうしますか」永井が自席から声をかけてきた。

「ノーアイディアですね」神谷は首を振った。神奈川の事件、東京の事件……それぞれ容疑者がいない状態で、ゼロから捜査を始めることになる。「敢えて言えば、もう一度柳原に話を聴いた方がいいとは思います」

「それはやりましょう」永井がうなずいたが、あまり乗り気な様子ではなかった。

会話が途絶え、神谷は黙々と弁当を食べ続けた。そういえば、凜も桜内もいない。この時間にも、まだ外を回っているのか。覚悟を決めて馬力を入れた凜の実力は、侮れない。

ちょうど弁当を食べ終えた時に、凜と桜内が帰って来た。いつの間にか雨が降り始めていたようで、二人とも濡れた服から水滴を叩き落とし始める。凜の場合、髪も濡れ、いつもより黒味が増している感じがした。神谷の顔を見ると、一瞬だけ緩んだ顔つきになったが、すぐに厳しい表情に切り替える。

二人は永井の所へ行くと、すぐに報告を始めた。

「例の五件の暴行事件……被害者にもう一度話を聴いてきたんですけどね」桜内が手帳

を広げた。「犯人の特徴を精査しました。その結果……」

凜の顔を見る。手柄を譲るつもりだ、と神谷には分かった。もしかしたら、決定的な情報を摑んだのは彼女かもしれない。凜がすっと顔を上げ、自然な表情で報告を引き継いだ。

「五人のうち三人が、犯人が足を怪我していた、と証言しています」

「そんなにはっきりした怪我ですか？ そこまで観察する余裕はなかったと思いますが」永井が首を捻る。

「足を引きずっていたということですから、間違いないと思います」

「その状態で、女性を襲えますかね？」永井がさらに疑義を呈した。

「犯人はスタンガンを持っていたんですよ？ たいていは、それで制圧できます」

桜内が反論すると、永井が渋い表情でうなずいた。手元の書類を引き寄せ、ぱらぱらとめくる。

「そういう情報は、県警の報告書にはありませんでしたね」

「あー、わざと落としたんじゃないですかね」神谷は、自席に座ったまま発言した。「柳原が足を怪我していなかったとしたら、県警が得た情報は筋が合わなくなってくる。柳原を犯人に仕立て上げるためには、都合の悪い特徴は隠しておく必要があったはずだ。話は聴いても、報告書に盛りこまなければ、記録は残りませんよね」

「それはそうですね」永井がうなずき、凜に視線を向けた。「他に、犯人の特徴はないですか？」

「今のところは……」凜が唇を噛み、うつむいたが、すぐに顔を上げて決然とした表情を浮かべる。「まず、病院を当たってみようと思います。事件当時、怪我で治療を受けていた人を捜し出せば、手がかりになるはずです」

「かなり大変ですよ」心配そうに言って、永井が顎の下で手を組んだ。

「病院は、無数にあるわけじゃありません」凜が言い切った。「必ず全部潰します。神奈川県内ではなく、東京で治療を受けている可能性もありますから、そちらも当たってみます」

「……分かりました」永井は頭の中で素早く計算を終えたようだった。「その件は明日以降、あなたと桜内警部補で担当して下さい。今日からの流れということで」

病院への事情聴取に全員を割くわけにはいかない。報告書の件もあるし……。

「ああ、俺以外の人間はそっちをやってもらっていいですよ」島村が手を挙げる。「報告書は、一人でもやれますから。今は、そっちの手がかりを追う方が大事でしょう。ただ、今の証言も報告書に盛りこみたいですな」

「そうですね」永井が了承する。

「場合によっては、もう一度県警の連中に事情聴取やな。聴いた話を端折って捜査を進めなかったのか、最初から聴いてもいなかったのか……聴いていなかったとしても問題ですがね」

「事情聴取として基本的なことです」永井がうなずいた。

「ま、俺の結論は一つですわ。神奈川県警の刑事部——とは言わんけど、捜査一課の人間は、全員警察学校からやり直すべきやね。そういうのは、理事官、あなたの仕事になるんやないですか」

「そうかもしれません」永井が苦笑する。

「じゃあ、今夜ももう少し頑張りますか」島村が、頭の横で鉢巻を巻く真似をした。古典的な……と思いながら、神谷は弁当を片づけるために立ち上がった。その瞬間に、携帯電話が鳴る。番号には見覚えがあった。

橋元。

慌てて携帯電話を引っつかみ、外へ飛び出す。彼がどんな状態でいるかは分からないが、他のメンバーに会話を聞かれたくなかった。

「神谷です！」ドアを閉めた瞬間に通話ボタンを押し、叫ぶように電話に出た。

「どうした、そんなに慌てて」

橋元が不思議そうに言った。神谷が聞き慣れた、落ち着いた声であり、病気を患っている人間のそれとは思えなかった。

「いや、まさか管理官から電話がかかってくるとは思いませんでしたから」

「どうして」

「入院中じゃないんですか？」

「ああ？」橋元が頭から抜けるような甲高い声を出した。「お前、島暮らしを続けているうちに鈍ったのか？　いったいいつの話だよ。俺はとっくに退院してるぞ」

まさか……治療を諦めて、自宅にいることにしたとか。終末医療などという言葉を、神谷は脳裏に浮かべた。だが橋元の声は、元気な頃と何ら変わりないように聞こえる。

「すみません、あの……状況が分からないんですが」

「はあ？」橋元が呆れたように言った。「お前、本格的にぼけたか？」

「いや、そういうわけじゃないんですが」

ぼけてはいないが、明らかに頭は混乱していた。今までの情報は何だったのか……様々なパーツが頭の中で飛びかい、ぶつかり合う。そのうち、いくつかのパーツがくっついて下に落ちた。何か文字が——手がかりになりそうな文字が書いてあるが、まだ意味を成していない。

「警務部付きになったんじゃないですか」

「そういうことは知ってるわけだ」どこか決まり悪そうに橋元が言った。

「ちょっと小耳に挟んだんです。心配してたんですよ」

「あれは、何だよ……」橋元が咳払いした。「誰だって、癌だと聞けば覚悟を決めるだろうが。復帰できないいんじゃないかと思ってな……馬鹿みたいな話だった。実際には、あっさり戻って来た」

「本当に大丈夫なんですか？」元気そうな本人と話しているのに、未だに信じられない。

「来月から復帰する。人事の連中には散々皮肉を言われたよ。大袈裟過ぎたってな」

「管理官……」

「今は管理官じゃない」

「会えませんか？」

「ああ？」

「できたら、今から」

「もう遅いじゃないか」

「今、横浜にいるんですよ」橋元は、田園都市線の溝の口に住んでいる。ここからだと、首都高と第三京浜を利用すれば、あまり時間はかからないだろう。

「俺は構わないが……」

「九時半には着けると思います。管理官の体が問題なければ……」

「馬鹿言うな。もう酒だって呑めるんだぞ」

「酒は駄目ですけど、行ってもいいですね？」

電話の向こうで橋元が溜息をついた。

「駄目だって言っても、どうせ来るんだろう？　お前が一度言い出したら、止められないからな」

何も言わないのに、凜が同行した。神谷のただならぬ様子に気づいたようで、半分ほど食べた弁当を放り出したのである。

「何も、一緒に来なくてもいいのに」

「神谷さん、一人で何かできるような様子じゃないですよ」

「……そうかもしれない」

認めると、急に鼓動が高鳴る。嫌な予感と不安な想像が、頭の中で渦巻いた。煙草に火を点け、忙しなく吸ったが、気持ちはまったく落ち着かない。

神谷は、横浜公園インターチェンジから首都高に乗った。首都高は途中から、横浜の高層ビルの間を縫って走るようになる。三ッ沢ジャンクションから第三京浜に入ると、ぐっと交通量が少なくなった。神谷は、運転し始めてから二本目の煙草に火を点け、窓を細く開けた。煙草を外へ突き出すと、ぱっと火花が散る。

保土ヶ谷インターチェンジを通り過ぎると、後はほとんど一直線だ。スピードを出しやすい道路であり、昔から改造車やバイクに乗る連中が喜んで利用してきたのも理解できる。煙草を道路に投げ捨て、乱暴にアクセルを踏みこんだ。スピードメーターが一気に百三十キロまで上がり、車内に吹きこむ風のせいでまともに話もできなくなる。

「……神谷さん！」

凜の叫び声で我に返った。すぐ前にトラックの巨大な尻が迫っている。神谷は慌ててブレーキを踏みこむと同時に、ハンドルを切って追い越し車線に飛びこんだ。すれすれでトラックをパスすると、心臓が喉から飛び出しそうなショックに襲われる。アクセルに乗せた足が震える。窓を閉め、煙草をくわえて火を点けようとしたが、ライターが震えて火が移らない。

凜がすっと手を伸ばして、神谷の口から煙草を引き抜く。

「どうしたんですか？　百五十キロ出てましたよ」彼女の声は平静だった。

「ああ……」ろくに事情も話さず出てきてしまったのだと気づき、神谷はかつての上司である橋元のことを話した。話しているうちに、自然と頭が整理される。

「変ですね」

凜が煙草を返したので、唇に挟みこむ。今度は簡単に火が点いた。深く煙を吸いこみ、何がおかしいのか、どこが問題なのかを考える……嘘をついている人間がいるのだ。明らかに嘘をついている人間が。しかし、その理由が分からない。

神谷の疑念を読んだように、凜がぽつりと言った。

「単なる嫌がらせじゃないですか」

「どうしてそんなことをする必要がある？」

「水に落ちた犬は叩けって言うでしょう」

「そんな諺《ことわざ》、聞いたことがないな」苦笑したが、凜の台詞ですっとリラックスできた。

「でも、感じは分かりませんか？」

「まあ、な。だけど、ずっと一緒に仕事をしてきた後輩なんだぜ」

「立場が変われば人は変わりますよ」

違う。まったく同じことを二人の人間が言っていたのだ。となると、橋元が大袈裟に言いふらして、関係者全員が勘違いしていたとも考えられる。いや、それはあり得ないか……もちろん、橋元が警務部付きになったのは事実で、周りの人間が勝手に「限界」を想像したかもしれない。だが橋元はその後に復帰を決めたのだから、そちらの情報もいち早く広まったはずだ。何しろ警察官は、噂話が大好きな人種である。

「何かおかしいですね」

「ああ」

「目的は何でしょう」

「それは……」神谷は煙草を嚙み潰す勢いで唇を結んだ。分からない。からかわれていると思った方が、よほど筋は通りそうだ。しかし、凜が言うように「水に落ちた犬を叩く」ことに意味があるとも思えない。何しろあれから二年半が経ち、自分は水に落ちているどころではなく、溺《おぼ》れ死んでいるも同然だから……いや、死んでいると思ったら、突然生き返って浮上した状態ではないか？　それが気に食わない人間がいる？　その可能性は否定できない。左遷されただけでは十分ではなく、辞表を書くのを心待ちにしていた人間もいるかもしれない。橋元の推薦で、のこのこと重要な捜査に戻ってきたことを、許せないのではないだろうか。

それが、かつて同僚だった人間に対してやることか？　これではまるで、小学生のいじめではないか。しかけた連中は、俺が橋元のことを心配してあたふたするのを見て、喜んでいたかもしれないが。

「何が何だか分かりませんね」凜が言った。

「分からないな」

「その、橋元さんに訊いても……」

「分からないかもしれない」先ほどの橋元の戸惑いは、本物のようだった。どう考えても、からかっているとは思えない。「それでも、訊かないわけにはいかないだろう」

「記録――記憶しておきます」凜が、人差し指でこめかみを叩いた。

「頼む」

もう一度アクセルを踏みこむ。九十キロまで落ちていたスピードが、あっという間に百キロを超えた。川崎まではすぐだが、その距離が実際よりもずっと長く感じられる。神谷は、アクセルを踏む足にさらに力を入れた。

橋元はやはり、病み上がりの様子が濃厚だった。元々贅肉が一切ついていない体のせいか、やつれたようには見えなかったが、ふとした動きに弱さが窺える。リビングルームのソファで対面したが、立ち上がる時に肘かけを摑む動作が、神谷には気になった。元々こういう時は、勢いよく、飛び上がるように立ち上がる男なのに。

「灰皿、あるぞ」どこからか、ガラス製の大きな灰皿を持ってきた。長年使いこんでこびりついた灰は取れていない。

「冗談じゃないですよ。副流煙だって体によくないでしょう」

「今さらそんな物吸っても、これ以上体は悪くならないよ」

「だけど、本当に大丈夫なんですか？」

橋元が軽く平手で胸を叩いた。

「一応、完治のお墨つきを得た。ステージ1Aだったから、本当の初期だよ。この状態で発見できたのはラッキーだった。後はまあ、定年までは何とか仕事できるんじゃないか」

橋元は、定年まであと五年を残している。自分の体と相談しながらの五年間は、長いのか短いのか。不摂生な生活を送っている割に病気には縁のない神谷には、想像もできない世界だった。

「そんなことより、お前、どうして慌てて来たんだ？　それに、こっちのお嬢さんは……ああ、例の特命班か」

「道警の保井です」凜がさっと頭を下げる。

「道産子《どさんこ》美人ってやつかい？」

「生まれは東京ですが」

「失礼」

橋元が咳払いをした。病気の影響ではなく、明らかに照れ隠しだった。

橋元の妻がお茶を出してくれた。初めて会ったのだが、愛想のいい笑顔は橋元の闘病生活にいい影響を与えたのではないか、と神谷は想像した。熱い緑茶を一口飲むと、すっと気持ちが落ち着く。

「それより、いったい何なんだ？　誰かが俺を殺そうとしたわけか？　けしからん話だな」怒ったふりをして見せながら、橋元の目は笑っていた。「だいたいお前も、何でそんな話を真に受けたんだ」

「信頼できる人間から聞かされたら、信じるでしょう」神谷はむきになって言った。

「まあ、そうだな……」一転して渋い表情を浮かべ、橋元が腕を組んだ。

「俺もこの二年半、ずっと情報を遮断していたようなものですからね。管理官が直接言ってくれれば、こんな心配はしないで済んだんですよ」

「そんなことは一々報告しない」

「分かりますけど……」神谷は頭を掻いた。

「簡単に騙されるな。電話一本かければ確認できた話だろうが」

「すみません」神谷はつい謝った。謝るのも筋が違うのだが……気を取り直して訊ねる。

「最近何か、変わったことはないですか」

「あったかもしれないが、俺には分からん。仕事場を離れていたからな……で、お前はどう考える？」

「分かりません」神谷は首を振った。「一つだけはっきりしているのは、俺を管理官と会わせたくない人間がいた、ということでしょうね」

「お二人が会うと、誰かに何か都合の悪いことが起きるんですか？」凛が訊ねる。

神谷は橋元と顔を見合わせ、首を振った。そんな、訳の分からないことが……。

「管理官と会われると、犯人が割れるんでしょうか」凛が畳みかけるように訊ねる。

「あのね、お嬢さん、そんな簡単なことならとっくに犯人は捕まえてるよ」橋元が真顔で言った。「俺たちだって、必死にやったんだぞ」

俺がそれをぶち壊しにしたけどな、と神谷はまた自嘲気味に思った。あんなことがなければ、また状況は変わっていたかもしれない。

「神谷さんを今回の特命班に推薦したのは、管理官だと聞いてますが」凛が訊ねる。

「そうだよ。こいつにも、いつまでも島に引っこまれたままだと困るからな。二年半もゆっくりしたんだから、そろそろ戻って来てもいい頃だ。本当は別の人間を出すつもりだったのを、俺が強引に押しこんだから、神谷には迷惑をかけたけどな」

そういうことか、と合点がいった。自分だけ、正規のルートで呼び出された感じがしなかったのは、こういう事情だったのだ。自分の代わりに誰が落とされたのだろう。

「ええ……」凛が拳を顎に当てる。しばらく考えこんでいたが、やがて顔を上げ、「神谷さんが昔の事件の捜査を再開すると、何か都合が悪いことがあるんですかね」

「もしも今になって犯人が割れたら、特捜本部の面子は丸潰れになるかもしれないな」

「でも、犯人が捕まるのは、悪いことじゃないと思います。野放しになっているのは、一種の社会不安ですよ……面子の問題とかではなく、もっと重要な問題があるんじゃないですか」

「そうは言われてもなあ……」橋元が天を仰いだ。「犯人が割れて困る人間なんて、誰かいるのか？」

神谷の脳裏に、あまりにも突拍子がない想像が浮かんだ。一つ咳払いをして、隣に座る凛の顔を見る。

「神谷さんは、自分で考えているよりもずっと、犯人に近い場所にいるのかもしれませんよ」凛が言った。「身内とか」

「ああー、保井部長」今度は橋元が咳払いをした。「滅多なことは言うもんじゃない。ここでは発言はフリーだが、あまりにも突拍子もないぞ」

「ある人が、神谷さんが管理官に近づかないように工作していたんです……ある人、じゃないですね。ある人『たち』です。つまり、複数の人間が協力して、神谷さんを陥れようとしているんです。もしも神谷さんが脅威でなければ、わざわざそんなことはしないと思います。そんなことをすれば、かえって危険ですよね？」

沈黙。認めたくないが、「ある可能性」を真面目に検討せざるを得ない。だがそこから先、実態を裏づけることができるとは思えなかった。

「やらないんですか」凛が強い口調で訊ねた。

「それは……」橋元が口を濁す。

「誰が犯人でも、やるべきです」凛がさらに強い口調で言った。「面子も何も関係ありません。警察官として……いえ、人間としてやるべきことは一つしかないでしょう。どうなんですか？　当時、他に容疑者は浮かんでいなかったんですか？」

「いなかった」橋元が答える。

「本当に？」凛が突っこんだ。

「ちょっと待ってくれ」神谷は彼女の攻撃を食い止めた。「急に訊かれても困る。少し、頭を整理する時間をくれないか？」

「それは構いませんけど……」凜は不満そうだった。「真面目に考えてくれますか？本当に面子の問題とか、そういうことは抜きにして」

「まあまあ、保井部長」橋元が苦笑しながら言った。「我々には——この男と私には、面子なんかないんだよ。今さら失う物はない」

「たくさんの物を失った人がいたことを——被害者のことを考えてあげて下さい」凜が厳しい口調で言った。

「そうだな」橋元が力をこめてうなずく。

「管理官、身辺には十分気をつけて下さい」神谷は忠告した。「今のところは、こっちの捜査を妨害する程度の動きしかありませんけど、何が起きるか分かりません。神奈川県警では自殺者も出ているんです」

「そうなのか？」橋元が蒼褪める。この情報は、表沙汰にはなっていないようだ。

「ええ。我々と接触して、情報を提供していたことを、県警に突き止められたようです」

「それで自殺に追いこまれた、か」橋元が唇を噛んだ。

「それと当時、神奈川県警が何か別の筋を摑んでいた感じもあります。もう退職しましたが、捜査本部にいた警部補が、別の犯人説を考えていたようなんです」

「それが？」橋元が身を乗り出した。

「言わないんです」神谷は肩をすくめた。「何か隠している感じですね。あるいは、言えない事情があるか」

「名前は？」

「五島さん、です。最後は警部補で辞めてます」

「俺から圧力をかけてみようか」

「無理ですよ。他県警の、しかも退職した人なんだから」神谷は眉をひそめた。

「関係ない。何かを知ってる奴には、喋る義務がある」

「そうかもしれませんけど……」

「弱気になるな」橋元がぴしゃりと言った。いつの間にか、しっかり気持ちを建て直しているようだった。「やるべきことは全部やるんだ。保井部長が言う通りで、犯人が野放しになっているような状況は許されない。他に何か、俺に言っておくことはあるか？」

「いえ……今のところは」

「しかし、自殺か」橋元が話を蒸し返した。「実際には、自殺の教唆みたいなものじゃないか。だいたい、どうなんだ？　人を殺してまで守りたい秘密や面子があるものかね」

「そういう風に考える人もいますよ。警察なんて、面子だけで動いているようなものでしょう。そうじゃなければ、俺を飛ばそうなんて考えない」

「……悪かったな、守ってやれなくて」

「自分の身を守れなかった俺が弱かったんです」

「お二人とも、それぐらいでいいでしょうか」割りこんだ凜の声には、かすかな怒りが感じられた。

「これは失礼」橋元が照れ笑いを浮かべながら頭を掻いた。「病気を経験すると、何だかんだで感傷的になっちまってね。ただ、この男の面倒はきっちり見るつもりだから。この前、庇いきれなかった詫びも含めてな」

「人に面倒を見てもらわなくても済むようにしますよ。これは、俺の戦いなんだと思います」

自分を見る凜の目つきが、少しだけ嬉しそうなのに神谷は気づいた。

帰りの車の中で、凜は妙に饒舌だった。

「神谷さんが、橋元さんを頼りにしているのはよく分かりました」

「どういう意味だ？」

「橋元さん、理想の上司っていう感じじゃないですか？　何を言っても受け止めてくれるみたいで。ああいう上司と出会えるかどうかは、大事なポイントですよね」

「俺はついてる、と言うべきなんだろうな」左遷はされたが、今でも見てくれている人がいると思うだけで、気持ちが温かくなる。

「そうです。そのやる気をずっと保っていて下さい」

「何だか、説教されている感じだけど……とにかく明日の朝、もう一度五島さんに会ってみよう。彼は落とせるんじゃないかと思う」

「橋元さんも後押ししてくれますしね」

心強いが、やはり心配だ。病み上がりの橋元に無理をさせたら、彼も危険な目に遭うのではないか。

だが翌朝、二人は別の「危機」に直面することになった。


朝七時。神谷と凛は五島の自宅前にいた。彼は現在、特に働きもせず、悠々自適の生活を送っているというが、一日の行動パターンが分からないので、朝から張り込むしかない。神谷は欠伸《あくび》を噛み殺しながら、車に背中を預けた。睡眠時間が短かったにもかかわらず、凛は平然としている。気が張っているのだろう、集中力が途切れていない。大したものだ、と神谷は感心した。

「本当に、仕事は何もしていないんですかね」凜がぽつりと訊ねる。

「今のところ、そういう情報だ」

「最近は、六十歳になってすぐに仕事を辞める人の方が少ないと思いますよ」

「とはいっても、何十年も刑事をやってきて、疲れてるんじゃないか」

「神谷さんは、引退した時のことなんか、考えてるんですか」

「まさか」神谷は肩をすくめた。「まだ半分までしか来てないんだから」

とはいっても、実際に残された時間は多くはない。神谷は既に、二年半のブランクがある。これから本土に戻れたにしても、自分の意識が昔のように仕事に向かい、周囲も受け入れてくれるまで、どれぐらいの時間が必要かは分からない。あと何年ロスすることになるかと思うと、目の前が暗くなった。

「少し冷えるな」

「ええ」

二人は車内に戻った。斜め前、二十メートルほど先に、五島の家の門口《かどぐち》が見えている。

「いつまで見張りますか?」凜が訊ねる。

「動きがあるまで、かな」

「動きがない可能性もありますよ。仕事をしていないなら、ずっと家に籠っているかもしれません」

「そうだな……」神谷は左腕を持ち上げ、Vサインを作った。「二時間。九時まで待とう。それまでに家を出てこなければ、ノックしてみる」

「五島さんを落とすのは大変だと思いますよ」

「今日が駄目でも明日がある。何回も押しかければ、絶対にこっちにチャンスがくるはずだ」

「しつこく攻撃して、音を上げさせるわけですね?」凜が面白そうに言った。

「いや、誠意を見せるだけだ」

凜は反応しなかった。ちらりと横を見ると、足を組んで、リラックスした様子で前方を見張っている。今日も髪は後ろで縛っていた。今まで神谷は、ポニーテールという髪型が特に好きではなかったのだが、凜にはこれが一番よく似合っている。

何もなく一時間が過ぎた。早々と朝食も摂り、他にやることもない。個人的に話したいことはいくらでもあったが、憚られる。今は仕事中で、プライベートな話をすべきではない。

「誰か来ました」

突然、凜が緊張した声で言った。朝八時に訪問者?　近所の人かもしれないと思ったが、少し早過ぎないだろうか……神谷は目を凝らした瞬間、我が目を疑った。

「堅山さん?」思わず声に出した。

「知ってる人ですか」

「俺が捜査一課にいた時の係長だ。例の特捜でも一緒だった」

駅の方からやって来た堅山が周囲を見回し、玄関に入る。五島の家の玄関は、道路から少し引っこんだ場所にあり、堅山の姿は完全に見えなくなった。神谷は車から飛び出そうとしたが、凜が素早く腕を押さえた。

「ちょっと変じゃないですか？　二人は知り合いなんでしょうか」

「そういう情報はない」

もちろん、可能性がないとは言えない。古くからの友人とか、親戚とか、あるいは何かの捜査を通じて知り合ったとか。

「とにかく、待とう」

神谷は煙草をくわえた。火を点けないまま、ただ唇の端からぶら下げていたが、結局すぐにそれを口から引き抜くことになった。一分と経たないうちに、堅山と五島が揃って家を出て来たのだ。五島は引き攣った表情。堅山はそれ以上に緊張した気配を漂わせている。二人とも気が乗らない、だらだらした歩調で歩き出す。神谷はすぐに車を降り、二人の後を追い始めた。どちらも鋭い人間のはずなのに、神谷に気づく気配はまったくなかった。

二人は、五島の自宅近くの公園に入った。今にも雨が降り出しそうな黒い雲……それを避けるように、木立の中に落ち着く。公園には他に人影がないので、近づきにくい……凜とカップルを装ってみようかとも思ったが、午前八時から公園で密着しているカップルもいないだろう。仕方なく、左右に分かれて挟み撃ちする格好で待機した。

神谷のいる場所からは、二人の姿がかすかに見えた。声は聞こえないが、堅山が一方的に話しているようである。五島の表情は……深刻だった。顔色は蒼く、堅山の言葉にいちいちうなずくようなことはしない。両手をズボンのポケットに突っこみ、唇を不機嫌そうに捻じ曲げているのが分かった。

堅山の話しぶりには次第に熱が入ってきて、身振り手振りを交え始めた。クソ、何とか盗聴できる手段でもあればいいが、距離が遠過ぎる。

ふと気になり、凜に電話をかけた。

「何か聞こえるか？」

「全然分かりません。姿もあまり見えないんですよ」

「分かった……長引く感じじゃないと思うけどな」

「この後、どうしますか？　分かれてそれぞれ尾行？」

「いや、五島さんに絞って話を聞こう。堅山さんは……食わせ物だからな」神谷にとっては、二年半前の敵でもある。自分を伊豆大島に追いやる動きの中心にいたのがこの男ではないか、と疑ってもいた。二人で何をしていたのかを確認するのに、直接顔を合わせたくはない。聴くなら、五島に確かめてからだ。

「分かりました……あ、終わったみたいですよ」

凛の言葉に促されて視線を集中させると、確かに堅山が歩き出したところだった。五島は、どこか呆然《ぼうぜん》とした様子でその場に立ち尽くしている。家に戻るかと思ったが、動こうとはしない。まるで、まだ降り出していない雨に打たれたようにうなだれていた。まだつながっている凛の電話に話しかける。

「公園に入ろう」

「大丈夫ですかね」

「話を聴くにも、家じゃなくてここの方がいいと思う」

「分かりました」

電話を切り、公園に入る前に、近くを見て回った。堅山が公園から足早に遠ざかっていくのが見える。周囲を警戒もせず、一刻も早くこの場を立ち去ろうとしている。

公園に入ると、凛は既に、五島のすぐ近くまで接近していた。五島は依然として、呆然と突っ立っている。どこか様子がおかしい。神谷は彼を驚かせないよう、ゆっくりと近づいた。いきなり肩を叩くよりも、まず声をかける方がいいだろうと思い、五メートルまで近づいたところで口を開く。その瞬間、五島が唐突にこちらを見た。

その顔は蒼褪め、助けを求めているように見えた。神谷は、いつでも助けの手を差し伸べるつもりでいた。五島の方で拒否さえしなければ。
彼の顔に張りついていたのは、今にも死にそうな絶望感だった。

第六部　裏切り

1

話がしたいという神谷の頼みを、五島は断らなかった。強く拒絶されるのではないかという予想が外れてほっとしたが、元気がない。まるで魂を抜かれたようだった。しかも、不自然に顔色が悪い。

「取り敢えず、座りませんか」

促すと、近くのベンチにのろのろと腰を下ろす。神谷は少し間を置いて座った。本当は向き合って話をしたいのだが、ベンチなので仕方がない。すぐに、凜に目配せをする。何か、飲み物を……近くにコンビニエンスストアがあったはずだ。意を汲《く》んだ凜がうなずき、早足で公園を出て行く。

二人きりになると、神谷はすぐに本題を切り出した。

「堅山係長と知り合いなんですね」無反応。神谷は気にせず、話を進めた。「以前、私の上司だったんです。あの特捜本部でも一緒でした」

「……知らない」

「知り合いじゃないんですか？」

「今日初めて会った」

よし、この調子でいい、と神谷は自分を納得させた。まったく証言拒否というわけではない。ただし、五島は既に嘘をつき通す覚悟を固めているかもしれないが。

「何の話だったんですか」

「どうしてあんたに言う必要がある？」

「何か困っていることがあるなら、相談に乗りますよ」言葉を切り、ちらりと横を見た。五島の喉仏が大きく上下する。明らかに動揺して、嘘をつく余力があるようには見えなかった。

神谷は煙草をくわえ、五島にも勧めた。公園の中は禁煙だが、この際、規則などどうでもいい。素直に煙草を受け取り、神谷のライターを借りたことで、五島がどれだけ慌てて家を出てきたかが分かった。喫煙者は、何があっても煙草とライターを持たずに家を出ることはない。

「五島さん、うちの——警視庁の人間が何か、迷惑をかけたんでしょう？」

沈黙。五島は煙草を持ったまま、両手をきつく握り締めていた。立ち上る煙が、頭の上で頼りなく消えていく。

「あの件じゃないんですか？　五島さんが推測していた犯人……その件で、何か言ってきたんじゃないんですか」

五島の手がかすかに揺れ動く。この件をどこまで話していいものか……五島の状況が分からない以上、慎重に話を進めなければならない。だが、ここが突破口になる可能性があるから、思い切って攻めてみる。神谷はゆっくりと背筋を伸ばし、少しだけ彼の方に向けて体を捻った。

「五島さんが追っていた犯人は、よほど意外な人物だったんじゃないですか？　あるいは、捕まえると都合が悪い人間」そんな人間がいるのか？　ことは婦女暴行、そして殺人である。万難を排して逮捕にいくはずだ。「いったい誰なんです？　どうしてあなたの説は潰されたんですか？」

「それは……」五島がようやく口を開いたが、声はしわがれてしまい、聞き取りにくかった。咳払いを二度。しかし、次の言葉を継ぐ気力は湧いてこないようだった。

「圧力ですか？　それとも因縁？　自分の説を引っこめて、何かいいことでもあったんですか」

「俺は……ただの歯車だ」

大きな告白だ、と思った。自分の正義を押し通そうとしても、組織の歯車としてはどうにもならない——何かあったと認めたも同然である。

「俺もそうですよ。だから、ヘマしたら処分される……簡単なことです。あなたは正義の旗を下ろして、何を得たんですか」

五島がうなだれた。煙草を吸わないまま灰は長くなり、今にも地面に落ちそうになっている。はっとしたように顔を上げたが、雨の最初の一粒が落ちてきた小さな衝撃のせいだと分かったようで、すぐにまた頭を垂れてしまう。

「堅山係長は、脅しをかけてきたんじゃないんですか」

「俺には、脅されるような材料はない」

「だったら、堅山係長は何をしに来たんですか。分からない」

「あんたに話す必要はないだろう」

「私は、警察庁の特命で動いているんですよ」その中に、東京と神奈川、二つの事件の真相を追うことは含まれていないが。「最高レベルでの話です。それを無視できますか？」

「俺は退職した人間だ。もう仕事に対する責任はないし、誰かの命令に従う必要もない」

「刑事としてはそうかもしれません。でも、人間としてはどうなんですか」

神谷は首をすくめた。にわかに雨脚が強くなり、頭に、首筋に冷たく軽い衝撃が走る。

雨に打たれる五島の姿は、ひどく年取って弱々しく見えた。

「たくさんの女性が被害に遭っています。表に出ていない事件もまだあるかもしれません。そういうことをした犯人が野放しになっていることを、どう思います？　平気なんですか？　あなたの知り合いの女性が、これから被害に遭う可能性だってある」

「それは屁理屈だ」

「屁理屈でも何でもいいです。人間だったら、まずそれを心配する。誰にも不幸になって欲しくないでしょう？」

「あんたは、組織の人間だ」

「分かってますよ」職員四万人の巨大組織からは、零れかかっているが。指一本で、辛うじて縁に引っかかっている。そして今まさに、その指を自ら外そうとしているのかもしれない。

「個人と組織と、どっちが大事だ？」

「考えたこともありませんね」

「組織を守らないと、個人は守れない。あんたは所詮、組織の中の人間だ。もしも組織が大きなダメージを受けたら、あんたにも直接跳ね返ってくるんだよ」

五島が指に挟んだ煙草から、灰が零れ落ちた。既にフィルター近くまで燃えてしまっている。神谷は黙って煙草のパッケージを差し出したが、五島は無視した。

「だったら何なんです？」神谷は肩をすくめた。「別に失う物はありませんから。俺はもう十分、追いこまれているんです」

「あんたはまだ警視庁の人間なんだろう？　余計なことをしたら、完全に落ちるかもしれないぞ」

「そんなことになったら、それこそ組織に問題がある証拠じゃないですか」

「あんた、いったい何がしたいんだ？」

「真相を知りたいだけです」

「知れば、あんたも傷つくかもしれない」

「今さら傷ついても、どうにもなりませんよ」神谷はこめかみを揉んだ。話が堂々巡りになりつつある。

「そういう覚悟はあるんだな」五島が顔を上げた。

「覚悟というか、当たり前の話です」神谷はまた肩をすくめた。

「自分が傷つく覚悟もあるのか？」五島がしつこく繰り返す。

「俺が傷つく？　どうしてです？」神谷は混乱した。混乱しながらも、一つの可能性がまた浮上してくるのを意識する。それは神谷を戦慄《せんりつ》させた。この先何が起きるか想像したくない。

「本当に覚悟はあるのか」

「ええ」

「俺は……警察官は、辞めても死ぬまで警察官のままかもしれないな」

「いつまでも、守る物がある」

五島がうなずいた。納得したわけではなく、単なる脊髄《せきずい》反射のようにも見えたが、神谷は畳みかけた。

「それを守り続けて、後の人生を楽しく過ごせますか？　逆でしょう。呑みこんで隠してしまった物に、ずっと苦しめられることになりますよ？　膿《うみ》は一気に出してしまいましょう。その後は……我々が、あなたを守ります」

「巻きこまれるぞ」

「何にですか？」

「組織は一枚岩じゃない。何枚もの岩盤が重なり合ってるんだ。どの岩盤が本当に組織を支えているか、よく観察した方がいい」

「それが腐った岩盤だったら、取り除きますよ……たとえ組織の基礎であっても」

「そんなことをしたら、組織自体が崩壊するかもしれない」

「警察はなくなりません」国家が存続する限り、警察組織は絶対に必要なのだ。「変わるだけです」

揺らいで変わってしまった組織に、自分は必要ないかもしれないが。大きく
「そうだろうな」五島が背筋を伸ばした。ほとんどフィルターだけになってしまった煙

草に気づき、戸惑ったような表情を浮かべる。神谷が携帯灰皿を渡してやると、中に落としこんで、親指と人差し指で灰皿を押し潰した。「覚悟はあるんだな」

「あります」

「分かった……それならいい」もう一度背筋を伸ばす。わずかに曲がっていた背中が完全に真っ直ぐになり、確固たる意思が透けて見えた。もう、雨に打たれた弱々しい男には見えない。「元々俺にも、失う物は何もないんだ。もっと早く、勇気を持つべきだったかもしれない」

「遅過ぎることはありませんよ」神谷は五島の勇気をアシストした。

「何も言わなかったのは、犯人が捕まって、それ以上の捜査ができなくなったからだ」

「分かります」手遅れ、ということだ。「あなたの説が却下された時に、何か不自然なことはありませんでしたか」

「それは……かなり強引ではあった」

「無理矢理、だったんですね」

「そういう感じはあった。ただ、捜査が大きく動き出す時というのは、他の可能性は排除されがちだろう？」

「ええ」

「そういうことなんだろうと思っていた。自分の詰めが甘かったと反省もしたよ。もちろん、軽々に取り上げていいような可能性ではなかったがね。ただ今日、疑念が確信に変わった。あんたたちは――警視庁も、この件に関係していたんだ」

「……まさか」

「あんたこそ、何も気づかなかったのか？」

神谷は首を振るしかなかった。俺はある意味、五島と同じ道を辿ったのだ、と言える。ただ俺の場合は、暴走で捜査から外されてしまった。だが五島は、いい線を突いていたに違いない。だからこそ、周囲は慌てて柳原を犯人に仕立て上げるしかなかった。もちろんそこには、重原の個人的な思いこみ――柳原に対する憎しみもあったはずだ。

「残念だな」

「暴走した自分が悪いんです」神谷は当時の事情を簡単に説明した。

「なるほど。そんなことがなければ、今頃事件は解決していたかもしれない」

「ただ、俺が対峙したかもしれない岩盤は……相当強かったんでしょうね」

「そうだろうな」

「……で、あなたは本当は誰を疑っていたんですか？」

自分でもぼんやりと想像してはいたが、五島の口から直接聞きたかった。予想していた通りの名前が彼の口から出ると、神谷は、軽い吐き気と頭痛を感じた。その瞬間、何かが地面に落ちる重い音が響く。顔を上げると、凛の手から、お茶のペットボトルが滑り落ちていた。

　彼女はいつから話を聞いていたのだろう。神谷にとってはもちろん、凛にとっても衝撃的な情報だったのは間違いない。この後の、彼女との話し合いは複雑になる。だが、五島の説明はそれだけでは終わらなかった。

「事態は新しい局面に入るようだ。ただ、それは……危険だ。あんたたちも、十分気をつけた方がいい」

「しかし……」

「何か起きても、ある程度時間が経てば人は忘れてしまう。それがいきなりひっくり返されたら、どんな反応を示すと思う？」

「自棄になるかもしれませんね」

「俺が言えることじゃないが、警視庁は判断を間違ったと思う。これから何が起きるか、考えただけで怖い」五島が首を振った。

「身辺には十分注意して下さい。五島さんが直接危害を受けるとは思えませんけど、何があるか分かりませんから」神谷は凛からペットボトルを受け取り、五島に差し出した。手を出そうとしないので、ベンチにそっと置いて立ち上がる。

「これからどうするつもりなんだ？」五島が神谷を見上げた。

「まだ分かりません」五島を見下ろしたまま、首を振る。「分かりませんけど、組織の問題は後回しにします。今はただ、犯人を逮捕することに集中したいです」

「そうか。それがいいかもしれないな」五島が顔を背ける。だが次の瞬間には、意を決したように神谷の顔を凝視し、ぽつりとつぶやいた。「死ぬなよ」


帰りの車の中で、神谷は沈黙を守った。話すことはいくらでもあるが、言葉が出てこなかったのだ。様々な気持ちが胸の中で揺れ動き、具体的な言葉にならない。凛もそれを察したのか、何も言わなかった。だが、途中で渋滞に摑まった時に、耐え切れずに口を開いた。

「永井さんに報告しなくていいんですか」

「こんな複雑な事情を電話で話すのは無理だ。向こうへ帰ってから報告する」それまでに、自分の頭の中を整理しなくてはならない。

「大丈夫ですか」

「あまり大丈夫じゃないな」神谷は助手席で足を組み、頭の後ろで両手を組み合わせた。リラックスしようとしたのだが、何の効果もない。「要するに俺は、二重のヘマをしでかしたわけだ。間違った人間を犯人だと決めつけ、肝心の真犯人を見逃していた」

「でも、その時に犯人だと分かって……疑いを持ったとしても、何とかできましたか？そのまま突っ走れましたか？」

「分からない」

「もしかしたら、上層部はその可能性を恐れていたのかもしれませんね」

「というと？」

「神谷さんなら、真相を探り出してしまうかもしれない。そうなった時、抑え切れるかどうか、自信がなかったんじゃないでしょうか。だから、神谷さんが間違った人間を容疑者扱いしたのは、むしろいいチャンスだったかもしれない」

「俺はそんなに優秀な人間じゃないよ」

「でも、決めたら突っ走るでしょう？　それが怖かったのかもしれません」

確かに……しかし、もしもあの時真相にたどり着いても、自分が何をしたか、何ができたかは想像もつかない。今となっても、あまりにもあり得ない話に思える。もしかしたら、自分こそ揉み消しに走ったかもしれない。

早く全部ぶちまけてしまいたい。凜と二人だけで背負うには重過ぎる。

「このまま進めていいんですね」凜が確かめた。

「当然だ！」神谷は思わず声を張り上げた。「遠慮する必要はない」

「……私は、神谷さんのことを考えただけです」凜が低い声で告げた。「神谷さんが傷つく姿は見たくない」

「あの事件を解決しないと、俺は再スタートできない」あまりにも酷い現実に、凜でさえ腰が引けているのは分かる。もっと分かりやすく、すっきりした解決なら、俺が自信を取り戻すと思ったのだろうが。

「それでダメージを受けるなら、本末転倒じゃないですか」

「仕方ない。これはそもそも、汚い事件なんだ」

中には「綺麗な」事件もある。全てのパーツがぴたりと嵌《はま》り、疑いの余地もなく仕上がる事件。裁判でも事実関係に争いは一切なく、弁護側は、情状酌量を求めるぐらいしか仕事がないような事件だ。だが多くの事件は、そういう具合にはいかず、どこかいびつな部分や謎が残る。それ以上に辛いのが、関係者に嫌な影響を残す事件だ。今回の一件は、まさにそれに当たる。警視庁の上層部――そのごく一部は、取り敢えず何もなかったことにしようとした。そして二年半が経ち、再び出した結論は……まずい。これから何が起きるか、想像もつかなかった。警視庁は二度、失敗したことになる。二年半前と、そして今。

いや、今はまだ失敗と決まったわけではない。最悪の事態は停められるのではないかと思った。

自分たちの手で。

2

神谷の報告に、特命班の全員が黙りこんだ。永井の顔は蒼褪め、島村は頬を引き攣らせる。それも一時的なものではなく、長い間、痙攣が停まらない。自分でも気づいたのか、島村は思い切り頬を叩いて、何とか震えを抑えつけた。皆川は無表情——どんな顔をしていいのか分からないのだろう。桜内は眉間に皺を寄せ、腕組みをしたままだった。

何を言っていいのか、誰も分からない様子だったが、結局最初に口を開いたのは永井だった。

「証拠は何もありませんよ」

「その通りやね」島村が引き取った。「当時、そういう容疑があったというだけで、詰め切れなかったのは証拠がなかった証拠だ」

「捜査を途中で打ち切られたんです。その後で柳原が逮捕されましたから、そこから先の捜査はできなくなった」

「そもそも、どうしてこの人が捜査線上に浮かんできたんですか」皆川が遠慮がちに訊ねる。

「目撃者の証言からなんだ」神谷は彼に顔を向けて答えた。「実は、神奈川県警が事情聴取した暴行事件の被害者は、五人じゃなかった。七人いたんだ。調書に残っている――我々が知っているのが五人だけ、ということだ。都合が悪い調書は、隠されていたんだよ。残る二人の事情聴取の中で、顔の特徴が分かった。犯人が使っていたと見られる車のナンバーの一部も」

「全部ではない?」永井が訊ねる。

「ええ。でも、ナンバーの一部は、そいつの車と一致しました。それと、今考えれば、他の被害者の証言――犯人が足を引きずっていたというところも同じなんですよ」

「どういうことですか」永井が目を細める。

「あいつは当時……あの事件の前に、膝の靭帯を痛めて手術を受けたんです。当時はリハビリを終えて治りかけの状態で、一応松葉杖なしで歩くことはできた。足は引きずっていましたけどね」

「そういう状態で、女性を襲うことができるもんやろうか」島村が疑義を呈した。

「スタンガンがあれば。実は五島さんは、そこまで調べていたんです。スタンガンの購入者を当たって、その中に奴がいるのを突き止めていました」

「相当惜しかったんやないかねえ」島村が舌打ちした。「その両方の輪を狭めていけば、かなりはっきりと絞りこめたはずやな。しかし、その男を唯一の容疑者候補にするには弱かった。違うか?」

「ええ……五島さんとしては、強烈にプッシュするまでの自信はなかったようですけどね」

「信じたくもなかったんやろうな」島村が腕組みした。「せやけど、あんたの方はどうやった？　そいつは捜査線上に浮かんでなかったんか？」

「ええ」

「そこは甘かったな」

「仰る通りです」神谷は頭を下げ、島村の批判を受け入れた。五島にできたことが、自分たちにできなかったとは思えない。油断していたわけではないが、知恵が回らなかったということか。いや、そもそもそんな考えはまったく頭に浮かばなかった。

ふと、嫌な考えが浮かぶ。もしかしたら上層部は、早い段階であの男を容疑者として絞りこんでいたのではないか？　だとしたら、多くの刑事が疑いを持たないように、捜査の方針を誘導していくこともできる。そこへもってきて、俺のミスだ。事件を隠蔽するために、絶好の材料を与えてしまったことになる。一度頓挫した捜査が再起動するのは難しい。方向性を見失ったまま、犯人不明で事件を闇に葬ってしまえば……当時はそう考えたのかもしれない。しかし問題は、今現在の対応だ。二年半も経って、いったい何をしようとしているのか。

「まず、監視ですね」永井が話を締めにかかった。「基本的な生活パターンは分かりますか」

「今は特捜本部にも入っていないですから、規則正しい生活を送っているはずです。ただし、五島さんが言っていた『処分』がいつになるのか分からない。今日ということにでもなれば、今後の生活リズムは完全に狂うでしょうね」

「確認しましょう」永井が携帯電話に手を伸ばした。「警察庁の方で探りを入れてもらえば、すぐに――」

「待って下さい」

神谷はぴしゃりと言った。永井の手が宙に浮いたまま止まる。

「警察庁の内部の人は、全員が信用できるんですか？　もしかしたら、当時の警視庁の揉み消し工作に加担した、あるいはそうでなくても知っていた人間がいる可能性はあります。そういう人たちに話が伝わったら、また妨害工作を受けるかもしれない」

「理事官、その通りでしょう」島村が同調した。「今は、情報を外へ漏らさずに動くのが大事です。ここにいるメンバーの間だけの話にしておくのが無難ですな」

「分かりました。では、極秘のまま作業を進めます。神谷警部補、動向監視のチームを作って下さい」

「その前に警視庁に行きます」

「大丈夫なんですか？」永井が眼鏡の奥の目を細めた。

「奴が警視庁にいるかどうか確認しないと、その先へ話が進みません。ついでに、情報源から話を聞いてみます」

「その情報源が信頼できる人物だと断言できるんか？」

疑義を呈した島村の顔を、神谷は凝視した。島村も一歩も引かず、二人は睨み合いを続けたが、最後には神谷が折れた。にやりと笑って、「賭けかもしれませんが、俺は信じたい」と宣言する。それで島村も納得したようだった。

「勝つも負けるもあんたの自己責任、ちゅうことやな」

「それで構いません。賭けに負けたら、俺の奢りで、中華街の残念会に招待しますよ」

「結構ですな」島村が口を横に引き伸ばすようにして笑った。「残念会やのうて、祝勝会にしたいけどねえ」


本庁に足を踏み入れるのは二年半ぶりだった。一度所轄に出されてしまえば、基本的にここへ来る用事はなくなる。

橋元の情報では、辞令は月末付けの予定だった。本人に言い渡されたのは昨日の夜で、今日から有給休暇に入っているという。自己都合退職――その条件をあの男が簡単に呑んだのが、神谷には意外だった。上層部は、何か説得、あるいは脅せる材料を持っていたのか。

捜査一課の大部屋に入って行っても、誰も神谷に気づかなかった。それはそうだろう……二年半も経てば、一課のメンバーはそれなりに入れ替わる。あるいは、見て見ぬ振りをしているのかもしれないが。

神谷はかつて自分が座っていた席へ、一直線に向かった。歩いているうちに、自分を知らない人間が揃っているのではなく、明らかに避けられているのだ、と悟る。知った顔は何人もいるのに、誰も声をかけてこようとしない。座っていた連中は顔を背け、立っている人間は通路を空けるように身を引いた。海を割る預言者のようだな、と皮肉に考えながら、堅山の姿を探した。

いた。今朝姿を見たばかりだが、神谷の頭の中では既に遠い過去の人になっている感じがする。だが今は、間違いなく対峙しなければならない相手だった。

堅山は書類に目を通していた。季節に関係なく、自席にいる時の定番のスタイルで、腕まくりをしている。少し白髪《しらが》が増えたのか、短く髪を刈り上げた頭が、ぼやけて見えるようだった。

「係長」

堅山が、「邪魔するな」とでも言いたげな表情を浮かべて顔を上げた。

「おう、どうした」

表情と相反する、気さくな口調——それがまた怪しい。堅山は当然、神谷が特捜班を外され、島へ戻された話を知っているはずだ。今平然と警視庁に顔を出したのに、何もなかったような顔をしているのはおかしい。だが神谷は、疑念を顔に出さないようにして、彼の前の空いていた席に座った。

「ご挨拶ですよ」

「そんな暇、あるのか」ちらりと書類に視線を落とし、顔を伏せる。まるでお前は部外者だ、捜査の秘密を明かすわけにはいかないと無言で告げるように。

「あー、暇なもんです」神谷はぐるりと大部屋の中を見回した。「こっちも平穏そうですね」

「お陰様でな。悪い奴も、一休みすることはあるだろう」

「一課の刑事は、暇な状態が続くのが理想ですよね」

「その間は給料泥棒だがな」

神谷は、ふいに胸の痛みを感じた。昔はこうやって、二人で冗談を飛ばし合ったこともある。懐かしい記憶が、今現在の厳しい状況と頭の中で混じり合って、どう判断していいのか分からなくなった。気を取り直して続ける。

「天野はいないんですか？　奴にも会っていこうと思ったんですが」

「奴はちょっと外してるよ」

軽く誤魔化してきたか。ここは突っこむところではないと判断し、話題を変える。思い切り声を潜めて。

「橋元管理官、やっぱり悪いんですか？」

「ああ」神谷に合わせて堅山も声を小さくする。「実際、俺たちも会えないぐらいだからな」

「見舞い、行きたいですけどね」

「それが負担になるんだから、駄目だよ」堅山が首を振る。「今は、少しでも長く生きてくれることを祈るだけだ」

こいつは……神谷は必死で怒りを嚙み殺した。一緒に仕事をした仲間を、今にも死にそうに言うとは。この件は後で詳しく橋元に報告しよう、と決めた。橋元がどんな報復をするかは、高みの見物で楽しませてもらうことにする。

「じゃあ、お邪魔しました」

「お、何だ。やっぱり忙しいのか」

「一応、特命で動いてますからね。いつまでもぶらぶらしているわけにはいかないんで」

「お前、この件でうまくやって、こっちへ復帰するつもりか？」

「どうですかねえ。そういうのを決めるのは俺じゃないんで」神谷は肩をすくめた。

立ったまま、わずかな間、堅山を見下ろす。堅山は、神谷の視線に潜む凶暴さに気づいたかもしれない。一瞬、ちらりと神谷を見て、すぐに目を逸らした。

「それじゃ、どうも」もう一度、できるだけ軽い調子で声をかけて、神谷は踵を返した。何をしたわけではない。ただ天野がここにいないと確認できただけだが、目的は果たした。

振り返らずに大部屋を出て行く。あんたたちの間抜けな計画は、既に破綻し始めているんだ。俺がとどめの一撃をくれてやる。


庁舎を出た途端、直接刑事部長のところへ乗りこむべきだったのでは、と考えた。一介の警部補が刑事部長には気軽に会えないが、自分をこの捜査に引き入れたのはあの男である。事情を話して、どちらの味方をするか、決断を迫る。

……まあ、それは俺の仕事じゃないな、と自分を納得させる。そもそも刑事部長がどんな立ち位置にあるかが分からないのだ。事実を全て知って隠蔽側にいるのか、それともニュートラルな立場なのか。おそらく後者なのだろうが、冒険はできない。

神谷は霞ケ関駅へ向かって歩き出した。まず、天野を捕捉しなければならない。あいつはもう、庁舎には戻って来ないだろう。家にいるのか、それとも……自棄になって、また何か起こされたら一大事である。永井に電話を入れ、天野の不在を報告した。

「間違いないですね？」

「今のところは。すぐに皆川を奴の自宅に向かわせて下さい」

「分かりました。あと、どこか行きそうな場所はないんですか？」

「そうですね……」

最近は同僚同士であっても、庁舎を出た後で何をしているかは分からない。奴の趣味はと言えば……酒を呑むぐらいだ。もっとも、酒ではなく酒場の雰囲気が好きなタイプなのだが。その証拠に、天野の誘いで呑みに行く時は、決まって気取ったバーだった。大人数の宴会でもない限り、居酒屋には寄りつこうともしない。彼の馴染みの店につき合うと、どうにも居心地が悪かったのを思い出す。神谷は、気楽な居酒屋で生ビールから始めたいタイプなのだ。

「呑み屋を張りましょうか。まだ時間は早いですけど、夕方からでも」

「心当たりはありますか？」

「行きつけが何軒かあるんですよ」

「では自宅と呑み屋の張り込み、二面作戦で行きましょう」

「了解です」

神谷は、天野と一緒に行ったことのある店の名前を告げた。もちろん、天野の行きつけの店はもっと多い。あの男の頭の中には、未だ見ぬ「理想の酒場」があるようなのだ。言葉の端々から、イギリスのパブを想定しているのは分かるが、日本ではその手の店にはなかなか出会えない。

電話を切り、永井は案外いい指揮官なのではないかと思った。自分でアイディアを出すわけではなく、基本的にこちらの意見を是認するだけだが、背中を押してくれるのは間違いない。

午後四時……多くの呑み屋が開くまで、だいたいあと一時間ある。神谷は、まず一番遠い店に行ってみよう、と決めた。二人で行った中で一番遠いのは、確か方南町《ほうなんちょう》。何であんな場所に、と不思議に思ったが、考えてみればあの店もイギリス風だった。とはいっても、ギネスが置いてあり、つまみにフィッシュ・アンド・チップスがあったぐらいだ。店内にかかるBGMがアメリカのオールディーズだったのが、全てをぶち壊しにしていたのを覚えている。目を閉じて音楽だけ聴けば、極彩色のジュークボックスとバーボン、ただ冷えただけのビールという組み合わせが似合いそうな店だった。

奴は、理想の店を見つけたのだろうか。それともまだ出会えずに、夜毎《よごと》に彷徨《ほうこう》を繰り返しているのだろうか。

その彷徨には、別の目的があるのか？

3

天野はその日、どこにも姿を見せなかった。自宅にも帰っていない。どこに身を隠しているのか分からないが、危険な兆候といえた。自宅に寄りつかない——これは、自分の「巣」を放棄したことを意味する。自暴自棄になった時の典型的な行動だ。

翌日も張り込みは続いた。人数に限りがあるので、本来は二人一組でやるところを、一人で担当しなければならない。神谷は、西麻布にあるバーに居座った。静かで落ち着いた店である。低い音量でピアノジャズが流れているだけなので、人の会話も聞き取りやすいし、薄暗いので姿を隠すにも適している。店内はカウンターのみという造り。L字形に折れ曲がったそのカウンターは、常時七割程度の入りだった。見ていると、客の平均滞在時間は三十分程度である。洒落た呑み物を軽く一杯引っかけ、さっさと次の店に向かう客が多いようだ。

神谷は既に、開店から二時間、粘っていた。まだ午後七時だが、客の回転が早いせいで、最初に店に入った時に見かけた顔ぶれはとうに消えている。神谷は氷のたっぷり入ったウーロン茶を飲んでいたせいで、体がどんどん冷えていった。

誰か相棒がいれば、無駄話をして時間を潰すこともできるが、ここで神谷が会話を交わせる人間は皆無である。店員には事前に事情を話していたが、彼らとお喋りをするわけにもいかない。あくまで、薄い闇に溶けこんだ客の一人として時間を潰さなければならなかった。

八時……ウーロン茶は三杯目になり、突き出しのナッツを齧り続けたので、変な具合に腹が膨れてしまった。何もしないで三時間座っているだけでも疲れるものだ。取り敢えず、生理的欲求を解決するためにトイレに入って、携帯電話を確認する。どこからも連絡はない。他の店で張り込んでいる連中と情報交換をしようかとも思ったが、話しているうちに何か起きたら、と思うと、そんなこともできなかった。

一番近くにいるのは凜だ。彼女が張り込みしているバーは表参道にあり、ここからは直線距離にして五百メートルも離れていない。短距離の世界記録保持者が走れば、一分もかからないだろう。

凜に会いたいと唐突に、そして強烈に願った。四十を過ぎてこんな感覚に襲われるとは思ってもいなかったので、戸惑いもあったが、感情の流れは止められない。狭いトイレの壁に後頭部を預け、頤を上げる。目はしっかり開けたまま。閉じると、彼女の表情が頭を完全に支配してしまいそうだったから。

戻るか……今はどうしようもない。余計なことを考えると、集中して張り込みができなくなる。トイレのドアに手をかけた瞬間、ズボンのポケットの中で携帯が震え出した。

慌てて引っ張り出すと、凜からのショートメールである。内容を見ずとも、タイトルだけで分かった。

件名：天野が来ました

神谷はトイレを飛び出し、そのまま店を出た。カウンターの中の店員が怪訝そうに眉をひそめたが、無視する。昼から降り続く雨が鬱陶しく顔に降りかかる。だが今は、そんなことを気にしている暇はなかった。走りながら携帯を取り出し、永井に電話をかける。「南青山のバー、『ロストデイズ』です！」叫んですぐに電話を切る。凜も当然報告しているはずだが、念のためだ。

急げ。足元で跳ね上がる水が不快だったが、スピードは落ちない。走れ。必死で走れ。人には、死にそうになっても走らなければならない時がある。

凜は、カウンター席の入口に一番近い場所に陣取り、緊張した面持ちを浮かべていた。ドアを開けて神谷が飛びこむと、ほっとした表情に変わる。神谷は一瞬店内を見回した後、彼女の横に座った。天野の姿は見当たらない。

「ロストデイズ」は、先ほどまで神谷が張っていたバーよりも、はるかに大きな店だった。マホガニー――本物かどうかは分からないがマホガニー色の什器で店内を統一してあるため、暗く重厚な雰囲気が漂っている。店は地下一階で、階段を降りた右側がドア。中に入ると、右側が奥に向かって長いカウンター、左手はテーブル席になっている。店内はほぼ満員。ここは高級な雰囲気の割に値段は安目だった。若者が多く――ただし学生ではなく若いサラリーマンが主流だ――店内にはざわざわとした空気が満ちている。静かに酒を呑む雰囲気ではない。

「間違いないか？」神谷は小声で訊ねた。ＢＧＭの音量が低いので、注意しないと話を聞かれてしまいそうだった。

「ええ」

「どうしてる？」

「酔っ払ってます……泥酔まではいかないけど、その一歩手前ですね。どうしますか？」

「今は様子を見るしかないだろうな。まだ、直接疑惑をぶつける段階じゃない」

「監視ですね」

「今夜は長くなるぞ……あいつは呑み出すと、何軒も梯子《はしご》するから」

あのエネルギーは、神谷には理解できなかった。神谷の場合、酔っ払うと動くのが面倒臭くなって、つい長っ尻になるのだが、天野は次々と店を替える。

「私は大丈夫です」

「これが最後の決め手になるかどうかは分からないぞ」

「そうであっても、何かの手がかりになるとは思います」

「ああ」

神谷はすっと寄って来た店員にバッジを見せ、ウーロン茶を出してもらうよう小声で頼んだ。ウーロン茶は実に便利な飲み物で、酒場の薄明かりの下では水割りのように見える。凜が、ハンドバッグから手鏡を取り出し、カウンターに置いた。

「真ん中辺りのテーブルです。ここからでも見えます」

鏡の角度を調整する——いた。天野はテーブル席に一人で陣取り、透明な飲み物の入った背の高いグラスを前にしている。両肘をテーブルについただらしない格好で、少し背中を丸めていた。灰皿に置いた煙草からは、細く煙が立ち上がっている。この店は煙草が吸えるのだと思い出し、傍らの灰皿を引き寄せて煙草に火を点けた。三時間ぶりの煙草……ニコチンが体に染みる。

「間違いない。奴だ。入って来たのはいつだ?」

「十五分前です……そう言えば神谷さん、ずいぶん早かったですね」

「走って来た」答えると、ワイシャツの背中が汗で濡れているのに気づく。背広も雨でだいぶ湿っていた。上着を脱いで椅子の背に引っかけ、ついでに携帯電話を取り出してカウンターに置いた。メールの着信があるのに気づいて確かめると、永井だった。

件名：手配済み
全員に手配済み。近場にいる桜内さんには現場に急行してもらいます。緊急時は迷わず一一〇番通報を。

まさか。ここで警視庁の人間を呼んだら、どんな騒ぎになるか予想もつかない。騒ぎを起こしてはならない、と自分を戒める。

「尾行はいなかったか？」

「私にですか？」凜が自分の鼻を指差した。「ないと思いますけど、そんな可能性、あるんですか」

「ああ」神奈川県警だけでなく、警視庁も自分たちの動きを追っているかもしれない。

「神谷さんは？」

「俺の方は大丈夫だと思う」神谷は忙しなく煙草を吸った。三時間ぶりなので、頭が少しくらくらする。「もちろん、油断は禁物だけど……それより、奴が入って来た時の様子を教えてくれ」

「もう、かなり酔った感じでした。席について注文した時、声が大きかった――大き過ぎましたから」

そう、酔っ払いは声が大きくなる。何故か、自分の声が相手に聞こえていないと考えてしまうのだ。あるいは、声をコントロールする中枢が麻痺するのか。

「誰かと電話したり、話したりは？」

「私が見ている限り、ないです。ずっとあの調子で、何か考えてますね」

うなずき、神谷は煙草を揉み消した。煙が薄れたところで、また鏡を覗きこむ。天野はずっと同じ姿勢を保っていた。口がぶつぶつと動いているのは見えるが、何を言っているかは分からない。相当追い詰められている様子が窺えた。天野は基本的に能天気で軽いが、いい奴だし頼りになる——少なくとも神谷の知っている一面はそうだった——こんなに深刻そうな様子を見たことはない。

見たところ、目の前のグラスの中身は減っていなかった。ここへ来るまでに、極限まで呑んでしまったのか……それも珍しいことだった。梯子はするが悪酔いはしない、というのがこの男の呑み方である。そういう意味では、いかにも現代の若者風のスマートなところがあった。あくまで酒ではなく酒場を愛している、という感じである。

しかし、本当なのだろうか……もちろん神谷は、天野の全てを知っているわけではないが、自分の中にあるイメージでは、天野が女を犯し、殺すような男だとは思えない……いや、それも思いこみに過ぎないか。人は、常に自分の全てを他人に見せているわけではない。誰にも二面、三面と別の顔がある。

鏡の中で、天野は魂が抜けたように見えた。煙草を取り上げたが、既にフィルターのところまで燃えているのに気づいて、ことさら丁寧に灰皿に押しつける。パッケージから一本引き抜いて口元に持っていったが、急に吸う気をなくしてしまったのか、テーブルに放り出した。転がった煙草が、グラスに当たって止まる。

「相当自棄になってる様子ですね」凛がささやく。

「そうだな」

「ああいう人なんですか？」

「いや、あんな感じを見るのは初めてだ」

「仕事をなくすと、やっぱり辛いですかね」

「分からないのは、どうして今なのか、ということだ」

そう言った後で、神谷は嫌な予感に襲われた。まさか、表沙汰になっていないだけで、天野はまた事件を起こしたのか？　それに気づいた警視庁が、ついに天野を切る決心をした？　だとしたら、警視庁のやり口は卑劣過ぎる。辞めてしまえば、現役警官の犯行が発覚した時よりも世間のバッシングは減る、と計算しているのではないか。

まさか。そんな露骨な手段は、最近はすぐに見透かされてしまう。

神谷は背中を伸ばした。ずっと鏡を覗きこんでいたので、すっかり上体が丸まっていたのだ。短い時間だったのに、やけに肩が凝っている。もう一度鏡に視線を落とし、ウーロン茶を啜った。鏡の中の天野が、ようやく煙草をつまんで唇に挟む。火を点けると、椅子にだらしなく体重を預けて、天井を仰いだ。煙草を持った右手はテーブルに。細い煙が立ち上がり、ゆらゆらと揺れる。

「この先、まだ行くんですかね」凛がぽつりとつぶやく。「そんな元気もなさそうですけど」

「いい加減、家に帰るかもしれないな」

それが本格的な尾行と張り込みの始まりになるだろう。明日以降も、天野に居場所はない。こんなことになって、反撃するつもりか、大人しく諦めるかは分からないが……昼夜逆転した生活になるかもしれない。天野は今、全てを失いかけている。失う物がなくなったと分かった瞬間、人はどんな無茶なことでもできるようになるものだ。

「立ち上がりました」凛が緊張した声で告げる。

鏡を見ると、テーブルに手をついて立ち上がった天野が、その場で固まっていた。テーブルを見下ろし、煙草を灰皿に押しつける。そのまま立ち去ろうとしたが、灰皿からまだ煙が上がっているのを見て、鬱陶しそうに表情を歪めた。燃え残った吸殻をつまみ上げ、しばし凝視した末、酒の入ったグラスに放りこむ。おいおい……神谷は思わず顔をしかめた。少なくとも天野は、こんな無礼なことをする人間ではなかったはずだ。

凜が緊張するのが気配で分かった。取り敢えず、店を出る天野を尾行しよう。桜内は間に合わなかったが、後で合流してもらえばいい。天野の酒場行脚はまだ続くのか、それとも別の動きに出るのか……神谷はさらに背中を丸めた。レジは、L字形に折れ曲がったカウンターの短い側――奥の方にあり、ここから直接は見えない。天野が帰る時には、自分たちの背中側を通り過ぎるはずで、気づかれる可能性も高い。とはいえ、今急に動いたら、かえって目立ってしまうだろう。やりにくい……取り敢えずはここで固まり、天野の動きをやり過ごすしかないようだ。観察は、顔が割れていない凜に任せよう。

「レジです」凜が短く報告する。

「揉めてないか」自暴自棄になった人間は、些細なことで他人に因縁をふっかけたくなる。

「今のところは」

肩に微電流が走るように緊張感が高まる。天野の顔を拝みたいのだが、それは叶《かな》わず、手足を縛られたような気分にもなった。

「この店、他に出入り口はないのか？」ふと気づいて言ってみた。

「奥に非常口があります。トイレの横です」

「確認した？」

「ええ」

「そっちから逃げるかもしれないな」実はとっくに神谷たちに気づいて、上手く抜け出すタイミングを計っているのかもしれない。

「外で待ち伏せしますか？」

神谷は頭の中で、凛のアイディアを転がした。急ぐあまり、慌てて店に飛びこんでしまったのを悔いる。本当は、店の周りを一周して、周辺の様子も確かめておくべきだった。

「俺が行く。裏側で待機するから、奴がここから出たら電話してくれ」

神谷は、背の高い椅子から滑り降りた。すぐにドアを開け、外に出る。雨はまだ降り続いており、少しひんやりした空気が漂っていた。短い階段を駆け上がり、慌てて裏口を探す。ビルが密集している場所で、建物と建物の隙間に体を押しこむようにして、何とか反対側へ出た。途中、何か柔らかく濡れた物を踏んだ感触があり、嫌な気分になる。

ビルの裏側は細い一方通行で、人通りが少なかった。ちらりと見た限り、酔客が二人、それに傘をさして早足で歩く若いサラリーマンが一人いるだけだ。非常口は、塗装がはがれかけた古いドア。どこかに姿を隠さないと……向かいのビルの入口に滑りこみ、体を壁に押しつけて身を隠した。非常口から出て来る天野が気を張っていれば、気づくかもしれない。元々用心深い人間だし……周囲に気を配れないぐらい酔っていることを祈った。

ズボンのポケットの中で電話が震える。慌てて引っ張り出すと、凜だった。

「裏口から出ました」

「了解。君も裏口に回ってくれ」

裏口……ということは、天野は明らかに何かを用心している。尾行されているのを確信しているのか。

神谷は壁にいっそう強く体を押しつけた。非常口のドアが……開く。天野は酔眼で周囲を一瞥したが、それほど真剣に観察している様子ではなかった。どうやらこちらの存在には気づいていないようだ、と胸を撫で下ろす。天野は背広は着ているがネクタイは外して、妙に疲れた様子だった。その背広には皺が寄り、ここ数日、家に戻っていないようである。既に人生を諦めた顔だった。鬱陶しそうに空を見上げ、雨を顔で受ける。傘はなく、歩き始めるべきか留まるべきか、迷っている様子だった。そもそもこの店に来たのも、雨宿りのつもりだったのかもしれない。

天野がようやく一歩を踏み出したので、神谷はさらに強く壁に背中を押しつけた。歩き出す方向によっては、見られてしまうかもしれない。体の向きを素早く変えて、壁に額を押しつける。しばらく天野の姿を見失うことになるが、凜の動きに期待した。裏口から続いて出てくれれば、追跡は可能なはずだ。

神谷はゆっくりと十数えた。天野はかなり酔っていて、どんな行動に出るかは予想もつかない。しかし歩き出したにしても、そんなに速くは動けないはずで、追跡はしやすいだろう。

そう考えて、十数え終えた時、思い切って壁から身を引き剝がす。歩道に出た瞬間、計算違いをしたことに気づいた。

天野はまだ、非常口から歩道に出たところに立ち尽くしていた。雨に打たれているのは、自分に罰を下しているようにも、ほどよい冷たさを味わっているようにも見えた。慌ててもう一度姿を隠そうとしたが、一瞬顔を上げた天野と目が合う。

その瞬間、天野の表情がいきなり変わった。酔眼はしっかりした目つきになり、背筋がすっきりと伸びる。どうするつもりだ？　神谷は固まってしまったが、天野の動きは俊敏だった。酔っていたのが演技だったかと思わせる素早い動きで、近くを通りかかった若い女性に襲いかかる。

神谷は脳裏から血が引くのを感じ、そのせいで一瞬反応が遅れた。わずかな間に天野は、女性の首に腕を回して抱えこみ、自分はそのままビルの壁に背中を預けた。口と喉を押さえられているので、女性は悲鳴も上げられない。ずいぶん小柄で、頭の天辺が天野の顎先よりもかなり下にあった。天野がズボンのポケットを探って何かを取り出す。黒く小さな箱型の物体……一瞬、彼の手先で蒼白い火花が散るのが見えて、スタンガンだと分かった。あの馬鹿……いつもあんな物を持ち歩いているのか。

どうする？　破滅が近づいていることを悟り、神谷は必死で考えた。俺の目の前でこんな行為に及んだのは、天野が全てを諦めてしまったからに違いない。女性を人質にしてどうするつもりか……どうにもならないのは分かっているはずだ。逃げられるわけがないし、女性を傷つければ、そこを突破口に厳しく調べられるのは分かっている。

話をしよう。今、自分にできるのはそれしかない。道路を挟んで反対側にいるので、距離は数メートル離れている。一気に襲いかかって武装解除できる距離ではないし、何より向こうには人質がいるのだ。

神谷は歩道に踏み出した。雨が髪や顔にまとわりついて鬱陶しい。天野は女性を盾にしたまま、神谷を睨みつけていた。左腕を女性の首に回して自由を奪った上に、頭にスタンガンを押しつけている。ワンピース姿の女性は必死でもがいていたが、体格差もあって、天野は完全に女性を制圧している。ワンピースの裾が乱れて、蒼白い脚が覗いた。左足のパンプスが脱げ、脇に転がっている。その足でアスファルトを踏んでしまい、女性がびくりと体を震わせた。冷たさと、濡れた感覚が不安を倍増させたのだろう。

「マサ、何してるんだ」

「神谷さんこそ」

距離があるので、互いに叫び合うような声になる。もっと落ち着いて話さないと……

神谷は二歩前に出た。天野の動きに変化はない。壁に体を押しつけたことで、すっかり安定してしまったようだった。非常ドアが一瞬だけ細く開いて凜の顔が覗いたので、素早くうなずきかける。周囲の状況を把握した凜が素早く、しかし静かにドアを閉める。上手くやってくれればいいが……神谷は天野に向き直った。顔が濡れているのは雨のせいか、それとも汗なのか……女性が泣いているのが分かった。涙で頬が濡れ、時折思い出したようにもがくが、天野の縛《いまし》めは解けない。体力勝負になる、と神谷は踏んだ。女性の体重は、天野の半分ほどしかなさそうだが、天野とて、いつまでもこうしているわけにはいかないだろう。

「マサ、その人を放せ」

「神谷さんがいなくなったら放しますよ」

「それで逃げられると思ってるのか？」

天野の顔が引き攣った。右手を顔の高さに上げ、もう一度スタンガンのスイッチを入れる。蒼白い電流が走り、危険を感じた。スタンガンも強力な物だと、相手に致命的なダメージを与えることがある。

車の音が聞こえて、神谷は焦った。この狭い道路にも、当然車は入ってくる。目の前を車が通り過ぎ、一瞬視界が塞がれた。その間に天野が何かしたら……見えなかったのは一秒ほどのはずなのに、無限の長さに感じられる。車が通り過ぎても、天野がまだそのままの姿勢でいたので、思わず安堵の吐息を漏らした。

「天野、その女性を放せ。話があるなら、俺が聞く」

「神谷さんには聞かれたくないんですよ」

「どうして」

「そんなこと聞く必要、あるんですか？」天野の顔が皮肉に歪んだ。

神谷は顎に力を入れて、唇を引き結んだ。予想もしていなかった正念場が訪れようとしている。もっと入念に周辺の捜査をして、それから天野を追い詰めるつもりだったのだが……もはや仕方ない。ここではっきりさせるしかないのだ。天野は、今この場で罪を犯しているのだから。

「そのスタンガンは、いつ手に入れた」

天野の右手がぴくりと動いた。スタンガンがどれぐらい重いかは分からないが、ずっと高い位置に挙げたままではいられない。天野はさっと右手を下ろし、女性の脇腹にスタンガンを押しつけた。

「ずいぶん前だろう。三年前……もっと前か」神谷は一歩を踏み出した。濡れたアスファルトの感触を靴の下に感じる。「何の目的だ？」

「どうですかね」天野が皮肉っぽく唇を歪める。

「とにかく、その女性を放せ」

「どうしましょうかねえ」天野の口調には余裕があった。「神谷さんがいなくなるまで、人質ということにしましょうか？　でも、それは無理か……もう、本庁には連絡がいってるんでしょう」

「俺は何もしていない」

「そうですか？　そんなはずはない。神谷さんのことだから、とっくに手は打ってますよね」

「少し、力を緩めろよ」女性が抵抗をやめ、ぐったりしているのに気づいた。天野が意識しているかどうかは分からないが、腕が鼻と口を塞いでいるのだ。「空気が足りてないぞ」

天野がはっとしたように目を見開く。左腕の力をわずかに緩めるのが分かった。途端に女性が暴れだしたが、天野は右手に持ったスタンガンを強く押しつけながら、女性の耳元で何か囁《ささや》いた。女性がすぐに動きを止める。女性が暴れた間に、密着していた二人の体が少しだけずれ、神谷は天野が勃起しているのに気づいた。生きるか死ぬかの状況なのに、どういうことだ……天野の暗い性癖を確信し、神谷は暗い気分に陥った。

「一つ、教えてくれ」

「どうぞ」天野の口調にはまだ余裕があった。

「俺が警察庁の特命班に加わってから、お前とは三回会ったな。三回とも、偶然とは思えない。俺の動きを追ってたのか」

「神谷さんは、俺の中では危険人物ですからね」

「だから、柳原が犯人だと強調して、俺を誘導しようとした」

「なかなか引っかかりませんでしたね」

「特命班の他のメンバーも同じだぞ。警視庁のように、お前を庇ってはくれないんだ」

「もしも三年前……神谷さんが気づいていれば、状況は変わっていたかもしれませんね。何で見当違いの暴走をしたんですか？」天野が嘲るように言った。

「熱くなると周りが見えなくなるのは、俺の悪い癖でね」

「今は？」

「今は、お前しか見てない」

「そうですか……」溜息をつき、天野が女性の首に腕を巻き直す。「そろそろ、どいてもらえませんかね。いつまでもここでこうしているわけにはいかないんで」

「本気で逃げられると思ってるのか？　お前、辞表を書かされただろう。見捨てられたんだよ」警視庁の判断も、神谷には理解不能だった。何故今になって……。「とにかく、その女性を放せ。逃げ切れるわけがない」

「別に、この場でこの人を殺してもいいんですけどね」さらに深い溜息。「今さら、どうでもいいでしょう」

本気か？　神谷は思わず両手を拳に握った。「俺の目の前でそんなことをしたら、お前を殺す」

「そういうの、やめましょうよ」天野が溜息をついた。「今時、熱血なんか流行りませんから……まったく、神谷さんが出てこなければ、こんなことにはならなかったのに」

「人のせいにするな」

雨が次第に強くなってきた。天野との距離は五メートルほど。女性の髪が濡れ、ぺったりと頭に張りついているのが分かる。申し訳ない、という気持ちが膨れ上がってきた。暴行されたわけではないが、ここで人質になった経験は、彼女に消せないトラウマを植えつけるだろう。

視界の端で、何かが動いた。先ほど天野が出て来た非常口が細く開く。誰かが顔を覗かせたが、神谷には見覚えがなかった。捜査一課の特殊班が到着するには早いし……所轄の連中だろう。しかし、この状況で的確な作戦行動は難しい。ノーアイディアか……

神谷はまた一歩を踏み出した。

「おっと、それ以上近づかないで下さい」天野がスタンガンをさらに強く、女性の脇腹に押しつける。肉に食いこむ感触が恐怖を呼んだのか、女性がくぐもった悲鳴を上げた。背の高い天野に引っ張り挙げられる格好になって、必死で堪えているせいか、裸足《はだし》の左足が細かく痙攣し始めた。いっそのこと、気を失ってしまえばいい。崩れ落ちる体重を支えるにはかなりの力が必要で、天野はバランスを崩すだろう。その時が勝負だ。

「その人を放せ」

「やめましょうよ。神谷さんは、特殊班じゃないんですから」天野が鼻で笑った。「人質事件の交渉には慣れてないでしょう？」

「特殊班の連中にも無理だろうな。お前はまだ刑事だ。そんな人間を説得した経験なんか、誰にもないんだぜ」

「警察は、前例のない事態には弱いですからねえ」

天野がにやりと笑った。女性の体からスタンガンを離すと、一瞬だけスウィッチを入れる。蒼白い電流が、闇の中で短いアーチになった。雨が降っている中で電流を流して大丈夫なのか？　しかし、天野は何ともないようだ。

「目の前でこの人を殺しましょうか？　俺は別に何とも思わないけど、神谷さんはショックを受けるんじゃないですか。それに今度は、左遷どころでは済まないでしょうしね」

クソ、完全に主導権を握られてしまっている。どうすればいい？　ズボンのポケットで携帯が震動したが、出ることもできず、焦りが募るだけだった。こんな時に……。

非常口がさらに開いた。制帽が見えて、制服警官がすぐ近くまで迫っていることが分かる。非常口から天野と人質の女性までの距離は、三メートルほど。雨が降っているのが幸いして、天野が気づいている様子はない。

その時、闇夜に突然赤い光が走った。非常口と反対側、二十メートルほど離れたところにパトカーが停まる。サイレンこそ鳴らしていないが、非常灯の光は目をきつく刺激し、一瞬視力を奪った。天野の視線も、そちらに吸い寄せられる。パトカーから制服警官が三人、飛び出して来た。

「来るな！」

神谷が忠告すると、前傾姿勢でこちらに全力疾走してきた三人の警官が、ぴたりと停まった。一人は濡れたアスファルトで滑り、転びかける。神谷はバッジを取り出し、顔は天野の方へ向けたまま、高く掲げた。

「警視庁の神谷だ！」そう名乗っていいかどうかは分からなかったが、ややこしい事情を説明している暇はない。もちろん制服警官たちは、神谷をある種の――マイナスの有名人として認識しているかもしれないが。

天野が少しだけ体を捻り、三人の警官の方に向き直った。女性の体を完全に盾にして、動きを封じる。首を捻って神谷の顔を見ると、苦笑した。

「無駄なことはやめませんか？　どうせ、膠着《こうちゃく》状態になりますよ」

「今なら何とかなるぞ。諦めろ」

「どうにもならんでしょう」両手が塞がったまま、天野が器用に肩をすくめた。

「自棄になるなよ、マサ」

「何をもって自棄というかですね。まったく――」

　天野は最後まで言葉をつなげなかった。非常口がいきなり大きく開き、制服警官が飛び出す。手には、さすまた。最大長に伸ばしたのを思い切り突き出すと、上手く天野の右腕を捕らえた。肘の上に当たり、天野がスタンガンを取り落としてしまう。「クソ」と短い悪態。女性の体をさらにきつく抱き寄せ、首を絞めようとしたが、その時には神谷が既に二人の間に割って入っていた。しかし天野も、簡単に女性を放しはしない。それどころか、女性を左腕一本で拘束したまま、右肘を神谷の脳天に叩きつけてきた。タックルの体勢で低く構えていた神谷の脳天に、痛みが突き抜ける。だが、必死で女性を天野から引き剝がそうとした。二人の圧力に、息が止まる……肘打ちの二発目が来た。さらに激しい衝撃に、一瞬意識が飛ぶ。

　だが、次の瞬間、ふっと天野の圧力が消えた。頭がくらくらするのを我慢して周囲を見回すと、桜内が天野の首根っこを後ろから捕まえ、思い切り引きずり回していた。バランスを崩した天野の首に腕を回し、体を密着させると、足を跳ね上げて投げ飛ばす。自分の体も宙に浮いて一回転するほどの激しい勢いで、天野が背中から水溜りに突っこんだために、激しい水しぶきが上がる。そのまま桜内が、天野の右腕を極《き》めにいった。完全に伸びた右腕……手首から先が白くなり、指先が細かく痙攣する。

制服警官が雄《お》たけびを上げながら殺到し、二人に覆い被さった。誰かが取り出した手錠が、街灯の光を受けて冷たく光る。手錠が締まる音がかちんと聞こえ、神谷は目眩がしそうなほどの鼓動が少しだけ治まるのを感じた。

「大丈夫ですか?」その場にへたりこんでしまった女性に声をかける。濡れた髪が顔にかかり、黒い血の跡のように見えた。若い。二十代になったばかりか、もしかしたら十代かもしれない。ハンドバッグが落ちて中身が散らばっている。間の抜けたことに、濡れたアスファルトの上に落ちた携帯電話が鳴りだした。女性がちらりとそちらに顔を向け、次の瞬間、声を上げて泣き始める。神谷は女性の肩を強く抱いて、少しだけ体を揺すった。それで安心するはずもなく、涙も止まらなかったが、ひとまず危機は去った。

神谷は、制服警官に女性を任せ、立ち上がった。脳天に二発食らった後遺症で、まだふらつく。馬鹿野郎、少しは手加減しろ……もう、この男に対して、そういう軽口は叩けないのだ、と気づく。どこからも文句が出ない現行犯逮捕なのだから。三年前の事件はともかく、天野は今、明確に犯罪者になった。

天野は桜内と二人の制服警官に組み伏せられ、まだもがいていた。実際桜内は、まだ腕を極めており、その気になれば一気に折ってしまえそうだ。

「その辺で!」神谷は思わず叫んだ。

桜内が、はっとして神谷の顔を見た。天野の腕をようやく放し、立ち上がる。全身がずぶ濡れになり、まだ表情は険しかった。

「助かった」

「いや……すみません。もうちょっとスマートにやりたかったんですけど」

「格好なんか関係ない」

二人の制服警官が、天野の両腕を抱えたまま、立ち上がらせた。天野の顔は雨と、どこを怪我したのか血で濡れている。血の赤が雨と混じり、細い筋になって頬を流れた。獣のような目つきで、神谷を睨みつけてくる。まずいな……自暴自棄になっている。自分で舌を噛むかもしれないと思い、神谷はズボンのポケットを探った。クソ、ハンカチなんか普段から持ち歩いていない。

予想に反して、天野はまだ諦めていなかった。いきなり暴れだし、縛めから逃れようとする。手錠は嵌められていたが、それで腕の動きが完全に制限されることもなかった。振り回した時に、手錠が一人の制服警官の顔面を直撃する。鈍い音がして、警官は顔面を両手で押さえてうずくまった。一度離れていた桜内が慌ててもう一度天野に組みつき、制圧を試みる。天野は断末魔のような叫び声を上げながら暴れ続けたが、二人がかりではどうしようもない。そこに凜も加わり、とうとう天野は沈黙させられた。桜内が背後に回り、背中に膝を乗せてアスファルトに押しつける。天野は、正座したまま前屈運動をしているような格好になった。荒い息が聞こえ、緊迫感がいや増していく。

手錠の直撃を受けた警官は、額を手で押さえていた。指の隙間から血が流れ出し、思っていたよりも重傷だと分かる。

「大人しくしてろ」神谷は声をかけて、天野に近づいた。

その瞬間、凜が「動かないで!」と短く叫ぶ。

彼女は天野の正面に回りこみ、その頭に向かって拳銃を突きつけていた。

4

何が起きたのか、神谷は一瞬理解できなかった。周囲を見回すと、負傷して座りこんでいた警官の拳銃ホルダーが空になっている。まさか、今のどさくさに紛れて凜が拳銃を抜き取った?

「やめろ!」神谷は叫んだ。

凜は微動だにしない。天野との距離は一メートル。引き金を引けば、絶対に外さない距離だ。桜内が驚いて力を抜いたのか、天野がゆっくりと顔を上げる。血に染まった顔に、恐怖の表情が浮かんだ。

「何だよ!」天野が必死で声を上げる。「俺を殺して、全部闇に葬るつもりか!」

「あんたみたいな人間に、生きてる資格はない」凜の声は……静かな血の叫びだった。

「どうせ矯正できないんだから、ここで死んでもらう」

「やめろ！」神谷はもう一度声をかけたが、凜の耳には入っていない様子だった。彼女が選んだ「再生」の道はこれなのか？

凜が一歩を踏み出し、さらに天野に近づく。天野を制圧している二人は、図らずも的を固定する役になっている。どうしていいか、分かっていないのだ。凜の肩が盛り上がる。真っ直ぐ伸びた腕はまったく動かず、やや下を向いた銃口は、正確に天野の額を狙っていた。

神谷は飛び出し、天野と凜の間に立ちはだかった。両手を広げ、目の前一メートルの場所にある銃口を見つめる。ちょうど、神谷の胸と銃口が重なっていた。凜が引き金を引けば、間違いなく俺は死ぬ。

「銃を下ろせ」

「こういう人間は、生かしておく意味はありません」

凜の目に、狂気の芽生えが見えた。もしかしたら、ずっとこのチャンスを狙っていた？　神谷はまた鼓動が高鳴り、軽い吐き気がこみ上げてくるのを意識した。いったいいつ、こんなことをしようと決めたのか……おそらく、天野が容疑者として浮かび上がってきた瞬間だ。神谷は、ふいに嫌な考えが浮かぶ。もしかしたら凜は、これまでにも同じようなことをしてきたのではないか？　犯人を捜し出し、司法の手に委ねず私的な制裁を加える。裁判でいくら長期の刑を科されても、死刑にならない限り、犯人は必ず出所してくるわけで、自らも性犯罪の被害者である凜は、そういう状況が許せないのだろう。だがそれは、根本的に間違っている。凜は、自分を犯した犯人を捕まえるために警察官になった。リハビリとしては最も荒療治だが、それは結局、効果を挙げていなかったのかもしれない。こんな風に犯人を始末することに血道を上げているとしたら……

彼女も犯罪者なのだ。

「こいつはどうせ死刑になる。君が手を汚す必要はない」

「やらせて下さい」

「君にはそんな権利はない」

「あります！」

「君は、刑事だ！」

神谷の叫びに、凜がはっと顔を上げる。次の瞬間、一人の警官が神谷と天野の間に割りこんだ。金属がアスファルトを打つ重い音が聞こえたので、盾を間に置いたのだと分かる。これで防御は完璧だ。神谷は一歩を踏み出した。凜は未だに腕を突き出しており、銃口が神谷の胸に触れそうになる。危険な状況なのは分かっているが、不思議と気持ちは落ち着いていた。俺と彼女の間には、会話を交わさなくても通じ合う何かがある、と信じたい。

凛の視線は、神谷とその先の盾も突き抜けて、天野を射貫いているようだった。ぴりぴりした空気が流れ、街の騒音が消える。雨がアスファルトを叩く音だけが、やけにはっきり聞こえてきた。

「この男は、君が逮捕した男とは違う」

「同じです」凛の口調に揺るぎはなかった。「生きていても意味のない男……排除すべき男です」

「刑事が、法の範囲をはみ出して、こういうことをするのは許されない」

「私は、こういう男を排除することに人生を賭けています」

「駄目だ」神谷は頑として言った。「君は警察官になった時点で、個人的な事情を捨てたんだ。あの男を逮捕したのも、あくまで警察官としての仕事だった。それは……俺は許す。だけど、今ここで天野を撃ったら、仕事の枠をはみ出してしまう」

「私の仕事は、こういう男を世の中から排除していくことです」言葉を変えて、凛が主張を繰り返した。

「そういう仕事は、存在しない」

銃口が少しだけ下がった。まるで機械仕掛けのようにゆっくりと、しかし一定のスピードで。神谷はさらに一歩を踏み出し、銃身を手で摑んだ。そんなはずはないのに、熱を持っているように感じられる。きつく握ったまま捻るようにすると、凛が銃把から手を放す。ずっしりと重い銃の感触が、手に食いこむようだった。

神谷は細く息を吐き、銃を持った右手を体の脇に垂らした。凛に近づく。互いの息遣いが感じられそうな距離だった。だが、雨が……雨が、それ以上の接近を邪魔する。神谷は、凛の暗い目に吸い寄せられた。抱きしめたい。抱きしめて、彼女の中に巣食った暗い部分を自分で引き受けたい。

だが今、それは叶わない。彼女に説教しておきながら、自分が刑事としての役割を放棄するわけにはいかない。

身を引く。その途端に、つい先ほどまで彼女の香りが鼻先に漂っていたのだと気づいた。一度うつむき、もう一度顔を上げて、凛の顔を正面から見据える。彼女はうなずかなかった。反発するわけでもなく、納得するわけでもなく、ただその場の空気に身を委ねている様子である。

もう一度話をしなければならないが、そのチャンスがあるかどうか、分からなかった。

ようやく踵を返す。最初に目に入ったのは、目を刺激するパトランプの赤い光だった。盾を持った制服警官がどくと、まだひざまずいている天野の姿が視界に入る。額から垂れた血が、細い筋になって濡れたアスファルトに落ちた。人質になっていた女性が、まだくずおれたまま、一人きりになっている。神谷は振り返り、凛に目配せした。それが合図になったように、凛にスウィッチが入る。はっと顔を上げ、雨に濡れ続ける女性のもとに駆け寄った。

　神谷がうなずきかけると、桜内が強引に天野の腕を引いて立たせた。力が入らないようで、足元がおぼつかない。ふと、自分こそこの男を撃ち殺したいのだ、と神谷は悟った。手には銃。素早く動けば、一瞬で願いは叶う。だが神谷は、必死でその思いを押し潰した。

「これからゆっくり話を聴く」

「勝手にしろ。何で殺さないんだ」

「お前を殺したら、事件の真相が分からなくなるからだよ」

「殺して、揉み消すつもりだったんだろう」

「警察は隠蔽が得意だからな」神谷はうなずいた。いつまでも、ここで天野と遣り合うことはできない。むしろ、一刻も早く離れたかった……神谷は桜内に、「連れて行ってくれ」と頼んだ。

　引っ立てられていく天野の後ろ姿を見ながら、神谷は、まだ額を押さえて道路にうずくまっている制服警官の横にひざまずいた。拳銃を差し出すと、恐る恐る受け取る。手は震えていた。

「銃の管理はちゃんとしておかないと」

「……すみません」

「俺は何も見なかった。何も起きていない。そういうことでいいな?」確かめる口調で話したが、実質的には強制だった。

「……はい」

「余計なことは言うなよ」

警察お得意の隠蔽。

自分は何度もミスをしたが、事実を隠したことはない。だが今日から自分は、様々な隠蔽工作をしてきた人間たちと同レベルに落ちる。

しかし、それが凜のためなら構わないと思った。今まで神谷は、ほとんど自分のためだけに仕事をしてきた。間違った容疑者を追って傷つけたのも、単に自分の判断に従ってやった結果だ。今初めて、人のためにルールを曲げる。

この雨が……体を濡らす雨が、その罰であって欲しいと願った。

天野は、簡単な手当てを受けた後、赤坂署の取調室に放りこまれた。神谷は管轄の問題を心配したが、赤坂署に現れた永井が、全てを解決してしまった。これまで見せたことのない自信たっぷりの表情で「問題はありません」と告げる。

「ありませんというのは、どういうことですか?」

「ちょっと、こっちへ」

永井が神谷の腕を取り、外へ連れ出した。赤坂署は、赤坂御用地の向かいにある。青山通りに面しており、この時間になっても車の通行量が多いので、外に出た途端に騒音に襲われる。雨脚は弱まる気配もなく、永井は首をすくめて鬱陶しそうな表情を浮かべた。


「実質的にうちが引き取ります」

「そんなこと、できるんですか？」

「元々捜査していたんですから」永井が肩をすくめた。「調査の一環ということで押し切りました」

「逮捕したのは赤坂署ですよ」

「ですから、うちはそれに乗っかって、調査の関連として調べさせてもらう、ということで……もちろん、記録は残します。それを赤坂署の調べにします」


かなり変則的なやり方だ。法的に問題があるかないかも分からない。だが、それより重要なことがあった。


「どこかから、妨害は？」

「さあ」永井が軽く笑った。「まだ情報が回っていないのかもしれません。妨害があるとしてもこれからかもしれないけど、そんな物、クソ食らえですよ」


神谷は眉をひそめた。この男の口から、こんな下品な台詞が出てくるとは思ってもいなかった。

「理事官、あまり無理するとまた体を壊しますよ」

「それが逆なんですね」永井の笑いが大きくなる。「縮こまって、言いたいことも言わずにいると、ストレスが溜まるんです。やっと分かりましたよ」

「そもそものストレスの原因……県警の連中には、何を攻められたんですか」

永井がゆっくりと首を振る。

「妻に関することですが……個人的な問題です。言う必要はないでしょう」

あの可愛らしい奥さんに何の問題が……神谷は訝ったが、追及はしないことにした。大事なのは、このまま神奈川県警を抑えこんでしまうことだ。

ふと煙草の香りが漂う。それを頼りに元を探すと、桜内がくわえ煙草でぶらぶらと歩いて来るところだった。神谷は軽く手を挙げ、「今日は助かった」と礼を言った。

「いえいえ。とにかく、無事に捕まえてよかったですよ」ふいに桜内の顔が曇る。「それより、あのことは……」

「何かトラブルでもあったんですか」永井が眉をひそめる。

「あー、ちょっとしたアクシデントです。負傷した赤坂署の警官が銃を落としましてね。それを保井部長が拾ったんですよ」神谷はのんびりした口調で答えた。

「それだけじゃ、問題にならないでしょう」永井が疑わしげに言った。

「問題にならないように、シナリオを書いてもらえませんか」

　その言葉で、永井は事情を悟ったようだった。明るかった表情が、見る間に暗くなっていく。彼もまだ、完全には腹をくれてはいないようだ。そういう風にできるようになるには、もう少し時間がかかるだろう。度胸と開き直り——キャリア官僚として、それがプラスになるかどうかは分からない。

「桜内警部補、私も煙草をいただけますか」永井が突然言い出した。

「理事官、煙草なんか吸うんですか？」桜内が仰天した様子で訊ねる。

「煙草でも吸わないとやっていけませんよ」

「でしょうねえ」

　二人が同時に神谷をちらりと見た。さらに、誰かが合図をしたように、揃って溜息をつく。

　勝手にしやがれ……神谷は二人に背を向け、署内に入った。難しい取り調べの前に、少しだけリラックスできたと思う。だがその状態は、長くは続かなかった。

　赤坂署は築年数が浅く、取調室も清潔で汚れがないせいで、むしろ落ち着かない。神谷は、かつての部下を取り調べるという異例の状況に緊張を覚えたが、天野がすっかり萎《しお》れているのを見て、体から力が抜けてしまった。

「神奈川県警が柳原を誤認逮捕した事件……あれは三件ともお前の犯行だな？」

天野は無反応だった。そっと手を伸ばすと、頭を覆うネット型の包帯に触れる。

「俺たちが失敗した、警視庁の特捜本部事件も……前代未聞だぞ？　犯人が特捜本部に入っていたなんて」

「だから、何なんですか」うつむいたまま、天野がぽつりと言った。

「何だと？」開き直りの台詞に、神谷は嫌な予感を覚えた。

「今さら、そんなことを言ったって……」

「お前がやったんだな？」

天野はまた無口に戻った。情緒的に攻めても効果はないようだ。だったら理詰めで行こう。

「神奈川県内で発生した複数の婦女暴行事件のことだ。揉み消された被害者の証言によると、犯人はお前に似ていた。それに一連の事件が発生した頃、お前は膝の怪我が治りきっていなかったな。足を引きずっていたのも、被害者の証言通りなんだ。それと、手首を怪我していたことがあっただろう？　被害者——お前が襲いそこなった女性が、鍵で傷つけたんだ。あのスタンガンのこともある。犯行に使われた物と同じじゃないか？　それとも買い換えたのか？」

「あんな物は、誰でも買える——」

「三年前、神奈川県警の捜査では、お前も容疑者として浮かんでいたんだよ」

天野の顔から一気に血の気が引いた。この情報は、彼の耳にも入っていなかったようである。

「ここから先は想像だ。警視庁もこの事実を突き止めたが、処理に困った。現職の刑事が連続殺人犯だったら、総監の首が飛ぶぐらいじゃ済まないからな。しかも悪いことに、神奈川県警には、お前を疑っている刑事がいた。だから別の人間を犯人に仕立て上げて、神奈川県警の事件をまず閉じようとした。警視庁にとっては幸いなことに、神奈川県警には、柳原に対して異様な悪意を持つ幹部がいたからな……彼に暴走させて、事件をでっち上げたわけだ」

「そんなことは知らない」

「幹部しか知らないさ。今改めて調べると、お前もかなり有力な容疑者だったんだ。あのまま捜査が進んでいたら、逮捕されていたかもしれない。怪我の件だけじゃなくて、犯行に使われた車とお前の車のナンバーの一部が一致していた」

「それだけじゃ……」

「お前が犯人じゃないと言い張るなら、ＤＮＡ鑑定をしようか。被害者の体内に残されたＤＮＡ型のデータは保存してある。犯人じゃないっていうなら、鑑定に協力してもらえるよな?」

「拒否します」

「どうして」

「拒否します」繰り返したが、口調は弱くなっていた。

「拒否する理由は、一つしかないだろうが！」神谷はテーブルに拳を叩きつけた。「犯人じゃないって言うなら、どうして鑑定に協力できないんだ！」

決定的な一言である。天野がまた黙りこんだことで、神谷は完全に急所を突いたと確信した。

「お前……どういうことなんだ？　何であんなことをしたんだ？」

「そんなこと、説明しなくちゃいけないんですか？」

神谷は虚を突かれた。呆気に取られて、まじまじと顔を見ていると、逆に天野の方が不思議そうな表情を浮かべる。

「あのですね」急に冷静な口調になり、天野が両手を組み合わせる。「どうして貧乏揺すりをするかとか、どうして指を鳴らすかとか、説明できます？」

「何が言いたいんだ」

「癖ですよ、癖。自分がどうしてそんな癖を持ってるか、説明できる人なんていないでしょう」

「女を犯したり殺したりするのも、癖だっていうのか？」神谷は、頭の中で何かが音を立てて崩れるのを意識した。こいつはサイコなのか……普段は明るく軽く振る舞い、捜査には真面目に取り組む。酒は強くないのにイギリス風のパブが好きな独身男で……そんなごく普通の人間が、裏に狂気の一面を隠していたのが信じられない。もしかしたら、精神鑑定に持ちこんで責任を回避するための発言かもしれないが、真面目に言っているように見える。

「癖としか言いようがないじゃないですか」天野が肩をすくめる。

「お前、わざと俺を怒らせようとしてるのか？」

「はい？」

「怒ればまたお前を殴りつけて、捜査を滅茶苦茶にするつもりだと思うか？」神谷は椅子に体重を預けた。天野と距離を置くことで、何とか憤りを押し潰す。辛うじて、笑みを浮かべることができた。「甘いな。俺は、ここで捜査を台無しにするつもりはない」

「は？」

「ここから先がまだ長いんだ。お前は、全体のシナリオの中では、ほんの小物に過ぎないんだよ」

5

誰が味方で誰が敵か。

神谷はその問題について考えるのをやめた。今信じてすべてを預けているこのチームの中にも、裏切り者がいるかもしれない。だがそれならそれで、仕方ないではないか。疑心暗鬼になって歩みを止めてしまったら、何も始まらない。思いもよらぬ結果が待っているかもしれないが、その時はその時で考えよう。

今回の件は、警視庁と神奈川県警がそれぞれの思惑で事件を隠蔽し、別人に罪をなすりつけたことがきっかけになっている。それは本来、許し難いことではあるが、問題が大き過ぎた。警察の根幹を揺るがしかねない。ここまで問題が大きくなると、後で気づいて正そうとしても、手が出しにくくなる。「どうして見逃していたんだ」と責められることになりかねない。

柳原が無罪判決を受けそうだったという状況は、警察庁にとってはある意味「助け舟」だった。

永井の読みでは、警視庁と神奈川県警の悪行を苦々しく思っていた勢力が、この判決に乗じて一気に反転攻勢に出ようとしているのだ、という。県警に対する調査を通じて、真犯人に辿り着かせる。自分たちは結局そのための駒だった、と。

「それは、卑怯なやり方ですね」

喫煙所で永井の推論を聞いた神谷は、言い切った。煙草が癖になってしまった永井が、顔を曇らせる。

「自分たちは手を汚さずに、俺たちに処理を委ねたことになる」俺たちは勝手に憤って、勝手に真犯人捜しを始めたのだが、それすら警察庁の予定通りだったのだろうか。だとしたら、怒るよりも呆れる。

「それは……確かです」

「理事官も、それに乗ったことになりますよ。最初から知っていたんですか？」

「いや」否定する永井の声は弱々しかった。「結局、私も歯車の一つに過ぎなかった。警察庁の階層構造では、ずっと下の方にいるだけですからね。今回の一件も、いきなり降りてきた話で、事前にはチェックしていませんでした」

「キャリアの人は、何でも知っていると思いましたよ」

永井の顔がまた引き攣った。煙草を灰皿に投げ捨て、憤然とした表情を浮かべる。だがそれも一瞬のことで、すぐに情けなさそうな笑みに変わった。

「警察は、組織として大き過ぎます。どこで何が起きているか、全部把握している人間なんか、一人もいないでしょう」

「そもそも人間は、自分の目の前で起きていることすら見えない時がありますからね……行きますか?」

「そうしましょう」

これからすることが、何か意味を持つのかどうか……神谷には分からなかった。捜査というわけではない。行政的に処置をする権利は自分たちにはない。だったらどうして、警視庁に乗りこむのか。

落とし前だ。少し上品に言えばけじめだ——自分たちなりの。それが終われば、後の処置は別の人間が考える。

警察は多層構造の組織だ。一人の人間が全ての責任を負うことはない。責任を分散させることで、一人一人の負担は小さくなり、最悪の結末は免れる。しかし時に、たった一人を犠牲にすることで、組織を守ろうとすることもあるはずだ。

そういう時に待っているのは、たいてい最悪の結末である。

神谷と永井は、捜査一課の大部屋を一気に横切り、堅山のデスクに向かった。堅山は自席にいたが、二人の姿を認めた瞬間、弾かれたように立ち上がった。目は大きく見開かれ、顔に血の気はない。握り締めた拳が震えているのが見えた。昨夜、天野が逮捕されたことは、当然知っているはずである。それなのに今まで、何の対処もしなかった?

実際には「できなかった」のではないだろうか、と神谷は想像した。上層部も判断を保留し、管理職とはいっても下っ端の堅山は、何ら対策のたてようもなかった……今日、こうやって出勤しているだけでも立派なものだ。度胸があるというか、あるいは開き直っているのか——開き直ってはいない。それなら、もう少し堂々としているはずだ。今の堅山は、逃げ場を失った小動物のようである。

「どうも」神谷はぞんざいに頭を下げた。こういう挑発的な態度が、悪い影響を生み出しかねないのは分かっているが、抑え切れない。「こちらは、警察庁刑事企画課の永井理事官です。今回の、神奈川県警の不祥事に関する調査のキャップ」

「神奈川県警の一件は、うちには関係ない」切り出した堅山の声は震えていた。

「それが、関係あるから困るんですよ。昨夜、天野が暴行の現行犯で逮捕されたことはご存じですよね？」

「報告は受けた。だが、あいつは辞める人間だ」

「辞めさせる、の間違いでしょう」

「俺には人事権はない」

苛立つ……神谷は唐突に暴力衝動が巻き起こってくるのを感じた。この男の顔面にパンチを叩きこみ、口笛を吹きながらこの部屋を出て行けたら、どんなに爽快だろう。だが人は時に、本能を押し殺して進まなければならない。

神谷も永井も立ったままだった。座れば、堅山が二人を見下ろす格好になる。そんな状態で相手を裁くのは無理だ——既に心理戦が始まっている。

「最初からいきます。三年前の連続婦女暴行殺人事件——神奈川県警がこの捜査を進めていく中で、天野が容疑者として浮上しました。同時に、うちの捜査本部の中でも、天野を疑う人間がいたと思います——恐らく係長、あなただ」

堅山は無言だったが、目が赤くなっている。必死で反論しようとしているが、適切な言葉が思い浮かばない様子だった。

「神奈川県警の方から、非公式に照会がきましたね？」

この日の朝、神谷は五島ともう一度面会した。天野の逮捕で状況が大きく変わって、五島は自分が知っている情報を全て神谷に打ち明けた。

「非公式な話は知らない」堅山の言い分は、子どもの言い訳のようだった。

「そうやって、いつまでも言い訳していて下さい」神谷は肩をすくめた。「とにかく、神奈川県警の担当者は、照会をした時に警視庁側の妙な態度が引っかかった、と証言しています。その直後、神奈川県警はこの担当者の説をろくに吟味もせずに、柳原を逮捕した。警視庁の方の事件は、解決しないままですね。それはそうだ。犯人が誰だか分かっていて、逮捕する気がないんですから」

「俺は知らない」

神谷は、堅山の言葉を無視して続けた。

「でも、知っている人はいた。天野はその後で特捜本部から外されました。さすがに犯人が特捜本部にいたのでは、洒落になりませんからね。その際に、いい具合に役に立ったのが俺です」神谷は自分の鼻を指差した。「俺がヘマして異動になったことで、人を動かす言い訳ができた。玉突き人事で、天野が特捜本部から外れることになったんですね。その後も、あいつは普通に仕事をしていた。さすがに、悪癖は影を潜めていたようですが」

重大な犯罪を「癖」と言い切った天野。神谷たちは、赤坂署の留置管理課に、通常よりも入念な監視を指示していた。天野に自殺でもされたら、全てが失われてしまう。

「警視庁としては、どうするつもりだったんですか？」

堅山は答えなかった。ここから先は推測になる。できれば、堅山の口から直接聞きたかった。もちろん、彼が全貌を知っているとは思えなかったが、当事者の言葉は重要だ。だが堅山は、口を開こうとはしなかった。仕方なく、神谷は自分の推理――昨夜から永井たちと入念にディスカッションを続けた――を口にした。

「しばらく、天野を監視下に置く。重大な仕事はさせない。どこかのタイミングで警察から放り出して、立件の可能性を探るつもりだったんじゃないですか？　現職の刑事を逮捕するのと、辞めた人間を捕まえるのとでは、衝撃が全然違う。世間のバッシングの厳しさも違ってくるでしょう。ただしそれは、警視庁の事件だけに限る。神奈川県警の事件で天野を犯人にしようとすれば、柳原を逮捕した神奈川県警の判断が間違いだったと認めることになりますからね。柳原が無罪になりそうだという状況は、いいタイミングだったはずです。神奈川県警のミスが世間的に問題になっている時に、さっさと処理してしまうつもりだったんじゃないですか？　神奈川県警は、結局犯人は分からなかった、ということで話を終わらせるつもりだったはずです。今さら話を蒸し返すわけにはいかないし、天野を疑っていた刑事も既に退職しました。関係者を上手く言いくるめて、何も喋らないようにさせれば、それで終わりだ。事件は迷宮入りするかもしれませんが、警視庁に迷惑もかけずに済む。お互いにウィン－ウィンということじゃないですか」

「そんな計算で警察は動かない」

神谷が喋っている間に、堅山は反論の態勢を整えたようだ。しかし神谷は彼の言葉を遮り、一気に畳みかけた。

「俺たちが調査に入ったことが、微妙なタイミングになってしまった。天野を馘にすることは、俺たちの調査が始まる前に、既に決まっていましたよね？　俺たちの調査は、あくまで神奈川県警のミスを調べるためのものですけど、状況によっては、自分たちにも手が伸びてくるかもしれない。だからさっさと天野を放り出して……この後、どうするつもりだったんですか？　あいつを始末する気だったんじゃないでしょうね」

「警察がそんなことをするわけがない」

「柳原を犯人にでっち上げるような組織が？　結局、組織の面子を守るためには、平気で個人を犠牲にするでしょう。天野は今、赤坂署に留置されています。何かあれば、誰かが手を出したことの証明になりますからね。あいつを無事に生かしておくことは、あなたたちの延命にもなりますよ」

「俺には何も関係ない！」堅山が怒鳴ったが、目には力がなく、視線が泳いでしまっていた。「だいたい、こんなことを調べて何になる？」

「誰が全体の構図を描いていたか、知りたいんですよ」

「知ってどうにかなると思ってるのか？　警察の中の話なんだぞ」

「だから？」

「最後は、責任は曖昧になるんだ」堅山が皮肉に笑った。

「そうかもしれませんけど、やれるところまではやるつもりです」

「……うちだけの話じゃない。もっと大きなところで意思決定がされたんだ」

「そういうことは……理事官が担当しますから」神谷は肩をすくめた。永井の立場でできることに限界があるのは分かっているが、彼の決意は本物だ、と神谷は信じていた。

　永井が一歩前に出た。

「後のことは、警察庁で引き受けます。あなたは、自分の身の上だけを心配していればいい」

「まさか……」堅山が椅子にへたりこんだ。

「間違いなく大掃除になりますね。でもこれは、やらなくてはならないことなんです。もちろん私も、これだけで警察という組織が完全に生まれ変わるとは思っていない。ただ、何かのきっかけになればいいんです。少しでも爪痕《つめあと》を残せれば、今はそれでよしとします。そして警察庁の中には、悪を排除して改革を進めようと本気で考えている人間もいるんですよ」

「それはどういう……」堅山の声に力はなかった。顎を胸に埋め、げっそりとした表情で永井を見つめるだけだった。

「そもそもどうして、この特命班が組織されたか、分かりますか？　警視庁が、身内の犯罪を隠蔽するためにあれこれ画策していたことは、曖昧にではありますが、分かっていたんですよ。神奈川県警の不祥事を調査するのはもちろんのこと、ついでに警視庁の抱えた闇をあぶり出せれば……という思惑が、警察庁の一部にあったんです。もちろん、これに抵抗する勢力もあるでしょう。ただし、大きな流れを作ってしまえば、逆らえない。政治の世界の守旧派と改革派の対立とは訳が違いますからね。悪と正義の線引きは、それほど難しいわけではありません」

沈黙。大部屋にいる刑事たちの視線が、自分たちに突き刺さっているのを、神谷は意識した。同時に、自分の足場ががらがらと崩れていくのを感じる。永井はいい。上級官庁のキャリア官僚として、現場の悪を正すのはまさに正しい仕事だろう。だが俺は……神谷は、警視庁という組織の中では、下級管理職の警部補に過ぎない。内部の不正を調べる権限はなく、仮に永井を助けてそんなことを始めれば、総スカンを食うのは目に見えている。刑事部長は、本土への復帰もあり得ると言っていたが、おそらくあの男は、詳しい事情を何も知らなかったのだろう。だからこそ、無責任に人事で誘いをかけることができた。「そんなことは言っていない」と前言を覆す可能性もある。

だが神谷には、それを責める気はなかった。組織というのはそういう物である。口約束には何の重みもない。もしも俺が本気で復帰を考えていたら、刑事部長の言葉を単なる「話」として終わらせるだけでなく、文章にして残すよう、要請すべきだったのだ。

それをしなかったのは、どこかで諦めていたからだ。大島での生活が気に入っているわけではないが、復帰してどうなる、という思いもある。どちらにしても居心地の悪い状態で、あと十八年、警察官を続けていくことに意味があるかどうか、分からなかった。

これから自分がどうなるかなど、どうでもいい。やるべきことが目の前にある以上、それをこなしていくだけだ。

「行きますか」神谷は永井に声をかけた。

「そうしましょう」永井がうなずく。

二人は決定的な一言も捨て台詞も吐かずに、踵を返した。堅山は、生き残りを画策するかもしれない。だが今や、手遅れだ。考えてみれば、警視庁は極めて大きなミスを犯している。内輪の人間が希代の殺人犯だったとしても、それが何だというのだ。何かやった人間がいれば逮捕する、その単純な原則を忘れて、無理矢理事実を隠蔽しようとしたが故に、無為に二年半が経過して、さらにややこしいことになってしまった。警視庁のある勢力は、あまりにも弱気だったに違いない。世間に叩かれることを恐れるあまり、無様に事件を隠そうとした。

仮に俺があんな暴走をせず、特捜本部に残っていても天野の犯行を暴けたかどうかは分からない。自分の部下が凶悪犯だと知ったら、隠蔽に積極的に手を貸していたかもしれない。何だかんだと言って、自分も組織の人間で、捜査一課にいた頃は、大きな繭にくるまれているような感触を心地好くさえ思っていたのだ。

だが、離れていた二年半の間に、意識が変わったのだろう。自分だけが責任を取らされたという不満、露骨な左遷に対する憤り——自分は組織に切られた、という意識は消えない。それ故、客観的に組織のあり方を見ることができるようになったのかもしれない。

目の前に来たボールを打ち返す。組織論も、将来の展望も必要ない。そんなことを考えていると、絶好球を見逃すことになるのだ。そして一球を見逃したが故に、試合に負けることもある。

何と戦っているのかは分からなかったが、自分は負けるわけにはいかない、と神谷は強く思った。

6

特命班本来の仕事である神奈川県警に対する調査は、天野の逮捕をきっかけに潮目が変わった。雪崩《なだれ》を打つように、「実は」と告白する人間が続出したのである。警視庁も絡んでいた隠蔽工作が明るみに出て、隠し切れないと諦めたのだろう。あるいは、自分だけ助かりたいと願うあまり、平気で県警を裏切ろうとする。天野の逮捕以降、情報提供が相次ぎ、特命班は、これまでの調査結果を一から見直さなければならなくなった。何しろ、補足情報が多過ぎる。無視できない内容ばかりだったし、生かそうと思えば、どうしても報告書に盛りこまねばならなかった。

その間、神谷は天野の取り調べに没頭した。天野は「癖」の一言で自分の行動を説明したが、本気なのか作戦なのか、神谷には読めなかった。だが、担当した東京地検の検事は、「精神鑑定は必要ない」と強硬姿勢を守っている。あれだけの犯行を「癖」の一言で片づけようとするのは異常だったが、他の言動は一貫して意味が通じている。検事としては、精神状態を争点にしたくない、という気持ちが強いようだった。事実関係で、十分に勝負できる。

天野は、事実関係については認めていた。細部の供述が得られ、裏付け捜査を進めるにつれ、犯行の詳細が分かってきた。三年前に天野が犯行に使ったスタンガンは、自宅で押収された。どうもこの男は、用心が足りなかったというか、自分には捜査の手は及ばないだろうと高をくくっていた節がある。簡単に隠せるスタンガンならともかく、当時犯行に使っていた車を未だに乗り回しているというのは、刑事の常識を超えていた。どんなに奇麗に掃除したつもりでも、車内に多くの物理的な証拠が残ってしまうことなど、刑事なら誰でも知っている。彼の愛車は、一連の事件が起きる直前に買ったばかりだった、という事情があったにしても、あり得ない話だった。終いには神谷は、この男が大胆なのかただの馬鹿なのか、分からなくなっていた。

神谷は何度か橋元に会い、愚痴をこぼした。橋元が、当時天野の犯行に気づいていなかったのは、神谷にとってささやかな救いだった。少なくとも一人、全面的に信じられる人間がいる、と思ったから。しかし会う度に、二人の会話からこの事件の話は消えていった。あまりにもひどく、話題にするのも辛い。

特命班としての仕事の最終日、永井がささやかな打ち上げの宴を開催した。先日は中華街の店を使ったのだが、今回はいつも仕事をしている部屋が会場になった。それが、神谷には妙に懐かしい。所轄時代の打ち上げ、捜査本部の解散式——いつもこんな感じなのだ。

しかし打ち上げは、盛り上がらなかった。夕べ遅くまで報告書の仕上げにかかっていた皆川と桜内の目は赤く、島村はぶすっとしている。凜は無表情。仕出しの料理は自然に乾いていき、会話は弾まなかった。神谷と永井以外の四人は早々と地元へ戻るので、気もそぞろになっているせいだろう、と神谷には分かっていた。

神谷自身は、身分を警察庁に残したまま、さらに天野の事件の取り調べにあたることになっている。今後どうなるかについて、明白な指示はない。永井自身、どうすべきか決められないようだった。仮に何か腹づもりがあっても、彼一人で決めることもできないだろうし。

官僚とはそういうものだ。

暗い雰囲気を打ち破るように、永井が口を開く。

「今回は、皆さんに大変ご迷惑をおかけしました。普段ならあり得ない捜査で、苦労されたと思います」

「まったくねえ」反応して島村が喋り出した。「これは、孫子の代まで語り継がれるやろうね……皮肉として」

「まことに申し訳ない」真顔で永井が謝罪した。「私も、この仕事を命じられた時には、困惑しました。いったいどういう意図なのか、さっぱり読めなかった。しかし結局、我々はある人物の書いたシナリオ通りに動いていたことが分かりました」

「その人物とは？」島村が、日本酒の入った紙コップを手に永井の顔を見た。

「局長クラスのある人物、と言っておきます。私にとっては、何かと縁の深い人です」

「ようするに理事官は、その人の私兵になった、ということですか」桜内が険しい口調で追及する。

「それは必ずしも、正確な表現ではないですね。私は当初は、彼の意図を知らなかった。その状態では、私兵とは言えないでしょう」

桜内が不満気に唇を引き結ぶ。やはり、事情が分からないまま駒として使われた、という意識は消えないのだろう。

「その……局長クラスの人が、改革派なんですか」皆川が訊ねる。

警察の中の保守派と改革派。改革派が何を目指しているかははっきりしないが、とにかくそういう大きな二つの流れがあることを、特命班の人間は知っていた——嫌でも知ることになった。

「そう言っていいと思います」永井が認める。

「そこに乗るのは、我々にとって……どうなんでしょう」

追撃する皆川の口調は、どこか不安そうだった。彼はまだ若く、働き盛りなのだ。福岡県警に戻れば、普段の仕事に忙殺される。とても、自分の背中を守っている余裕はあるまい。

「あなたたちは、乗る必要はありません」永井が首を振った。「そういうのは我々の仕事です。あなたたちには、絶対に迷惑が及ばないようにしますよ。むしろ、あなたたちが仕事をしやすい環境を作るよう、努力します」

そういう台詞は、信じるも信じないもない。どんなに強固な約束でも反古《ほご》にされることはあるし、それをいちいち恨んでいたら、やっていけない。ただ神谷としては、永井の言葉に嘘はない、と信じられるだけで十分だった。警察庁に勤めるキャリア官僚の中にも様々なタイプがいる。トップ2《ツー》——警察庁長官か警視総監——を目指してひたすら出世の階段にこだわる人間。何らかのエキスパートになって、天下りなどで第二のキャリアにも生かそうとする人間。いい悪いではなく、様々なタイプのキャリア官僚がいる、ということだ。そして永井のような人間——捜査の陣頭指揮を執ったり、警察に都合のいい法律改正に尽力したりするよりも、組織の改革に力を入れようとするタイプがいてもおかしくはない。

少なくとも、風通しのいい組織を作って欲しい、と神谷は願った。変な腹の探り合いや忖度で話が進む組織ではなく、正面から殴り合ってでも本音をぶつけ合える組織を。そうなると、力の強い人間が勝つわけか……出世を目指す人間は、今まで以上に柔道や剣道の朝稽古《げいこ》に励むようになるかもしれない。

そう考えて、思わずくすりと笑うと、凜に声をかけられた。

「どうかしました？」

「いや、何でもない」

「とにかく、今後皆さんには迷惑をかけないよう、頑張ります。いずれ、皆さんの将来にもつながるように、今回の件を生かしていきたいと思います」永井が話を締めくくりにかかった。

「ま、無理せんようにお願いしますよ、理事官」島村が軽い調子で言った。「知り合いが怪我するのを見るのは、辛いですからな。仮にも我々はチームだったんやから」

島村の言葉は重かった。極めて特殊な任務のために集められた、特殊なチーム。忘れられるとは思えず、折に触れ、この特殊な任務を思い出すことになるだろう。衝突もあったし、勝手な離脱で迷惑をかけたこともある。神谷は本当に申し訳なく思った。

「まあまあ、湿っぽくならんと」島村が甲高い声で言って紙コップを掲げた。無言で、全員が乾杯の合図に従う。「理事官、そろそろ締めて下さい。こういう打ち上げは、手短にやるのが筋でしょう。そういうのは、大阪府警だけの伝統かな？」

「どこでも同じですよ」桜内が言った。「それに私、今晩中には帰りたいですからね」

「お、家が近い人は気が早いね。家族の顔を見たくなったかな？」島村がからかった。

「一か月も空けましたからね」照れながら桜内が認めた。「女房に殺されないうちに帰ります」

「そらそうや。どんなに頑張っても、家族には勝てんわなあ」

無言の乾杯。神谷もコップの底に残った日本酒を一気に呑み干した。それを契機に、若手の凜と皆川が後片づけを始める。心配になり、神谷は皆川に近づいて声をかけた。

「福岡行きなら、まだ最終があるだろう」確か、羽田発が八時過ぎのはずだ。「早く帰ってやらないと、彼女が泣くぞ」

「いや」皆川の耳が赤く染まった。

「まさか、振られたんじゃないだろうな？　だったら一種の労災だぞ」

「違いますよ」皆川が赤い顔で否定した。「……今夜は、彼女がこっちに来てるんです。ニューグランドに部屋を取りましたから」

「やるねえ」神谷はにやりと笑った。「あそこの、『シーガーディアンII』っていうバーはお勧めだぞ。雰囲気がいい」

言ってしまってから、それを教えてくれたのは天野だった、と気づいた。

あの男は……俺の心に楔《くさび》を打ちこんだな、と思った。そしてささやかな記憶が、人を永遠に苦しめることもあるだろう。

神谷と凜は、最後に部屋を出た。明日には、ここも引き払うことになっている。神谷たちが後始末をするわけではなく、警察庁から後始末の部隊が来るという話だが。

最後の夜。横浜の街を並んで歩きながら、神谷は彼女にかける適当な言葉を探した。見つからない。自分に打ち明けたこと、そして天野を殺しかけたことで、何か大きな心の変化があったのは間違いないが、彼女自身、それを説明できないのではないか、と思った。神谷が自分の心中を他人に説明できないのと同じように。

「神谷さんは、これからどうなるんですか」凜がぽつりと訊ねる。

「どうかな。この先しばらく、永井さんと仕事をするのは間違いないけど」

「それが終わったら、本土に戻って来るんですか」

「分からない……そんなことを言ってくれた上司もいたけど、当てにはしない方がいいだろうな」

「そうですね。口約束は、いつでもいい加減です」

何度も一緒に歩いた、ブルーライン関内駅への道……これが最後になるだろう。この辺りは銀行の支店などが集まるオフィス街なのだが、東京と違って、どこか味わいがある。古い物を普通に残し、同時に新しい物を違和感なく受け入れ、特徴的な顔になっているのだ。札幌は——凜の暮らす街はどうなのだろう。

いつの間にか季節はすっかり秋になり、半袖で歩いている人はほとんどいない。神谷も、背広を羽織っているぐらいでちょうどいい感じだった。

「明日、帰るのか」

「帰ります」

「一つだけ、言っておきたいことがある」

「何ですか」

凜が立ち止まった。眼鏡店の壁に背中を預けるように、神谷と対峙する。

「あの時……君が島に来てくれた時、俺は嬉しかったんだと思う」

「あれは」凜が慌てて言った。「あの時は、神谷さんの力が仕事に必要だと思ったからです。だいたい神谷さんが、携帯も持っていないのがいけないんじゃないですか」

「でも、署に連絡をくれれば、すぐに摑まったはずだ」あの時に交わした会話の繰り返しだ、と思う。

「そう、ですね」凜が低い声で認めた。「でもあの時は、どうしても行かなくてはいけないと思ったんです。直接会って話をしないといけないと……私は、神谷さんを助けたかったんだと思います。助けられたかどうかは分かりませんけど」

「ありがとう」

神谷が礼を言うと、凜が驚いたように目を見開く。

「誰かに必要とされる……そんな気分、しばらく忘れてたよ」

「神谷さんを必要としている人間は、いつでもいますよ」

　君は……誰でもよかったんだろう、と神谷は思った。過去を打ち明け、嫌な記憶を受け止めてくれる人間がいれば。だが、手近にいたという理由だけで自分が選ばれたとしても、誇らしいことだと思う。誰かに、あんな風に過去を打ち明けられた経験など、ない。

「俺を踏み台にするつもりなら、それでもいい」

「そんなつもりはありません」凜が真っ直ぐ神谷の顔を見た。

「東京と北海道は遠い」

「考えているほど遠くないと思います」

「どっちも仕事を続ける以上——」

「先のことは分かりません。でも私はずっと、髪を上げたままにしておくと思います。どんなに寒い時でも」

「君はまだ、乗り越えていないと思う」そうでなければ、天野を殺そうとはしなかったはずだ。

「乗り越えていないとしたら、神谷さんはどうするつもりですか?」

「それは……」神谷は、自分の声がかすれるのを意識した。

「約束はしなくていいです。そうじゃなくて、いきなり何かしてもらっても構いません。

私は驚きませんから」

　神谷はすっと手を伸ばして、指先で凜の頬に触れた。凜が驚いたように目を見開き、神谷の顔を見つめる。

「簡単に驚いたじゃないか」

「仕方ないじゃないですか」

　凜が頬を膨らませる。柔らかい頬は少しひんやりしていた。神谷はずっと、そのままにしていた。指先を通じて、凜の感覚を自分の記憶に刻みつけるように。

　無理に忘れなくてもいい記憶もあるのだ。そんな当たり前のことを、神谷はひどく新鮮に感じていた。

解説

田口俊樹

国内外の年間ベストミステリーを読書人が投票で選ぶ『このミステリーがすごい！』が創刊されてしばらく経《た》った頃だったと思う。ミステリーとは何か、何をもってミステリーとするか、という議論が書評家諸氏のあいだでにぎやかに交わされたことがあった。あまりミステリーらしくない作品をどこまでミステリーとして認めていいものか、という問題がことの発端だった。そんな中、ある書評家から、明らかにミステリーでない作品はすべてミステリー、という定義まで飛び出した。詭弁《きべん》というか、自明の理の語呂合わせみたいな定義ではある。が、これまでに選ばれた『このミステリーがすごい！』の上位作品を見てみると、これはこれで案外うがった定義になっているのかもしれない。

私にとってのミステリーとは文字どおり〝謎〟だ。ミステリーであるからにはやはり謎がないと物足りない。といって、世の中にはどうでもいい謎もないではない。また、初めから答がわかってしまっているような謎もある。そういう謎を提示されてもあまり嬉《うれ》しくない。やはり謎そのものに心惹《こころひ》かれなければ愉《たの》しくない。思わず膝を乗り出したくなるような謎――本書『検証捜査』ではそんな謎が景気よく矢継ぎ早に繰り出される。

本書の主人公、神谷警部補は警視庁の捜査一課の敏腕刑事だったのだが、今は伊豆の大島署に「左遷」され、無聊《ぶりょう》をかこっている。そんな彼のもとに本庁の刑事部長から一本の電話がはいる。それは「特命」を伝える電話で、神谷は神奈川県警に出頭することを命じられる。本庁の刑事部長から直接大島署の刑事課に電話がかかるというのはきわめて異例のことだ。それに「左遷」されたはずの神谷がなぜ「特命」を拝することになったのか。そもそも神谷はどんな不始末をしでかして「左遷」されたのか。本書では、このふたつの謎が、ひとつは警察という組織、もうひとつは組織に身を置く神谷という個、さらには組織と個の扞格《かんかく》を物語に織り込む二本の太い縦糸になっている。

神谷が受けた「特命」とは神奈川県警を〝捜査〟することだった。三人の女性を拉致して犯し、のちに殺して死体を遺棄した被告人、柳原に高裁の逆転無罪判決がくだり、捜査にあたった神奈川県警の捜査手法が問われる結果となったからだ。そのために警察庁刑事局の理事官をトップに、本庁の神谷のほかに北海道警、福岡県警、埼玉県警、大阪府警からも刑事が招集され、捜査チームが組まれたのだった。そんな彼らの検証捜査が進むにつれ、神奈川県警の杜撰《ずさん》な捜査ぶりが次々と露呈する。それはもう眼を覆うばかりの粗雑さで、そこで新たな謎が生まれる。どうしてここまで杜撰だったのか。むしろ、神奈川県警には最初から柳原を犯人と決めつけ、犯人に仕立て上げようとしていた節さえある。なぜそのような誘導捜査がおこなわれたのか。

これと同時に柳原という男の不審さ、胡乱《うろん》さも描かれ、ここでまたひとつの謎が生じる。逆転無罪判決を勝ち取ったものの、果たして柳原はほんとうに無罪なのだろうか。柳原がやはりこの連続殺人事件の犯人だったということはないのだろうか。神奈川県警の不可解な思惑と杜撰な捜査が、明らかな真実を隠してしまっているということは考えられないだろうか。いかにも犯人らしい容疑者がそのまま真犯人というのは、すでに何十年もまえにミステリーの女王、アガサ・クリスティーが試みた「意外な」犯人像のひとつだが、本書ではそのあたりの筆の運びがいかにも巧みだ。

これは〝お約束〟ということになるかもしれないが、神谷とヒロイン保井凜――北海道警の刑事で、検証捜査チームの紅一点――の男と女の出会いもぬかりなく描かれる。が、凜はただ物語に色を添えているだけの名ばかりのヒロインではない。彼女自身、大きな謎を抱えている。そんな彼女の謎が徐々に明かされると同時に、神谷の過去の〝不始末〟とからみ合いながら、連続婦女暴行殺人の真犯人がおのずと浮かび上がってくる。本書はいわゆる本格もの、あるいはパズラーと呼ばれる謎解きミステリーではないが、私は物語にちりばめられたいくつもの〝謎〟を大いに堪能させてもらった。

翻訳ミステリーでも警察もの、あるいは刑事ものには根強い人気がある。翻訳小説はあまり読まないという読者でも、デンゼル・ワシントン主演で映画にもなったジェフリー・ディーヴァーの警察小説、リンカーン・ライム・シリーズはご存知の方も少なくないのではないだろうか。昨今の翻訳ミステリー界ではヨーロッパの警察小説が人気で、昨年もアイスランド人作家のアーナルデュル・インドリダソンの『湿地』（柳沢由美子訳　東京創元社）やドイツのネレ・ノイハウスの『深い疵《きず》』（酒寄進一訳　創元推理文庫）といった秀作が紹介され、好評を博した。警察組織というのは、国によってずいぶんと異なりそうだが――アメリカでは州によってもけっこう異なる――それでも、案外（あるいは案の定）官僚的で、閉鎖的なところはどこでもあまり変わらないようだ。そのためだろうか、一般人が警察内部の事情を知ることはどの国でも容易でないと聞く。警察の取材に一番手間取る、とジェフリー・ディーヴァーもどこかで語っていた。ささやかで、もっと低レヴェルのことながら、実は私にも経験がある。ある本を翻訳していた折り、些細《ささい》なことだったが、インターポール（国際刑事警察機構）について訊《き》きたいことが出てきたので、警察署に電話で問い合わせたら、広報部にまではたどり着けたものの、同じ建物の中にある国際警察には取り次いでさえもらえなかった。まさに取りつく島がなかった。そんな警察の内幕を描いて本書に確かなリアリティが感じられるのは、きっと読売新聞社で社会部記者をしておられた堂場さんの経験がものを言っているのにちがいない。

大根翻訳者の楽屋話ながら——本書の解説の執筆というお鉢が私のような門外漢にまわってきたのは、堂場さんがアメリカの現代ミステリー作家、ローレンス・ブロックの大ファンで、自ら影響を受けた作家のひとりとして公言もしておられ、そんなブロック作品を私が三十年来訳しているという、ま、ご縁によるのだが、ブロック作品の魅力について、これを機会にご本人に訊いてみた。

まず返ってきた答は〝会話の妙味〟だった。なるほど。あちらでは会話のうまい作家を〝耳のいい作家〟などというが、ブロックがそのひとりであることはまちがいない。次の答は、ストーリーを軽視するわけではもちろんないが、ストーリーに拘泥しすぎないところという趣旨のものだった。これまたなるほどである。ブロックは自身の小説作《さく》法《ほう》を気球に喩《たと》え、プロットはことさら考えず、その時々気持ちの赴くままにストーリーを紡ぐと明かしている。このことを私なりに堂場さんにあてはめると、無理をしないストーリーづくりということになるだろうか。本書も、鬼面人を驚かすようなキャラクターがとんぼ返りを打って、見得を切るようなミステリーではまったくない。いわば等身大の登場人物が自由闊達《かったつ》に無理なく舞台を動きまわり、加えてブロック作品と同様「ちょっとした登場人物にも全員血が通っている」。

最後の答は、ブロックの作品はミステリーであると同時にすぐれた〝都市小説〟にもなっているという指摘だった。なるほど×3である。ブロックは根っからのニューヨーカーで、ニューヨークを舞台にした作品が大半なのだが、読むだけでニューヨーク（おもにマンハッタン）散歩ができるほど、街並みが生き生きと描かれている。本書には、大島から呼び出された神谷が都会に戻り、横浜の関内駅で地下鉄を降りて神奈川県警に向かうシーンが最初に出てくるが、関内という土地柄を知らなくても街の様子が彷彿《ほうふつ》とする、いかにも丁寧な筆致である。

最後の最後に――ブロック作品の堂場さんのイチ押しを尋ねたら、『八百万の死にざま』（拙訳　ハヤカワ・ミステリ文庫）ということだった。元刑事のアルコール依存症探偵が主人公のハードボイルド小説である。堂場さんは翻訳が生業の私なんぞよりはるかに広く深く翻訳ミステリーを読んでおられるのだが、そんな中でも『八百万――』はオールタイムベスト10の上位作ということだった。自分の本の宣伝めいてしまうのは本意ではないが、堂場瞬一ファンのみなさんにも手に取っていただければ幸いである。

本書は、集英社文庫のために書き下ろされました。

この作品はフィクションであり、実在の個人・団体・事件などとは、一切関係ありません。

堂場瞬一の本

8年

30歳すぎの元オリンピック出場投手が大リーグへ挑戦！　自分の夢を実現するため、チャレンジする男の生き様を描くスポーツ小説の白眉。第13回小説すばる新人賞受賞作。

集英社文庫

堂場瞬一の本

少年の輝く海

東京から山村留学で瀬戸内の島にやってきた中学生・浩次は、海に沈んだ財宝を探すことに。同じ山村留学の花香を誘って、海へ漕ぎ出し…。少年少女の波乱の夏を瑞々しく描く青春小説。

堂場瞬一の本

いつか白球は海へ

プロ入りを諦めた大学野球のヒーロー海藤。存亡の危機にある社会人チームで勝利のために挑むが…。スポーツ小説の旗手が野球ファンに捧げる日本版「フィールド・オブ・ドリームス」。

集英社文庫

集英社文庫

検証捜査《けんしょうそうさ》

2013年7月25日　第1刷　　定価はカバーに表示してあります。
2022年7月13日　第16刷

著　者　堂場瞬一《どうばしゅんいち》

発行者　徳永　真

発行所　株式会社 集英社
東京都千代田区一ツ橋2-5-10　〒101-8050
電話　【編集部】03-3230-6095
【読者係】03-3230-6080
【販売部】03-3230-6393(書店専用)

印　刷　図書印刷株式会社

製　本　図書印刷株式会社

フォーマットデザイン　アリヤマデザインストア　　マークデザイン　居山浩二

ISBN978-4-08-745089-7 C0193